FUENTES LITERARIAS CERVANTINAS

BIBLIOTECA ROMÁNICA HISPÁNICA

DIRIGIDA POR DÁMASO ALONSO

II. ESTUDIOS Y ENSAYOS, 199

FRANCISCO MÁRQUEZ VILLANUEVA

FUENTES LITERARIAS CERVANTINAS

BIBLIOTECA ROMÁNICA HISPÁNICA
EDITORIAL GREDOS, S. A.
MADRID

EDITORIAL GREDOS, S. A.

Sánchez Pacheco, 81, Madrid. España.

Depósito Legal: M. 34109 - 1973.

ISBN 84-249-0527-X. Rústica.
ISBN 84-249-0528-8. Tela.

Gráficas Cóndor, S. A., Sánchez Pacheco, 81, Madrid, 1973. — 3800.

A Javier Martínez de Azcoytia Laffón,
amigo leal

INTRODUCCIÓN: PARALELOS Y MERIDIANOS

Acoge este libro diversos estudios que comparten un mismo desvelo por la presencia en Cervantes de diversas tradiciones literarias, de sus interacciones y de su mayor o menor peso en la novelística de aquél. Trátase, pues, en conjunto, de una investigación de fuentes literarias, es decir, de una relativa rareza para nuestro tiempo. Tal vez ello baste para espantar a algunos con recuerdos del método árido y desacreditado con que tantos eruditos de antaño se limitaron a catalogar grandes o pequeñas, reales o imaginarias contaminaciones, sin otra guía, al parecer, que dejar en buen lugar a Salomón y su *nihil novum sub sole* o a las viejas tras el fuego con aquello de *En todas partes cuecen habas*. Es de notar que el repudio de semejante metodología ha sido, sin embargo, una característica y notable omisión entre las tareas de los viejos cervantistas. Optaron éstos de lleno por la otra gran alternativa positivista de las indagaciones cerradamente documentales y biográficas, sin duda porque permitían salvar el mito opuesto y no menos ingenuo de la originalidad romántica del genio. Se pretendía explicar el arte del *Quijote* a través de pormenores biográficos de su autor y, sobre todo, por la existencia real y documentada de los famosos «modelos vivos», pues la inmensa galería de personajes cervantinos (empezando por don Quijote y seguida por Ginés de Pasamonte, Cardenio, don Diego de Miranda, etc.) andaba suelta por el mundo y sólo era necesaria alguna perspicacia y buena maña para trasponerlos a la obra inmortal. Aunque tal error es de los que se refutan por sí mismos, ha sido Amado Alonso [1] quien mejor ha razonado la incongruencia que se daría entre un pobre loco de manía caballeresca y un don Quijote, la distinta naturaleza del hecho amorfo de la experiencia frente a la voluntad de estructuración interna que presupone todo fenómeno literario. Aun así, y en medio de tanta exégesis «masorética» (como decía Unamuno), los estudios sobre Cervantes y su ámbito literario no se inician seriamente hasta la década de los años veinte con los trabajos de Menéndez Pidal *(Un aspecto de la elaboración del Quijote,* 1920) y Américo Castro *(El pensamiento de Cervantes,* 1925). Ambos esfuerzos suscitaron, aun entonces, no pocas reacciones dominadas por cierto aire de escándalo, y Menéndez Pidal había de defender su método con sabias aclaraciones que conservan todo su valor:

> El estudio de las fuentes literarias de un autor, que es siempre capital para comprender la cultura humana como un conjunto de que el poeta forma parte, no ha de servir, cuando se trata de una obra superior, para ver lo que ésta copia y descontarlo de la originalidad; eso puede sólo hacerlo quien no comprende lo que verdaderamente constituye la invención artística. El examen de las fuentes ha de servir precisamente para lo contrario, para ver cómo el pensamiento del poeta se eleva por cima de sus fuentes, cómo se emancipa de ellas, las valoriza y las supera [2].

La decisiva superioridad de las fuentes literarias consiste en que *per se* constituyen una materia ya organizada

---

1 «Cervantes», *Materia y forma en poesía,* 3.ª edición, Gredos, Madrid, 1969, págs. 154-158.

2 «Un aspecto de la elaboración del *Quijote*», en *De Cervantes y Lope de Vega,* 6.ª edición, Austral, Madrid, 1964, págs. 26-27.

en el mismo plano de la obra en que han de reflejarse. Trátase, pues, de un paso natural y espontáneo, como el del que va de una habitación a otra dentro de su propia casa. Sobre todo, la fuente significa además un ámbito de fórmulas técnicas ante el que, por necesidad, ha de adoptar su actitud la conciencia creadora del poeta. Es cierto que existe una realidad circundante, pero no puede verla éste sino literaria o poéticamente, es decir, regulada por una sensibilidad y unas categorías expresivas que en gran parte le vienen dadas en herencia. Y esto aunque sólo sea en el sentido (nunca absoluto en la práctica) de haberle servido para desarrollar las suyas propias en deliberada rebeldía y contraste. Toda obra individual se desprende, pues, de un patrimonio común, refleja de un modo u otro una coyuntura histórica de la literatura y modifica, a la vez, el equilibrio de ésta, convirtiéndose en legado para otros poetas, según una especie de operación *ad extra* no menos interesante también para la crítica [3].

Como observa R. Lapesa [4], «toda elección de fuentes es ya en sí un importante acto estilístico», y no debemos entender este concepto en ningún sentido angosto ni restrictivo. Porque la opción que se presenta ante el poeta es ilimitada, y el acto creador de éste no constituye ningún ciego mecanismo, sino el supremo ejercicio de su libertad ante posibilidades infinitamente subdivididas, y esto no sólo de combinación, sino también de finalidad, énfasis y matiz. No

---

3 «Pour ramener à leur juste importance les problèmes de sources, on peut dire sans paradoxe qu'une oeuvre se comprend aussi bien à l'aide de celles dont elle est la source qu'en remontant aux livres dont l'auteur s'est nourri»; M. Bataillon, *La Célestine selon Fernando de Rojas,* París, 1961, págs. 9-10.

4 «Los *Proverbios* de Santillana. Contribución al estudio de sus fuentes», *De la Edad Media a nuestros días,* Gredos, Madrid, 1967, página 111.

se pierda de vista que la obra no se escribe sola ni automáticamente: cuando la pluma acaricia la página en blanco, fecundándola como el varón a la hembra (la imagen es, claro está, de Lope de Vega), lo hace guiada por una mano de carne y hueso, que lo mismo pudo escribir *otra cosa.* Esta verdad tan simple y tan a menudo olvidada representa, sin embargo, la otra cara o anverso de la difundida teoría de los *topoi*[5], pues se hace preciso insistir en que el *topos* carece de vida propia en cuanto tal, entendiendo ahora por vida la noción de valor estético. El *topos* no equivale a su uso por el poeta en un momento determinado. Modifica su valor, si no su contenido, al hallarse combinado o no con otros *topoi,* al ser puesto al servicio de la sensibilidad e ideales del poeta, al servir de materia prima para un acto de voluntad creadora. El uso del *topos* es también, por último, una experiencia vital del escritor, con toda la complejidad que ello trae consigo. El interés del *topos* no se halla así en el contenido, sino en su aspecto funcional, que es diverso en cada caso y, por lo tanto, nada *tópico.* No existe la obra integralmente *tópica,* como no existe tampoco la integralmente *original.* Una obra *tópica* (como hay tantas) quiere decir una obra de escaso contenido *poético,* insuficientemente *creada,* y la crítica encuentra poco o nada que estudiar en ella. La línea ideal del *topos,* del género o estilo, de lo compartido o de lo heredado, es como un paralelo cuya utilidad consiste en guiarnos hasta el cruce exacto con el meridiano de lo inédito, de lo personal, de lo irreductible del poema.

---

5 Expuesta principalmente por E. R. Curtius en *Literatura europea y Edad Media latina,* Fondo de Cultura, México, 1955. Es preciso advertir que el deseo del autor es aquí demostrar la continuidad de la tradición grecolatina como espinazo de la cultura medieval, es decir, una tesis de naturaleza fundamentalmente histórica y no encaminada en modo alguno a esclarecer el carácter de la obra literaria.

Vale como regla general que todo gran poeta recibe y da, a su vez, mucho. No sólo rebosa éste de la cultura literaria de su tiempo, sino que alcanza a cifrarla por entero, identificándose con ella, en algunos casos excelsos (Homero, Dante, Goethe). ¿Y había de ser menos Cervantes? ¿Había de ser menos quien confiesa no reprimir su pasión de lector ni aun ante «los papeles rotos de las calles»? La existencia en Cervantes de una gran cultura literaria debe representársenos, en primer lugar, como un postulado exigido por la misma grandeza de su obra. Pero dicha noción es, por otra parte, un hecho que la línea de encuesta señalada por *El pensamiento de Cervantes* viene acreditando en términos irrefutables (trabajos de Canavaggio, Riley, Avalle Arce, etc.). Gran innovador si los ha habido, hace su revolución, como observa Francisco Ayala [6], no en ruptura iconoclasta con la literatura de su época, sino subsumiéndola y doblegándola a sus fines. No entender algo tan obvio fue el gran pecado y el despeñadero del viejo cervantismo, al que halagaba mucho más la idea del genio como un ímpetu ciego y torrencial de la naturaleza. El prejuicio de la indigencia cultural de Cervantes [7] caló tan hondo, como resultado, que aún es abrigado socapa por acá o acullá. Hasta un catálogo, a todas luces cauto, de libros conocidos por Cervantes, que compiló A. Cotarelo [8], se ha visto combatido con argumentos de escasa consistencia y mínima comprensión del problema [9].

6 «La revolución literaria cumplida por Cervantes procede a la inversa: pone a contribución las formas exhaustas, y las emplea como material de construcción para levantar un nuevo edificio, creando con él espacios espirituales cuya posibilidad nadie sospechaba, dimensiones poéticas que la geometría literaria anterior no había descubierto»; «Nota sobre la novelística cervantina», *Revista Hispánica Moderna*, págs. 43-44.

7 Expuesto y rebatido por R. de Garciasol en el prólogo a *Claves de España: Cervantes y el Quijote*, Austral, Madrid, 1969.

8 *Cervantes lector*, Madrid, 1943.

9 A. González de Amezúa considera escandalosamente alta la lista

Defender la cultura literaria de Cervantes es, de paso, un encarecimiento de las dificultades que acechan al investigador de ésta, abrumándole con arduos problemas en los que poner a prueba su preparación y, más aún, su paciencia. Pero también es cierto que esta mayor dificultad es sólo de grado y no de naturaleza, pues el verdadero riesgo yace en la quiebra inherente a todo intento de dar razón en el plano crítico de una realidad de orden estético. Aporía común, por tanto, a todo método que no sea meramente externo y que debe hacernos tanto más modestos y cautelosos, pero nunca escépticos hacia nuestro propio oficio. Siendo el acto creador, en cuanto realidad sicológica, un secreto perdido e insondable, sólo tenemos entre nuestras manos la obra literaria como resultado material de aquella experiencia. La tarea consiste, pues, en dar cuenta de un hecho bruto como resultado de unos procesos inteligibles que en él hayan podido confluir y entrecruzarse. La consideración atenta del ámbito literario en que surgió la obra puede ofrecernos algunos puntos fijos a los que referir su carácter mediante juicios comparativos. Empeño difícil y de claras limitaciones apriorísticas, pues no cabe tener, a su vez, sino una idea aproximada y subjetiva tanto de la cultura literaria como de la forma en que ésta actuaba sobre el poeta o era vivida por él. La complejidad absoluta de tantas interacciones como yacen en la obra es también, en rigor, inabarcable, dado que sólo nos es dado asir algunos cabos del ovillo en los puntos donde se dejan venir más a la superficie. Pero este plano de ri-

---

de 429 títulos reunida por Cotarelo, pues ni aun humanistas como Vives o Mal Lara es concebible que leyeran tantos libros (?). Cervantes no pudo leer mucho debido al escaso tiempo que le dejaban sus ocupaciones (soldado, cautivo, comisario) y a sus menguadas posibilidades económicas para formar una buena biblioteca privada; *Cervantes creador de la novela corta española,* C. S. I. C., Madrid, 1956, I, páginas 41-56.

gores lógicos ignora la radical relatividad de las disciplinas humanísticas y podría conducirnos a una abdicación perezosa y estéril. Las limitaciones expuestas son, en cambio, valiosas en cuanto desengaños de la ilusión de exhaustividad, de la arrogancia de todo *ne varietur* y otros espejismos positivistas del mismo jaez.

En el análisis de un problema de génesis literaria no cabe mayor equivocación que la de creer que todo responde a un impulso preciso e identificable, y más aún que sólo exista en cada caso una sola *tradición* o *fuente*, términos cuyo peligro es superado nada más que por el de *influencia* [10]. La finalidad de estos trabajos no está en el dogmatizar un antecedente para cada elemento literario, sino en dar razón de éste dentro de una línea de coherencia en que no aparezca como suelto y arbitrario e ilumine, además, su función en la estructura de la obra. Nos hallamos ante una realidad esencialmente problemática, en la que nada es simple y donde muchas explicaciones pueden ser a la vez válidas y complementarias. En la caracterización de Sancho Panza se advierten con claridad los convencionalismos de los tipos cómicos del teatro prelopista, pero su función como personaje empalma de lejos con las gestas medievales y más de cerca con los *romanzi* italianos; todo esto sin dejar de ser, también, una figura de esencial dimensión folklórica a través del castizo refranero. Y nada de ello obsta para que Sancho sea, hasta el fin de los siglos, uno de los logros más imprevistos y originales de la literatura universal.

Principio fácilmente deductible y muy importante para los estudios de génesis es la posible desproporción entre la naturaleza del estímulo seminal y su resultado, entre el hecho

10 Véanse las agudas consideraciones que acerca de estos problemas hace C. Guillén, *Literature as System. Essays Towards the Theory of Literary History*, Princeton University Press, Princeton, 1971.

o hechos literarios que pueden haber desencadenado la chispa creadora y el valor o magnitud de la obra a que dan paso. Quiere esto decir que no existe, en cierto modo, partícula de la tradición que no sea potencialmente importante. Incluso una obra de tan alto bordo como *La tentation de Saint Antoine* de Flaubert, empapada de erudición y resonadora conspicua del *Fausto* de Goethe, tiene su primer arranque en la tradición e iconografía popular de los terrores y pesadillas del santo anacoreta, esos *miedos de San Antón* que el mismo Cervantes usaba también como frase hecha y proverbial *(La ilustre fregona)*. El mismo *Quijote*, con su inspiración inicial en algo tan modesto como el *Entremés de romances*, podría ser otro buen ejemplo. «Cada cual debe a cada libro cosas particulares que nadie sabe», decía Pedro Salinas [11]; «que nadie sabe», habría que añadir, «pero que a la crítica interesa saber y puede, a veces, averiguar». Entiéndase también que el nexo genético no es, ni aun en los casos más visibles, una estricta, mecánica relación de causa a efecto, sino indicio de la validez de unas líneas de coherencia, presentes en la obra pero externas asimismo a ella. La presencia del nexo puede ser a veces un simple problema de crítica textual, pero más a menudo (y para los análisis más decisivos) se nos ofrecerá como hipótesis de trabajo, respaldada por su propia capacidad de explicación. Aun fuera de dicho nexo genético, obras y autores de reducidos vuelos pueden quedar repentinamente hermanados con alguna creación universal, como es el caso del peregrino don Luis Zapata respecto al mismo Cervantes. Sin acercarlos por un momento no podemos entender bien cómo se traducía a términos vitales el problema altamente teórico de la novela. La aproximación de ambos ingenios permite acotar también, por una

---

[11] *Ensayos de literatura hispánica*, Aguilar, Madrid, 1958, pág. 93.

especie de trigonometría, la trascendencia latente en la boga del libro misceláneo, un valor hoy perdido para nosotros entre las sombras de la arqueología literaria, pero que encarnaba muy de veras la más noble inquietud intelectual de aquella época. Paradójicamente, un autor como Zapata cobra relieve sólo al ser visto en la misma perspectiva del autor del *Quijote,* sirviéndonos para advocar la utilidad de unas investigaciones no ya *hacia Cervantes,* sino *desde Cervantes,* que también comienzan a hacerse viables y necesarias.

Lo grande y lo pequeño son, pues, nociones por completo relativas en el estudio de cuestiones de génesis. La misma necesidad de atender a fenómenos de pequeña escala presupone y aun exige que éstos se resuelvan y contrapesen dentro de un cuadro de mayores dimensiones, razonamiento que sería igualmente válido al desarrollarse en sentido contrario. La obra literaria se ilumina también en un contexto mayor que ella misma, que puede abarcar siglos y saltar las fronteras nacionales y lingüísticas. Frente a la investigación que cabría llamar *microgenética,* existe también otra *macrogenética,* ocupada con el gravitar de géneros y estilos, de la teoría literaria y del pensamiento filosófico. La herramienta del investigador continúa siendo aquí básicamente selectiva, valoradora y comparatista, sin precisar más que de un ajuste de visión acorde con el distinto módulo de los hechos manejados. Dicho cambio de óptica ha de realizarse a instancia de la misma finalidad de establecer nuevas series de abscisas y ordenadas a que referir el problema estudiado. Si el meridiano cervantino cruza los paralelos de Zapata y de los prelopistas, no deja de intersecar también el de los grandes poetas de Italia, del humanismo cristiano, de las disputas sobre la épica culta o el concepto tridentino del arte. En el caso de Cervantes no puede extrañar que tales coordenadas marquen fronteras válidas aun fuera de las Letras españolas y rumbos decisivos para el futuro de la literatura europea. Nuestro punto de mira seguirá siendo, sin embargo, el funcionamiento de tan amplias categorías en la conducta de un personaje, en la reelaboración de un tema, en el plan de una aventura, en hechos literarios susceptibles, por limitados, de un estudio detenido y preciso. Nada más opuesto, pues, a esta metodología que el afán de presentar un hecho cultural de grandes e imprecisas proporciones como clave de que ir extrayendo una serie sistemática de respuestas.

La gran tentación y el gran fracaso que acechan en esta clase de investigaciones serían, por tanto, la cortedad de miras, el literalismo y, sobre todo, la recaída en áridas y dogmáticas actitudes catalogadoras. Como atractivo y compensación podrían anotarse, en cambio, la amplitud de iniciativa y enfoque, así como la diversidad de aspectos técnicos en que, por encima de una especialización alicortada, es preciso conducir estas tareas. Gran libertad y no menor compromiso, pues otra paradoja que en este punto se perfila es lo mucho que el estudio interno de la literatura obliga a caminar por fuera y en torno a ella. El investigador así orientado se sorprenderá a menudo elaborando, sobre todo, la joven y compleja ciencia de la historia de las técnicas literarias. Dicho en otras palabras, estamos llamados a incidir, pues, de lleno en la historia de la literatura y sus ineludibles problemas. Pero claro está que no en la historia literaria merecidamente abominada por Dámaso Alonso [12] y que se limita a atiborrar nombres, fechas y listas de obras en libros que sólo son «vastas necrópolis». Qué duda cabe que nuestro ideal en esto ha de ser esa otra noble disciplina que estudia «el fluir, el devenir de la realidad literaria, el pugnar de las epocas, el encenderse de los estilos, la curva creciente con

---

12 *Poesía española*, 5.ª edición, Gredos, Madrid, 1966, pág. 207.

que éstos se forman y cómo se hinchan y desaparecen» [13]. O, lo que es lo mismo, «una parte de la historia de la cultura: historia de la cultura literaria» *(ibid.).* Pero semejante distinción, útil en la práctica, es también, en rigor, ociosa por tautológica, pues todo historiar es hacer inteligible lo amorfo, y con aquel otro criterio cabrá preparar, todo lo más, diccionarios o catálogos útiles para referencia, pero jamás nada que pueda con propiedad llamarse *historia.*

* * *

Tres de los estudios agrupados en este libro han sido publicados previamente como artículos de revista [14]. Nos complace ofrecerlos aquí aumentados en extensión (casi doble en dos de ellos) y depurados de las erratas que, sin responsabilidad por nuestra parte, proliferaron sañudamente en algunas de aquellas páginas. Se han hecho ciertas correcciones, en su mayor parte de estilo o motivadas por la incorporación de nueva bibliografía. Cuando se ha realizado alguna rectificación crítica, queda así señalado en el texto. Los estudios sobre Guevara y Folengo en la obra de Cervantes son rigurosamente inéditos.

Ha sido preparado este libro a petición de don Dámaso Alonso y bajo su inestimable estímulo, aumentando así una crecida deuda de magisterio y afecto que el autor no sabe cómo agradecer.

FRANCISCO MÁRQUEZ VILLANUEVA

Queens College and Graduate Center.

---

13 *Ibid.*, pág. 208.

14 «Sobre la génesis literaria de Sancho Panza», *Anales Cervantinos,* VII, 1958, págs. 123-155. «Tradición y actualidad literaria en *La guarda cuidadosa*», en *Hispanic Review,* XXXIII, 1965, págs. 152-156. «Don Luis Zapata o el sentido de una fuente cervantina», *Revista de Estudios Extremeños,* XXII, 1966, págs. 487-541.

LA GÉNESIS LITERARIA DE SANCHO PANZA

CRÍTICA Y CRÍTICOS ANTE SANCHO PANZA

La entidad literaria de Sancho Panza ha suscitado una corriente de atención crítica paralela, aunque de caudal inferior, a la que discurre en torno del alucinante don Quijote, si bien distamos todavía bastante de conocer con la certeza y detalle que quisiéramos el árbol (sin duda frondoso) de su ascendencia y el proceso de su elaboración como protagonista dual del gran libro.

Por lo pronto, la búsqueda de «modelos vivos», en que tan vanamente se esforzó el viejo cervantismo[1], se ha mos-

[1] La relativa inanidad de los «modelos vivos» resulta comentada con acierto en la respuesta de Menéndez Pidal a las dificultades suscitadas por Cotarelo a la hipótesis del *Entremés de romances*: «Sin embargo, no se nos alcanza qué va a ganar el conocimiento íntimo del *Quijote* el día grande en que se descubra, en un documento de Esquivias, que un Quijada, Quesada o Quijano fue verdaderamente un loco de remate conocido de Cervantes. Difícilmente esos documentos podrían descubrirnos algo quijotesco de ese pobre loco»; «Un aspecto de la elaboración del *Quijote*», en *De Cervantes y Lope de Vega*, Buenos Aires, 1964, pág. 56. En cuanto a la afirmación de Rodríguez Marín, según la cual habría que buscar los modelos vivos de don Quijote por la simple razón de que Cervantes veía la imitación de la naturaleza como suprema norma estética *(El modelo más probable del Don Quijote,* Madrid, 1918, pág. 7), es una pueril salida de tono poco a la altura del docto comentarista. La ineficacia de posibles

trado en este punto casi del todo estéril. Para no acordarnos de algún que otro autor de la época de los delirios cervantinos [2], sólo cabría mencionar en este sentido la hipótesis de R. Porras Barrenechea, quien defiende la posibilidad de que la carta de Sancho gobernador a su mujer constituya una intencionada sátira respecto a otra, escrita en parecida circunstancia, del gobernador del Perú Cristóbal Vaca de Castro [3]. También se ha sugerido [4], a título de pura hipótesis, que tal vez habría surgido Sancho de alguna persona que empleara Cervantes como criado de confianza en la época de sus ajetreadas comisiones andaluzas.

---

modelos vivos en el plano literario ha sido perfectamente formulada por Amado Alonso al observar que «en las obras literarias lo dado por la experiencia y la vida queda trasmutado por la mágica alquimia del libre espíritu creador, sin que tengan los hechos documentales mayor poder determinante que la paleta para el pintor, los instrumentos para el músico o el bloque de mármol para el escultor»; «Cervantes», *Materia y forma en poesía*, Madrid, 1969, pág. 156.

2 Según cierto Ramón Antequera, Sancho se identificaba con un labrador del Toboso llamado Melchor Gutiérrez; *Juicio analítico del Quijote, escrito en Argamasilla de Alba*, Madrid, 1863.

3 «Cervantes y el Perú. ¿La carta de un gobernador del Perú a su mujer inspiró a Cervantes la célebre carta de Sancho Panza a su mujer Teresa Panza?», *Arbor*, III, 1945, págs. 537-544. Como indica el título, el alcance de tal hipótesis es muy reducido, y el propio autor comienza por confesar que no cree que Sancho Panza pueda ser identificado con ningún contemporáneo preciso de Cervantes. En cuanto al valor de la carta de Vaca de Castro como antecedente de la de Sancho Panza apenas si cabe hacerse idea, pues no se ha insertado allí todo el original de la del gobernador del Perú. Parecen acertadas, en cambio, las observaciones de Porras sobre la intención de Cervantes, fracasado pretendiente a cargos de Indias, de satirizar la actuación del típico gobernante ultramarino en las aventuras de Sancho en la ínsula. En realidad es todo cuestión algo ociosa y no hay por qué ir tan lejos para buscar la inspiración de la donosa carta, claramente determinada por el influjo de fray Antonio de Guevara según se verá en otro lugar.

4 A. Oliver, sobre L. Astrana Marín, «Vida ejemplar y heroica de Miguel de Cervantes Saavedra», *Anales Cervantinos*, III, 1953, páginas 390-392.

En contraste, la identificación de precedentes literarios se ha mostrado mucho más fecunda y constituye la vía por donde se han acercado al problema los esfuerzos críticos de mayor envergadura. Inició la marcha en este rumbo Charles Philip Wagner en su investigación sobre *El cavallero Zifar*[5]. Existe en aquel vetusto relato caballeresco un curioso personaje, llamado *el Ribaldo,* que llega a convertirse en acompañante más bien que escudero del héroe, a quien trata con la familiaridad más campechana y saca de apuros mediante chuscos y hábiles trucos. El parecido con Sancho se acentúa si se toma en cuenta la frecuencia con que el Ribaldo cita refranes y tiende a inspirar en ellos su conducta. También puede parecer curioso cierto proceso suyo de acaballeramiento, que al final del libro lo convierte en andante con todas las de la ley, en forma que puede recordar vagamente el progresivo refinarse de Sancho al lado de su señor y que culmina en la Segunda Parte del *Quijote.* Wagner señaló la fuerte consistencia de este personaje, mucho mayor que la de cualquiera otro en el libro del *Zifar,* y resumía bien su impresión al calificarlo como «a logical human being». Cuando formula el parecido con Sancho Panza y la posibilidad de un nexo genético procede, sin embargo, con notable cautela[6].

La tesis que Wagner casi se había limitado a dejar en el aire fue vigorosamente defendida poco después por el gran

[5] «The Sources of *El cavallero Cifar*», en *Revue Hispanique,* X, 1903, págs. 58 sigs.

[6] «Este paralelo es apenas base suficiente para asumir que el Quijote deba uno de sus mayores encantos al humilde *escudero* del *Cifar*; pero es cierto que Cervantes sabía de más novelas de caballerías que las sacrificadas en el holocausto del Cura. Si por alguna casualidad estuviera familiarizado con esta oscura obra que sobrevivió en una sola edición, y eso casi un siglo antes de que escribiese su obra inmortal, la influencia literaria del *Cifar* sería incalculable»; *ibid.,* página 59.

don Marcelino. De 1905 datan dos estudios acerca de la cuestión: el capítulo V de los *Orígenes de la novela* y su discurso pronunciado en la Universidad Central sobre *Cultura literaria de Miguel de Cervantes y elaboración del 'Quijote'*[7]. En el primero de ambos escritos, que es el que más profundiza en la materia, destaca Menéndez Pelayo cómo el carácter del Ribaldo, «enteramente ajeno a la literatura caballeresca anterior», resulta ser «la invasión del realismo español en el género de ficciones más contrario a su índole»[8]; el parentesco con Sancho Panza quedaría fuera de toda discusión, tanto por la similitud de caracteres como por la de lenguaje, sobre todo en lo referente a refranes. Como ilustración del genio y figura del Ribaldo inserta, además, el episodio del robo de unos nabos en una huerta tras conseguir, con su ingenio, el beneplácito del airado dueño que lo había sorprendido en flagrante. Menéndez Pelayo observó al mismo tiempo, con su honestidad habitual, el tufo que a facecia o apólogo oriental se desprendía de dicha aventurilla; y en el texto del discurso reconoce que en ese y en otros fragmentos el Ribaldo recuerda, más bien que a Sancho, a los héroes (o antihéroes) de la novela picaresca. A nuestro juicio, la aventura de los nabos resulta bastante inocentona, más cazurra que picaresca y, desde luego, nada cervantina.

Lo curioso es que el Ribaldo del *Zifar* no constituye en realidad ningún problema grave, ni es un tipo único, ni mucho menos tiene nada de privativamente español. La crítica (incluyendo una versión anterior del presente estudio) se ha desorientado bastante por no haber advertido las relaciones del Ribaldo con el tipo cómico del *vilain* en el ámbito literario de las gestas francesas, según estudiaremos en otro

---

7 *Estudios y discursos de crítica histórica y literaria*, Santander, 1941, I, págs. 323-356.

8 *Orígenes de la novela*, Santander, 1943, I, pág. 311.

lugar[9]. Algunos ecos del funcionamiento, más bien que de la caracterización del *vilain*, han debido llegar, en efecto, hasta la figura de Sancho, pero a través de obras muy distintas del *Zifar*.

LA TESIS DE W. S. HENDRIX

La posibilidad de una influencia del Ribaldo en la génesis literaria de Sancho Panza ha sido rectamente calibrada por Martín de Riquer en juicio que no vacilamos en respaldar: «Es innegable que entre ambos tipos existen ciertas analogías, principalmente por ser los dos de baja extracción y sentir profundamente la fidelidad a su señor, pero deducir de ahí que el escudero de Zifar sea un modelo del de don Quijote es exagerar gratuitamente». Cervantes tal vez pudiera haberlo conocido, pero lo cierto es que «ningún pasaje concreto del *Zifar* ha dejado huella en el *Quijote*»[10]. Por lo demás, el mismo manual de J. Hurtado y A. González Palencia señala una dificultad esencial al advertir que el Ribaldo «se diferencia de Sancho en que ejercita con frecuencia, no sólo la astucia, sino el valor guerrero, y por eso su condición y carácter se van elevando»[11].

La teoría del Ribaldo tuvo en general buena acogida y conserva hasta hoy sus valedores. Menéndez Pidal se enfrentó con el problema de Sancho al plantear su luminoso estudio sobre la elaboración del *Quijote* y sus relaciones con el *Entremés de romances*, el cual por cierto no resuelve nada en este punto, pues su figura de escudero, un labrador lla-

---

9 «El tema de los gigantes», págs. 297 y sigs.

10 *El cavallero Zifar*, Selecciones Bibliófilas, Barcelona, 1951, II, página 340.

11 *Historia de la literatura española*, 6.ª edición, Madrid, 1949, página 106.

mado Bandurrio, carece de valoración hasta el punto de que no llega a pronunciar una docena de versos en toda la obra. El maestro se inclinó por ello a buscar los orígenes del nombre de Sancho en el caudal del refranero y a admitir, como vaga inspiración de conjunto, la influencia del Ribaldo [12]. Partidario mucho más decidido a favor del *Zifar* se ha mostrado después Helmut Hatzfeld, que lo acepta como precedente indiscutible e incluso extrae de este punto de vista ciertas conclusiones de largo alcance [13].

Aunque el libro de Hatzfeld fue impreso en 1927, la teoría del Ribaldo había recibido un decisivo ataque con la aparición, en 1925, de un estudio del profesor norteamericano W. S. Hendrix bajo el título de *Sancho Panza and the Comic Types of the Sixteenth Century* [14]. Comienza allí Hendrix por observar las dificultades que ofrece la presunta génesis a partir del Ribaldo: la vetustez del *Zifar*, obra (no se olvide) escrita en el siglo XIV, que sólo tiene una solitaria edición sevillana *apud* Cromberger en 1512 [15]. Añadiríamos aquí por nuestra cuenta el relativo distanciamiento de dicha fecha, en

12 «Un aspecto de la elaboración del *Quijote*», págs. 28-29.

13 «No solamente salva el mundo don Quijote con su idealismo, sino también a Sancho Panza. La primera salida del caballero sin escudero prueba que Cervantes no le tuvo en un principio ante los ojos. Los escuderos del Amadís y de los Palmerines eran, en su mayor parte, personajes sin importancia, figuras que nada decían, insignificantes. Es, por tanto, significativo para el sentido de la forma antitética que Cervantes recordará después al *Ribaldo*, intuición verdaderamente realista del *Caballero Cifar*. Su utilitarismo y su malicia aldeana se le ofrecieron a Cervantes al traducirlas en el personaje de Sancho, como la contraposición natural al altruismo y a la sabiduría aristocrática de don Quijote»; *El Quijote como obra de arte del lenguaje*, Madrid, 1949, págs. 12-13.

14 *Homenaje ofrecido a Menéndez Pidal*, Madrid, 1925, II, páginas 485-494.

15 Descrita por Francisco Escudero y Perosso, *Tipografía Hispalense*, Madrid, 1894, n. 168, pág. 136. Sólo se da aquí noticia de la conservación de un ejemplar.

plena época de tiradas cortas, y la escasísima o nula resonancia del *Zifar* a lo largo de todo el siglo XVI; más aún, el argumento de la simple afición a los refranes, sin descender al campo de contaminaciones bien definidas, ha decrecido mucho en valor probatorio cuando las investigaciones más recientes han puesto al descubierto las profundas raíces del refrán en el subsuelo del pensamiento y de las ideas literarias del siglo XVI [16], por no hablar de la extensión alcanzada por su uso estilístico en toda la producción posterior a *La Celestina.* Hoy, menos que nunca, podemos considerar la vaga afición a los refranes como un rasgo estilístico individualizador.

El timón crítico de Hendrix imprime un cambio radical al problema genético de Sancho Panza, pues busca su ascendencia literaria en el ambiente de la época inmediatamente anterior, en la producción dramática primitiva, en la actividad favorita y amada hasta la nostalgia por Cervantes. Hendrix considera a Sancho como una trasposición novelada de los tipos cómicos del teatro anterior a Lope, sin excluir de esa noción, a efectos prácticos, la amplia serie de literatura dialogada, medio dramática y medio novelística, de las continuaciones de *La Celestina* y obras afines.

---

16 Véase «Juan de Mal Lara y su *Filosofía Vulgar*», en Américo Castro, *Hacia Cervantes*, Madrid, 1957, págs. 115-155. También el estudio de Margherita Morreale, «Sentencias y refranes en los Diálogos de Alfonso Valdés», *Revista de Literatura*, XII, 1958, págs. 3-14; la autora parece inclinarse aquí por la teoría del Ribaldo y advierte la importancia del refrán en la génesis del género novelístico: «En el *Diálogo de las cosas ocurridas en Roma*, casi todos los refranes salen de los labios del Arcediano, heredero en esto del Ribaldo del *Caballero Cifar* y precursor de Sancho. Es indudable que en el Arcediano del Viso tenemos en cierne lo que hubiera podido ser uno de los caracteres inmortales de la literatura española y que el refrán contribuye terminantemente a su caracterización» (pág. 6).

Hendrix separa en dicho ámbito literario dos tipos cómicos fundamentales, el «tonto» y el «listo». El primero se caracteriza por su estupidez, credulidad, afán desmedido por satisfacer sus necesidades elementales en materia de comida, bebida y sueño, pronunciación dialectal, familiaridad excesiva con los superiores, cobardía y absurda ilusión en recompensas desproporcionadas. El tipo «listo» aparece caracterizado, en cambio, como amigo y confidente de su señor, ladino y sinuoso, aficionado a comentar cuanto observa en sarcásticos apartes y a tomar con frecuencia las riendas de la acción. Cervantes plantea, por tanto, una síntesis de ambas técnicas caracterizadoras, cuyo mutuo equilibrio determina la figura, tan compleja y empapada de vida, del buen Sancho Panza. El acierto cervantino ofrece en esto un precedente ilustre: Lázaro de Tormes.

La tesis de Hendrix tiene el mérito evidente de casi estar a punto de no ser tal, en vista de su sólido fundamento. La argumentación es de una extremada coherencia: Cervantes conocía bien aquella literatura, como demuestran sus elogios entusiastas de Lope de Rueda (que ofrece los tipos susodichos mejor delineados), sus pullas contra Feliciano de Silva [17] y su propia actividad como autor dramático, inconcebible sin el conocimiento previo de cuanto se representaba en su tiempo y en la época inmediatamente anterior. Hendrix cita de continuo textos y situaciones que dejan escaso margen a la discusión. Pero el estudio del arte cervantino es, por esencia, una tarea inagotable a la que todos debemos contribuir con la modestia de nuestro esfuerzo. La investi-

---

17 Es notable que el famoso pasaje de «la razón de la sinrazón» no proceda, según Menéndez Pelayo, Rodríguez Marín y Hendrix, de ninguna de sus obras caballerescas, sino de su *Segunda comedia de Celestina* (1534); Hendrix, *Sancho Panza and the Comic Types*, páginas 487-488.

gación en que ahora nos adentramos se propone completar los datos allegados por Hendrix y, sobre todo, ir algo más allá en la tarea de entender los cambiantes sentidos de Sancho Panza al ser visto desde el interior de su tradición literaria.

EL NOMBRE DE SANCHO PANZA

Ya hemos mencionado cómo Menéndez Pidal señaló la relación del nombre de Sancho con el homónimo que aparece con frecuencia en el refranero, un proverbial *Sancho* (elegido en cuanto nombre común y rústico) que incluso aparece ya asociado con una inseparable caballería: «Viene también de la literatura popular; un refrán decía: 'Allá va Sancho con su rocino'; y allá entró con su rucio el villano, decidor inagotable de refranes, como un tipo escuderil arcaico que aparece en el siglo XIV en el más antiguo libro de caballerías conocido» [18]. Menéndez Pelayo había reparado ya en el mismo «célebre refrán» al toparse con él en una de las imitaciones de *La Celestina;* advirtió la rancia vejez del proverbio (atestiguada en la colección del marqués de Santillana bajo la variante *Hallado ha Sancho el su rocín),* pero sólo comentó muy de pasada los alcances de su hallazgo: «Reminiscencia probablemente de algún cuento y germen de una creación inmortal» [19].

Merece la pena anotar la relativa frecuencia con que estos refranes sanchescos aparecen recordados en las imitaciones y continuaciones de *La Celestina.* En la *Segunda comedia de Celestina* encontramos *Con lo que Sancho adolece, Domingo y Martín sanan* y *No ganará contigo la dehesa San-*

---

18 «Un aspecto de la elaboración del *Quijote*», págs. 29-30.

19 *Orígenes de la novela,* Santander, 1943, IV, pág. 42.

cha la Bermeja[20]. En la *Comedia Thebayda* (1521) aparecen *Topado ha Sancho con su rocín* y *A buen callar llaman Sancho*[21], refrán este que también menciona la desvergonzada *Seraphina* (1521)[22] y recuerda igualmente la no poco celestinesca *Comedia Vidriana* de Jayme de Güete bajo la variante *Al buen callar llaman Sancho*[23]. *Yo me llamo Sancho,* dice en una ocasión la *Lozana* Aldonza para encarecer su discreto entender de un negocio[24]. Solamente la anotación del *Quijote* por Schevill-Bonilla parece poner alguna duda en este paradigma onomástico del refranero, al recordar en primer término el posible parentesco de Sancho, que llega a ser «gobernador de una ínsola», con cierto Isanjo que es en el *Amadís* «gobernador de la ínsola Firme».

Por otra parte, es obvio que el nombre *Sancho* vale en muchos de estos refranes como sinónimo de *quidam,* sin duda por hallarse muy difundido entre la gente pechera. Más aún, el refrán de Sancho y el rocino presupone una situación cómica que tiene a algún rústico o pastor por protagonista. Las notas de Rodríguez Marín (1, 7) advierten que para el pueblo el nombre de Sancho es «por sí solo, símbolo de la gramática parda y rusticidad maliciosa» y aduce los ejemplos *Quien a Sancho haya de engañar, mucho ha de estudiar,* o bien *por nacer está; Lo que piensa Sancho, sábelo el diablo,* y acerca de la mujer aldeana (reapareciendo el sentido de *quidam) La mujer de Sancho, rueca, religión y*

20 Ed. Balenchana, Colección de libros españoles raros o curiosos, Madrid, 1874, págs. 238-239 y 336.

21 Ed. Marqués de la Fuensanta del Valle, Colección de libros españoles raros o curiosos, Madrid, 1894, págs. 247 y 265.

22 Ed. J. Sancho Rayón y Marqués de la Fuensanta del Valle, Colección de libros españoles raros o curiosos, Madrid, 1873, pág. 302.

23 U. Cronan, *Teatro español del siglo XVI,* Bibliófilos Madrileños, Madrid, 1913, pág. 202.

24 Francisco Delicado, *La lozana andaluza,* ed. B. M. Damiani, Clásicos Castalia, Madrid, 1969, pág. 128.

rancho. El maestro Gonzalo Correas incluyó en su repertorio *Al buen callar, llaman Sancho; al bueno bueno, Sancho Martínez,* y aclara además en una glosilla que ciertos nombres tienen un significado peculiar para el vulgo, que entiende «Sancho por santo, sano y bueno»; «De manera (añade) que Sancho se toma aquí por sabio, sagaz, cauto y prudente y aun por santo, sano y modesto» [25]. Es curioso comprobar cómo las diversas connotaciones refranescas de *Sancho* responden a notas confluyentes y todas esenciales en Sancho Panza, cuya complejidad sicológica preludian; pero tal vez ninguna de tales resonancias resulte, sin embargo, tan ajustada a su caracterización como esta última que define el maestro Correas.

Si el nombre de *Sancho* ha sido probablemente sugerido por los refranes que aducía Menéndez Pidal, no cabe duda que circulaba también en la literatura como uno de los más propios de rústicos y pastores, un poco a la manera como la *Commedia dell'arte* (y con frecuencia nuestro teatro) llamaba genéricamente Juan *(Zan* o *Zani* en dialecto bergamasco) a todos sus tipos rústicos. Los campesinos de nombre *Sancho* abundan tanto en el teatro prelopista como en la *comedia.* Pocas dudas cabe abrigar en este aspecto en relación con Cervantes; baste recordar la abundancia de *Sanchos* (regidor *Sancho Macho* y varios más) visible en *Pedro de Urdemalas,* obra que cuenta entre sus intenciones, según hemos de ver en otro lugar, la de una burla casi cruel de los labradores.

Sancho procede, pues, del folklore, pero el *Panza* apunta con insistencia a la literatura dramática. Tanto Hendrix como Menéndez Pelayo y Rodríguez Marín están acordes en relacionar el escuderil apellido con la *fiesta de Panza* que,

---

[25] *Vocabulario de refranes y frases proverbiales,* Real Academia Española, Madrid, 1924, pág. 25.

al parecer, celebraban en antruejo los estudiantes salmantinos y era «santo de hartura», goliardesco jolgorio de que nos da noticia otra imitación de *La Celestina,* la muy estimable *Tragicomedia de Lisandro y Roselia* de Sancho de Muñón [26]. *Panza,* sin embargo, es un patronímico determinado sobre todo por la imagen de voracidad y elemental biologismo buscada por los prelopistas en la caracterización cómica y casi siempre peyorativa de sus tipos rústicos. En rigor, no es siquiera invención cervantina, pues ya la vieja *Égloga de la Natividad,* trovada por Hernando de Yanguas, saca al tablado un pastor llamado *Pero Pança* [27]. *Pero Pança,* junto con *Sancho Repolla,* figura entre los rústicos de que se hace burla en cierto «Romance pastoril de la elección del alcalde de Bamba» del *Thesoro de varias poesías* [28] de Pedro de Padilla, un buen amigo de Cervantes. No menos notable resulta la vecindad de aliteración con *Sancho Cabra,* nombre de un villano mencionado en la *Comedia Trophea* de Torres Naharro [29].

No se ha prestado hasta ahora atención al hecho de que Cervantes quiso envolver el nombre del escudero en un celaje de ambigüedad similar al que lanzó sobre los apellidos del hidalgo manchego. La supuesta miniatura que ilustraba

---

26 Ed. Marqués de la Fuensanta del Valle, Colección de libros españoles raros o curiosos (Madrid, 1872), pág. 24. Sin duda el mismo *Saint Pançart* que, juntamente con *Mardy Gras,* es recordado por Rabelais *(Pantagruel,* cap. I) y que Henri Etienne agrupa en faceciosa trilogía con *Saint Mangeard* y *Saint Crevard; Oeuvres de François Rabelais,* ed. Abel Lefranc, París, 1922, III, pág. 16, nota.

27 Ed. F. González Ollé, Clásicos Castellanos, Madrid, 1967.

28 Madrid, Francisco Sánchez, 1580, págs. 350-352. Sobre la estrecha relación que unió a ambos ingenios véase Ignacio Bajona Oliveras, «La amistad de Cervantes con Pedro de Padilla», *Anales Cervantinos,* V, 1955-56, págs. 231-241.

29 Ed. J. E. Gillet, *Propalladia and Other Works of Bartolomé de Torres Naharro,* Bryn Mawr, 1946, II, pág. 126.

el manuscrito arábigo de Cide Hamete en la aventura del vizcaíno le designaba en un rótulo como *Sancho Zancas,* «y debía de ser que tenía, a lo que mostraba la pintura, la barriga grande, el talle corto y las zancas largas, y por esto se le debió de poner nombre de *Panza* y de *Zancas:* que con estos dos sobrenombres le llama algunas veces la historia» (1, 9). A la hora de exagerar la risible tosquedad de sus rústicos no olvidaron estos autores de farsas y entremeses la conexión etimológica *pata-patán,* término despectivo [30] este último que Corominas documenta precisamente en Sánchez de Badajoz y que según Covarrubias designaba «el villano que trae grandes patas y las haze mayores con el calzado tosco». En el *Auto del repelón* hallaremos, por el contrario, un *Piernicurto.* La indecisión *Panza-Zancas* no hace, pues, sino ponernos también sobre la pista de los tipos cómicos del teatro primitivo, que sin duda debían reforzar el efecto hilarante recurriendo a una caracterización escénica de gordos, de enanos o de zanquilargos, habitual, por otra parte, en los papeles apayasados de todos los tiempos. Superpuestas, como en el caso de Sancho, se encuentran también en cierta *Farsa compuesta por Juan de París* (1536), donde un pastor llamado Cremón se ríe de las deformidades que hacen de su compañero Vicente un galán desastroso:

> No sodes llozido, so triste patón
> Y tienes la giba mayor que Sevilla.
> Pues ¿qué te diré de aquessa pancilla?
> Semeja, pardiós, una saca de paja [31].

En la *Farsa nuevamente trobada por Fernando Díaz* (1544) es el mismo pastor Juan Casado (cornudo de solemnidad)

---

30 Las gestas francesas emplean igualmente el peyorativo *pautonniers* para designar a villanos y burgueses *(Aiol).*

31 E. Kohler, *Sieben Spanische Dramatische Eklogen,* Dresden, 1911, pág. 341.

quien llama la atención del auditorio hacia la cumplida amplitud de su tripa:

> Y aunque me véys tan ancho de pança
> tampoco penséys burlar del mocito [32].

En la misma *Égloga* ya citada de Hernando de Yanguas damos también con otro rústico pastor cuyo nombre, indudablemente alusivo, es *Gil Pata.* Y en el *Aucto del rey Nabucodonosor quando se hizo adorar* sale también un bobo llamado *Çancada* [33]. La vacilación homófona *Panza-Zancas* (gordo-flaco) viene a constituir así un puro signo literario en el que Cervantes acumula más de un tornasol irónico. Palpamos en él la tentación de otra síntesis paralela a la del tipo *listo* con el tipo *tonto,* aun a pesar de su escasa verosimilitud física (Sancho sólo será recordado como hombre gordo), afán de fundir los dos esquemas que también, en cierto modo, emerge en el aspecto de protagonista dual de la pareja don Quijote-Sancho. Y es ciertamente notable cómo este convencionalismo externo, que ha sido siempre la moneda de mayor circulación en las parejas de bufos, fue aleado por Cervantes con las ideas sicosomáticas del médico Huarte de San Juan [34], novísimas y aun revolucionarias en su tiempo, a la hora de concebir al incomparable par de manchegos. Altamente significativa en diversos rumbos, la ambigüedad *Pan-*

---

32 Kohler, *ibid.,* pág. 317.

33 *Colección de autos, farsas y coloquios del siglo XVI,* ed. Leo Rouanet, Barcelona, 1901, I, pág. 237.

34 Rafael Salillas, *Un gran inspirador de Cervantes. El doctor Juan Huarte de San Juan y su 'Examen de Ingenios',* Madrid, 1905, Otis H. Green, «El Ingenioso Hidalgo», *Hispanic Review,* XXV (1957), páginas 175-193. «*El licenciado Vidriera:* Its Relation to the *Viaje del Parnaso* and the *Examen de Ingenios* of Huarte», *Linguistic and Literary Studies in Honor of Helmut A. Hatzfeld,* Washington, 1964, páginas 213-220.

za-Zancas equivale, además, a extender la partida de nacimiento de Sancho en lo relativo a sus orígenes literarios.

UN FRAGMENTO DRAMÁTICO DE SEBASTIÁN DE HOROZCO

Si el parentesco de Sancho Panza con los tipos cómicos del teatro resalta desde cualquier ángulo que se le examine, nos interesa destacar todavía la importancia que, dentro del camino trazado por Hendrix, reviste cierto fragmento de una obra dramática del autor toledano Sebastián de Horozco. Se encuentra dicho texto en la llamada *Representación de la famosa historia de Ruth,* que comienza con una ingenua acotación en que nos cuenta el autor sus intenciones y el mucho trabajo que se ha tomado para adaptar la historia bíblica a una representación «al natural» [35]. Sale a escena un bobo, criado de Noemí, que refunfuña al advertir la madrugadora actividad de su ama:

> Yo no sé qué madrugada
> es aquesta, juro a mí;
> la persona está cansada,
> y ha rato qu'es levantada
> esta nra. ama Noemí,
> llamando; «yergue de ahí»
> alto dende,
> juro a San Junco qu'entiende
> que no ha el hombre de dormir.
> Pues conviene que se enmiende,
> son que más querría irme allende
> qu'aquesta vida sofrir.
> Yo no sé do quiere ir

[35] Sebastián de Horozco, *Cancionero,* Bibliófilos Andaluces, Sevilla, 1874, pág. 195. El fragmento en cuestión, págs. 196-199.

con sus nueras;
pues si me ensaño de veras,
pardiós, presto le diré
que si son madrugaderas
me dexen sus dormideras,
son que no las serviré.
Mas yo me desquitaré
si pudiere,
todas las vezes que huere
a las viñas o rastrojos;
y aunque mi ama me espere
donde la gana me diere
tengo de pregar los ojos.
¿No veis qué negros antojos
que les toman?

En este momento aparecen en escena Noemí y sus nueras, y el bobo se hace a un lado para escuchar la conversación en que ésta expone su propósito de acabar sus días en su patria y la libertad en que las deja para permanecer allí y unirse a otros esposos. Una de las nueras, Orpha, acepta la idea, pero Ruth, en cambio, manifiesta su propósito de no abandonar a su suegra, por lo que ambas mujeres se disponen a iniciar los preparativos del viaje. Desde este momento, cuanto sigue es invención del magín de Horozco, «por dar gusto a los oyentes». El bobo se rebulle y se dispone a descabezar otro sueño:

Ora que yo tengo tino
dónde van,
quiero tender mi gabán
y echarme a dormir un rato,
qu'ellas me recordarán.

En efecto, Noemí ordena a Ruth que despierte al gañán, y ésta lo hace en lenguaje tan pintoresco como impropio de personaje bíblico:

Do al diablo el insensato,
ya ha caydo;
aquí está echado dormido.
¡Ola! ¡Ola! a esotra puerta
qu'es corroço: da el ronquido
y no tiene más sentido
que si fuese cosa muerta,
¡Ah, bobazo! Ya despierta.

Entre el rústico y sus amas se entabla ahora un diálogo muy animado:

BOBO. ¿Quién me llama?
Do al dimoño esta nra. ama
si me ha de dexar dormir,
qu'antes que amanezca brama.
Andá, tornáos a la cama
que no es tpo. de yerguir.
RUTH. Sus, levanta.
BOBO. ¿Dónde he de ir?
RUTH. Ve a pensar
el asnilla sin tardar,
y échale luego ell albarda.
BOBO. Aun ese otro cantar:
¿hemos de ir a pelear
qu'es menester alabarda?
¿Sois alguna çalagarda?
Más quería
una hogaça, si avía,
y armarme de un cangilón,
con esto pelearía
que si echáis por otra vía
no soy nada peleón.
NOEM. Acaba ya, bobarrón,
anda, vé.
BOBO. Pues primero almorzaré,
que de hambre estoy marchito.
RUTH. Una landre que te dé.
BOBO. No dize a mí, a buena fe,
nra. ama, ese sobre escrito.

Más querría un buen cabrito.
NOEM. Anda, aguija,
que conmigo y con mi hija
irás muy a tu plazer.
BOBO. ¡O qué gentil sabandija!
A dos no habrá quien os rija;
otro moço es menester;
y aun también quiero saber
lo primero,
si tengo de ir caballero,
que como soy regalado
en andando a pie me muero;
iré por vro. escudero
si voy muy bien cabalgado.
RUTH. Sus, adereça priado,
qu'en camino
no faltará algún pollino
en que puedas cabalgar.
BOBO. Pues sus, venga pan y vino,
y un buen jamón de tocino
si allá me queréis llevar:
si no escusado es andar,
y aun sepamos
si es muy lueñe donde vamos.
¿Hay mucho? Sepamos quánto:
que quiçá si mucho andamos
he miedo que nos perdamos.
RUTH. Hay lo medio y otro tanto.
BOBO. No querría algún espanto
nel camino,
que pardiós luego me fino
en diziendo cata el lobo.
NOEM. Eso tienes de contino,
salir con un desatino.
Acaba, diablo bobo.
BOBO. No querría algún desobo,
juro a mí,
qu'en mi vida no salí
por el siglo de mi padre

de media legua de aquí,
y aun entiendo hello así,
pues ya no pare mi madre,
si sin ver
se fuese el hombre a perder.

RUTH. No se pierda el mayorazgo.

BOBO. Tengo un tío bachiller
que si deprendo lleer
diz que me dará un curazgo,
también el bachillerazgo.

RUTH. Gran locura
sería hazerte a ti cura.

BOBO. Pardiós, si yo me vistiese
una lluenga vestidura,
rapando la gestadura
un gran crego paresciese.

NOEM. Ea pues, la burla cese,
vamos ya,
qu'en fin allá se hará
todo quanto tú quisieres.

BOBO. Ora, sus, hazerse habrá,
y pues me lleváis allá
hazedme muchos prazeres.
Do al diablo estas mugeres,
que contino
sacan al hombre de tino;
yo me voy a adereçar,
pero no se olvide el vino,
mucho pan, queso y toçino
para tener que roçar.

El bobo queda nuevamente a solas, y en su monólogo se persuade de que sería una gran locura acompañar a sus amas en tan azaroso viaje:

Pardiós, grande desatino
fuera irse el hombre allá;
así que yo determino
de no ponerme en camino

que sé lo que sucedrá.
Pardiós que me oviera ya
arrepentido,
si con ellas fuera ido.
Bien se está San Pedro en Roma;
y aunque pierda lo servido
donde el hombre es conocido
no le falta pan que coma.
Mugeres son una broma,
nunca están
son viendo qué mandarán,
ven acá, más de acullá;
ve por vino, venga pan;
llama a Pedro, llama a Juan,
harr'acá, mas harre allá.

Los fragmentos transcritos contienen, como cabe apreciar fácilmente, una caracterización de personaje cómico en la que aparecen, si bien en forma ruda y elemental, los rasgos más destacados de la entidad literaria de Sancho Panza. Hendrix manejó este pasaje de Horozco, pero, curiosamente, no señala más que una semejanza bastante secundaria, con abandono de otras de mucho mayor bulto; lo cita junto a otros fragmentos de obras dramáticas que comienzan con el despertar de un rústico hambriento, en forma similar al principio del capítulo de las bodas de Camacho [36]. Pero un examen más atento revela, sin embargo, multitud de coincidencias de todo orden que pasamos a señalar.

Tenemos, ante todo, un bobo gañán al que sus amas han de convencer para que las acompañe a un largo viaje. Cobarde y demasiado aficionado al sueño, manifiesta su aborrecimiento hacia cualquier riesgo, aventuras y peleas, que sólo desea sostener, mano a mano, con hogazas y medidas de vino. Sin embargo, es él mismo quien sugiere la ridícula idea

36 *Sancho Panza and the Comic Types*, pág. 491, nota.

de acompañar a sus amas *como escudero,* cuando en realidad no hay nada más ajeno a su naturaleza que cuanto pueda relacionarse con la profesión de las armas. Respecto a su afición a la comida y al sueño, cabe decir que no se aparta de lo habitual en los tipos cómicos definidos por Hendrix, pero en lo demás se advierte una notable coincidencia con la caracterización de Sancho al nacer éste literariamente en el capítulo 4, en el que ya hace cuenta don Quijote de recibir por escudero «a un labrador vecino suyo, que era pobre y con hijos, pero muy a propósito para el oficio escuderil de la caballería», frase donde el «a propósito» va cargado de profunda ironía. La aparición de Sancho en el capítulo 7 recoge, además, su carácter de hombre simple: «Un labrador vecino suyo, hombre de bien... pero de muy poca sal en la mollera».

En el mismo capítulo 7 se refleja igualmente la natural oposición del presunto escudero a dejarse convencer; sugiere Cervantes que Sancho era refractario en principio a toda idea de abandonar su tierra, por lo cual don Quijote hubo de gastar mucha saliva («... tanto le dijo, tanto le persuadió y prometió...») para persuadirle a salir en busca de las aventuras. Se trata, pues, de una coincidencia más con el Bobo de la *Historia de Ruth,* que tanto se hace rogar para, al final, no atreverse a dejar atrás su terruño. En Sancho quedará, sin embargo, el resquemor de haber cometido un desatino y el propósito, vago y nunca realizado, de volverse con los suyos.

El Bobo de la obra dramática propone ciertas condiciones antes de acceder a acompañar a sus amas, y aquí nos topamos con otra de las coincidencias más visibles: habrá de hacer el viaje en bestia, y la propia Ruth le sugiere que cabalgue algún pollino; pero este Bobo, que aquí está a pique de resultar demasiado avispado, pide ir bien provisto para la jornada con abundancia de bastimentos. Sancho procede exactamente igual: establece la condición de llevarse su asno, porque tampoco está habituado a darse malos ratos caminando a pie, y plantea así a don Quijote uno de sus más donosos casos de conciencia ante los cánones caballerescos. El texto cervantino aclara que el flamante escudero llevó consigo alforja y bota; y aunque se afirma que la primera serviría para llevar las hilas, ungüentos y camisas de que habló el ventero de la armazón de caballería, no hay que decir que se atiborró también con las mismas viandas fiambres requeridas por el Bobo y que tan a menudo salen a relucir cuando don Quijote y Sancho no duermen bajo techado.

Pero, más aún, el Bobo de la representación bíblica tiene también incrustada entre sus duros cascos una ilusión desproporcionada y absurda, ante la cual no cabe reprimir la risa, lo mismo que en el caso de la ínsula tan deseada por Sancho. Un bachiller, tío suyo, le dejará en herencia, como si se tratara de algunas ovejas o un cercadillo, no sólo su curazgo, sino hasta una láurea académica, disparate que se comenta por sí mismo. Sancho cifra sus ilusiones en algún saneado gobierno seglar, pero la perspectiva de una recompensa eclesiástica cruza también por su mente; en el capítulo 26 de la Primera Parte surge la cuestión de cómo podría él disfrutar, siendo casado y analfabeto, el beneficio y pie de altar con que habría de recompensarle su amo si de buenas a primeras se viese éste hecho arzobispo. La preocupación queda hondamente clavada en la mollera de Sancho, pues reaparece en el capítulo 19, cuando ruega al Cura que disuada a don Quijote de desear tan alta dignidad eclesiástica, con lo cual se verá él libre, a su vez, de tener que gestionar dispensaciones canónicas entre otros quebraderos de cabeza. Interesa comprobar que en la Segunda Parte todavía parece bullir en la intención de Cervantes el afán de agotar la burla de estas ilusiones de medro eclesiástico; en la asombrosa perfección del capítulo 5, cuando Sancho y su mujer hacen planes para el futuro, no deja de aludirse a que Sanchico, que tiene ya quince años cabales, debe comenzar a ir a la escuela, si es que su tío el abad le ha de dejar hecho de Iglesia. El escudero del Caballero de los Espejos está, en cambio, muy a favor de los medros eclesiásticos, y sueña con el canonicato que «ya me le tiene mandado mi amo, y ¡qué tal!» (2, 13).

Ya hemos señalado el paralelismo que se da en cuanto a ser ambos personajes rústicos, crédulos, dormilones, etc. Pero existe aún la coincidencia en un detalle concreto: tanto Sancho como el Bobo de la *Representación* llevan la barba crecida y descuidada, desaseo al que en el siglo XVI se le atribuía un carácter de intolerable grosería, sobre todo entre gente de Iglesia [37]. El Bobo piensa que sólo necesitaría rapársela para quedar hecho un perfecto clérigo, y es de suponer que Horozco, notablemente afectado por ideas erasmistas (entre muchas otras), tuvo su tantico de intención al hacer hablar así a su personaje. Sancho lleva sus barbas «espesas, aborrascadas y mal puestas» [38], por lo cual abriga

---

37 En un escrito polémico acerca del estatuto de Silíceo contra los conversos se habla con indignación de los que llegan de Roma nombrados para prebendas: «Que aun este mes pasado pretendió un beneficiado Sánchez de Alarcón, hijo de reconciliado, ser racionero en esta Santa Iglesia, siendo el más ignorante hombre que se puede hallar. Vino de Roma con barba muy crecida, adonde muchos años sirvió de palafrenero»; Antonio Domínguez Ortiz, *La clase social de los conversos en Castilla en la Edad Moderna*, Madrid, 1955, pág. 61, nota.

38 Don Quijote insiste en este consejo de policía porque, de no seguirlo Sancho en su ínsula, «a tiro de escopeta se echará de ver lo que eres» (1, 21). Las barbas de Sancho fueron motivo de extrañeza para cuantos presenciaron su entrada en la ínsula y no sabían el busilis de todo aquello (2, 45).

el loable propósito de asalariar un barbero tan pronto como se vea hecho conde o gobernador.

Cuanto acabamos de señalar nos permite deducir, por lo tanto, que las semejanzas entre el personaje dramático y el escudero de don Quijote se dan igualmente en el campo de los caracteres concretos más genéricos como en el de los detalles más particulares. La situación planteada por el Bobo es idéntica, en su esencia cómica, a la del hallazgo de Sancho en el *Quijote:* metamórfosis de un rústico en «escudero» por la duración de un azaroso viaje. El juego y sucesión de elementos funcionales son también los mismos: reacción inicial negativa, esfuerzo persuasorio, ablandamiento del rústico tras su dictado de condiciones (cabalgadura e, implícitamente en el caso de Sancho con su alforja y su bota, abundancia de provisiones).

Cierto que, como advertía Hendrix, los rasgos definidores de Sancho andan dispersos por toda la literatura dramática primitiva, pero en ningún otro ejemplo de personaje cómico, que hasta ahora sepamos, se hallan combinadas tales características en función de una fórmula tan parecida. En todo caso, si los rasgos fundamentales de Sancho son más o menos un patrimonio mostrenco, no ocurre igual con la *situación* (cosa distinta y mucho más concreta) en que se produce su alumbramiento novelístico, presidido por una coincidencia muy visible con la *Representación* de Horozco. Si bien, según hemos de ver, no hay nada tan común entre los rústicos del teatro como una tierna y fraternal afición por asnos y caballerías, sólo en las dos obras que nos ocupan queda recogido este rasgo en la peregrina idea del *escudero* caballero en pollino.

Tales conclusiones permiten, pues, atribuir una notable firmeza a la probabilidad de que Cervantes haya tenido conocimiento previo de la obrita del toledano. Como en el caso del *Entremés de romances,* resulta dificultosa la negación de dicho nexo, que de no existir nos situaría ante una de esas casualidades desconcertantes que no solemos aceptar en nuestro cotidiano enjuiciamiento de otras realidades humanas. Siguiendo con los paralelos del *Entremés de romances* o del hidalgo Camilote del *Primaleón* o de *Don Duardos* [39], también es de creer que nos hallemos ahora ante un proceso similar de «imitación inconsciente», de «impresión excesiva» o de «lectura enquistada».

Con todo esto no estamos reclamando especiales méritos para Horozco, ni mucho menos escatimándoselos a Cervantes. Sólo pretendemos subir a una atalaya desde donde divisar mejor las proporciones de su genio creador en la correcta perspectiva de unas «fuentes» literarias que apenas si son pobres regajos. De nuevo son en esto oportunas las sabias consideraciones de Menéndez Pidal: «Para sacar del *Entremés* los primeros capítulos del *Quijote* se necesitó un gigantesco esfuerzo creador, cosa que totalmente olvidan muchos eminentes críticos, reacios para creer que el genio inventivo de un Cervantes o un Dante tenga más fuente de inspiración que las vulgarmente conocidas» [40].

SEBASTIÁN DE HOROZCO, AUTOR TOLEDANO

Cabe plantear la cuestión de si Cervantes pudo realmente conocer la *Representación* de Horozco, puesto que las obras del mordaz licenciado toledano, con la única excepción de un librillo de valor intrínseco menos que secundario [41], no

[39] Dámaso Alonso, «El hidalgo Camilote y el hidalgo don Quijote», *Revista de Filología Española,* XX (1933), pág. 393.

[40] «Un aspecto de la elaboración del *Quijote*», pág. 27.

[41] Se trata de un centón de curiosidades titulado *Libro del número septenario,* impreso en Burgos, sin nombre de autor, por Juan de

llegaron a imprimirse. Tal dificultad no resulta, sin embargo, demasiado ardua si se tiene en cuenta que Horozco desempeña en su Toledo una serie de cargos importantes que por sí solos hubieran bastado para hacer de él una persona muy conocida en el ambiente local de mediados y del tercer cuarto del siglo [42]. Su *Cancionero* nos ilustra ampliamente acerca de su carácter, amigo de burlas de todos los colores y desplegadas habitualmente en el círculo de artistas y personas letradas con quienes gustaba de reunirse y de intercambiar versos que pueden llevar palma entre los más desenfadados que nunca se hayan escrito en lengua castellana. Otro de sus pasatiempos favoritos era el de cronista extraoficial que comenta y recoge todo suceso del mundillo local en *Relaciones* [43], donde jamás falta la nota de ácido y atrevido humor que su espíritu dejaba siempre detrás de sí. Su ingenio sarcástico y criticón recogía el conocido resquemor de disconformidad que desde su derrota en las Comunidades había impulsado a la ciudad a cerrarse sobre sí misma, a ignorar ariscamente el mundo oficial, alimentándose del orgullo herido en una gloriosa historia que no tenía ya casi nada

---

Junta en 1552. Descrito bajo el núm. 2.109 en el *Catálogo de la biblioteca de Salvà*, Valencia, 1872, II, pág. 222. Reeditado por el autor de este libro en *Anales de la Universidad Hispalense*, XX, 1959, páginas 89-109.

[42] Parece ser que Horozco, además de abogado, fue asesor del Ayuntamiento y consultor del Santo Oficio. Para estos datos (sospechosos y necesitados de aclaración algunos de ellos), así como para el detalle de su parentesco con primeras figuras de la Iglesia y de la política de la época, no tenemos otra fuente moderna que el preliminar de Emilio Cotarelo a su edición parcial de los *Refranes glosados*, «El licenciado Sebastián de Horozco y sus obras», *Boletín de la Real Academia Española*, II, 1915, págs. 646-694. La mejor prueba de la profunda inserción de Horozco en la vida local toledana es sin duda el tono y contenido del propio *Cancionero*.

[43] Conde de Cedillo, «Algunas relaciones y noticias toledanas que en el siglo XVI escribía el licenciado Sebastián de Horozco», *Boletín de la Sociedad Española de Excursiones*, XIII, 1905, págs. 161-185.

en que emplearse. Horozco encarnaba bien el espíritu de aquella ciudadela orgullosa y resentida, que prefería vivir hasta donde era posible al margen de la monarquía autoritaria en que había quedado enquistada, desdeñando mirar hacia la cercana villa donde el Estado moderno había venido a asentarse, tras el fracaso en los intentos de transformar a Toledo en su corte. No es casualidad que las obras de Horozco nunca viesen la imprenta, pues se comprende que de lo contrario no hubieran dejado de acarrearle complicaciones y desasosiegos. Pero, por lo mismo y en razón de su naturaleza, es preciso suponer que no dejarían de ser leídas con regusto en las tertulias de literatos toledanos.

No era, pues, Horozco un escritor vulgar. En otra ocasión hemos defendido con detenimiento cómo no hay hasta ahora, en todo el siglo XVI, ningún otro autor que pueda sumar tantos puntos para aspirar a la paternidad de nada menos que el *Lazarillo de Tormes.* Luce en toda su obra el mismo humor irrefrenable, la gracia castiza de la lengua conversacional toledana y un espíritu mordacísimo, hipersensible sobre todo en materia de crítica social y observación de la vida. Las glosas de refranes que componen su *Libro de proverbios* o *Teatro universal de proverbios* [44], no dejan de ofrecer al discreto que se les asoma muchos destellos de gracia y espíritu nada desmerecedores, *mutatis mutandis,* de aquella inestimable joya. Dichas glosas sorpren-

[44] Publicado parcialmente por Emilio Cotarelo bajo el título de *Refranes glosados,* en *Boletín de la Real Academia Española,* II, 1915, páginas 646-706; III, 1916, págs. 98-132, 399-428, 591-604, 710-721; IV, 1917, páginas 383-396. La edición está hecha según una copia del siglo pasado conservada en la biblioteca de la Real Academia Española y que reproduce un manuscrito contemporáneo que, tras largo eclipse de noticias sobre su paradero, se encuentra actualmente en la Hispanic Society of America bajo signatura B 2439. Sin foliación, se identifican aquí sus textos con el número de orden del refrán.

den a menudo por la rapidez y acierto con que agotan, por lo común en un par de quintillas, un esbozo novelístico o una aguda adivinación sicológica. Como ejemplo minúsculo entresacaríamos la glosa inédita del refrán *Hasta la rodilla todo es de consejo* [concejo] (1261):

Bien parece a la muger
ser honesta en todo grado
y siempre muy cauta ser,
que nadie le pueda ver
las piernas por mal recado.
Y quando alguna loquilla
no usa de este consejo,
dice que no es maravilla
porque *hasta la rodilla*
es común y de consejo.

El siglo XVI está lleno de excelentes escritores, pero de no haber sido por Horozco, ¿cómo sabríamos hoy lo que, en lance de tanto compromiso, decía una muchacha loquilla?

También se impone tomar aquí en cuenta la conocida vinculación de Cervantes, en todas las épocas de su vida, con la ciudad imperial, que fue para él casi una patria chica. *La ilustre fregona* nos enseña mejor que nada cómo conocía Cervantes la vida, el ambiente y las personas de Toledo. Tenemos allí documentado el conocimiento o la amistad que debió existir entre Cervantes y el doctor de la Fuente, ensalzado como óptimo médico y que, por cierto, era hombre de la misma generación de Horozco [45], quien según Cotarelo debió morir hacia 1580 y fue, por tanto, contemporáneo de la juventud del alcalaíno. Pero, sobre todo, ¿no tiene, acaso, un sentido ese amor de Cervantes por aquella ciudad de gentes proverbialmente discretas y apartadas de la vida

45 Según Rodríguez Marín, vivió el doctor de la Fuente entre 1510 y 1589; *La ilustre fregona*, Madrid, 1917, pág. XXXVIII.

oficial española? Salvo porque los toledanos eran tal vez más desconocedores que desconocidos, venían éstos a encarnar de hecho, y a nivel colectivo, una suerte muy parecida a la experimentada por Cervantes en el seno de aquella España oficialmente aceptadora de personas. Lo que, en todo caso, no puede ser puesto en duda es que el autor del *Quijote* se sintió casi un toledano adoptivo [46], en un medio humano que desprendía para él cierto calorcillo de hogar.

Si ya no es que Cervantes, cuya avidez de lectura es bien conocida, se hubiera hecho con alguna copia manuscrita de la *Representación,* tampoco sería preciso recurrir a tal hipótesis para justificar su conocimiento, puesto que las obras dramáticas de Horozco sabemos que fueron también representadas en Toledo. El mismo autor nos dice que su *Parábola de San Mateo a los veinte capítulos de su sagrado Evangelio* se representó en las fiestas del Corpus de 1548. Por lo visto, no solía faltar alguna representación entre los festejos con que monjas bautistas y evangelistas honraban al San Juan que les resultaba más simpático, y tiraban la casa por la ventana para dar en la cabeza a las del bando contrario. Todo lo cual contribuye a reforzar la impresión de que las tradiciones medievales del teatro en la iglesia pervivieron en Toledo mucho más que en otras partes. Si no lo afirmara el propio Horozco, nadie habría sospechado que cierto *En-*

---

[46] Sobre la afición de Cervantes a Toledo y frecuentes estancias suyas en la ciudad da buen resumen Luis Astrana Marín, *Vida ejemplar y heroica de Miguel de Cervantes Saavedra,* III, Madrid, 1951, página 565. Un reciente hallazgo documental ha permitido añadir a las ya conocidas una estancia en 1595, nueva confirmación de «los bien conocidos vínculos que unían estrechamente a Cervantes con Toledo: parientes, bienes, familiares, amigos... afectos e intereses le atraían hacia la vieja ciudad castellana»; Jaime Sánchez Romeralo, «Miguel de Cervantes y su cuñado Francisco de Palacios. (Una desconocida declaración de Cervantes)», *Actas del Segundo Congreso Internacional de Hispanistas,* Nimega, 1967, pág. 570.

tremés suyo, pieza sañudamente antifrailuna, se hubiese representado en un monasterio de monjas el día de San Juan Evangelista, hecho que nos induce a pensar, de un lado, cómo el espíritu medieval de permitirse todos los atrevimientos con las personas y cosas de la Iglesia seguía remansado tras los muros de la ciudad, y, de otro, impulsa a meditar sobre la profundidad y anchura del foso que separaba a aquellos toledanos del mundo oficial de la época. Aunque toda la producción dramática de Horozco causa una impresión de notable arcaísmo, no es inconcebible que Cervantes haya podido todavía asistir a alguna representación semifamiliar (como debieron ser aquellas fiestas de locutorio) de esa *Historia de Ruth*, que es, después de todo, la farsa menos bárbara, no desprovista de cierto encanto, que conservamos de Horozco. Dadas las ilusiones cifradas por Cervantes en el éxito teatral, es lógico suponer que cuidara de familiarizarse con cuanto de aquel género se hubiera producido en los ambientes humanos que le tocó vivir. Y pocos le resultaban tan íntimos y queridos como Toledo.

EL REFRANERO DE HOROZCO

El manejo que de los refranes se hace en el *Quijote* nos demuestra obviamente hasta qué punto había hecho presa en Cervantes la típica afición de los humanistas españoles a la literatura paremiológica. No es arriesgado postular que debió frecuentar con fruición las principales colecciones de proverbios que circulaban en su tiempo, y en este campo nos atrevemos a decir que no se hizo en todo el siglo XVI ninguna tan importante como el *Libro de proverbios* o *Refranes glosados* que recopiló Horozco y que, a pesar del olvido en que yace, comparte con la del sevillano Mal Lara el cetro de este género tan renacentista.

El caso es que las semejanzas que se advierten entre Cervantes y Horozco no se agotan en el fragmento que hemos comentado, pues el *Quijote* mismo presenta varias coincidencias curiosas con las glosas de refranes incluidos en la colección del humanista toledano.

Una de estas semejanzas puede referirse al mismo don Quijote, cuya caracterización como pobre hidalgo campesino coincide en algunos rasgos notables con la semblanza del hidalgo en la glosa de un refrán contenido en la parte inédita del *Libro de proverbios, Hidalgo como un gavilán, mas no hay un pan* (1293):

> Oy día no tiene algo
> sino quien barbulla y trata,
> mas el pobre del hidalgo
> un rocín biejo y un galgo
> con que alguna liebre mata.

Coincide también con cierto momento de la aventura de los galeotes, cuyos guardas remiten a los propios forzados la información de don Quijote, la glosa del refrán *Andá que allá os lo dirán:*

> Preguntan siempre el por qué
> cuando algunos presos van,
> y el alguacil que los ve,
> responde: «Yo no lo sé,
> mas id, que allá os lo dirán» [47].

En la parte inédita del *Libro de proverbios* se encuentran también dos refranes que hacen mención de Sancho como personaje proverbial. La glosa de uno de ellos, *Topado ha Sancho con horma de su çapato* (2987), responde bien a la idea expresada por Rodríguez Marín en sus anotaciones de

[47] *Refranes glosados,* II, pág. 699.

ser este Sancho tradicional «símbolo de la gramática parda y rusticidad maliciosa». No ocurre lo mismo, sin embargo, con la interesante glosa de *Rebienta Sancho de hidalgo* (2738):

> En más tiene el bizcayno
> ser un hombre hijo de algo
> y cristiano biejo y fino,
> que rico siendo enjuíno [48]
> aunque más pobre que un galgo.
> Por no tener que pechar
> está libre de pagar
> y con esto está muy ancho,
> assí que *reuienta Sancho*
> *de hidalgo* de solar.

En esta glosilla se parte, pues, del nombre *Sancho* dado como proverbial de vizcaínos en la dimensión antonomásica de gente puntillosa en materias de limpieza de sangre y ahidalgada altivez. No debe ser casualidad, entonces, que el fiero e iracundo vizcaíno de la estupenda batalla sea precisamente otro *Sancho,* don Sancho de Azpeitia (1, 9), singular cruce onomástico en el que puede latir mucha intención. Y tampoco sería la única vez que Cervantes la toma con vizcaínos auténticos o fingidos, con una u otra intención [49]. Al aludir

---

[48] Obviamente por *enju(d)ino,* 'judío converso'. Forma de subido interés lexicográfico por venir a reforzar la lectura *judino* en un discutido pasaje de la dedicatoria del *Cancionero de Baena,* en que se aplica al converso Juan Alfonso de Baena, compilador del códice. La absoluta rareza de *judino* hizo preferir a otros eruditos la lectura *indino* o negar el origen judío de Baena; véase J. B. Avalle Arce, «Sobre Juan Alfonso de Baena», *Revista de Filología Hispánica,* VIII, 1946, págs. 141-147; *Cancionero de Baena,* ed. José M. Azáceta, Madrid, 1966, I, pág. V. El catálogo de las rameras de Roma en *La lozana andaluza* incluye también las «putas injuinas» (XX, pág. 101).

[49] Francisco Ynduráin, «El tema de vizcaíno en Cervantes», *Anales Cervantinos,* I, 1951, págs. 337-343. Las burlas cervantinas a la lengua vasca, así como la frecuente asociación de lo vizcaíno con cosas de

en la aventura de los rebaños (1, 18) a «los de hierro vestidos, reliquias antiguas de la sangre goda», es cierto que hacía burla al mismo tiempo de la manía gótica (mito conservador de la sociedad española), según conclusiones de un estudio de C. Clavería [50]. Las coplas de Horozco, al aclararnos aquel otro carácter tópico, resultan valiosas como brújula de los largos alcances acumulados en el nombre *Sancho*. En este nuevo nivel, el onomástico en que coinciden proverbialmente rústicos pastores y linajudos vizcaínos se transforma en signo parlante de algo tan esencial como la orgullosa cristiandad vieja y enemiga a los judíos del escudero de don Quijote. El Panza y el Azpeitia *(plebe* labradora y *plebe* nobiliaria), tan *Sanchos* con el don como sin él, representan en la singular coincidencia onomástica su misma coincidencia sociológica en el respaldo de la *limpieza,* el gran mito integrador de la España oficial cristiana vieja.

El *Libro de proverbios* puede ofrecer, como vemos, interesantes anotaciones cervantinas. Si bien suscita pocas dudas su probable origen en el *Norte de los estados* de fray Francisco de Osuna, también se nos relata allí cierto caso afín a una de las sentencias de Sancho en la glosa de *Si la mujer no quiere no hay quien la fuerçe* (2827), según juicio que se atribuye por Horozco a Isabel la Católica. *Donde fuerça interuiene derecho se pierde* (814) es otro refrán coincidente con el tema del baile que da fin a *La guarda cuidadosa.* Rodríguez Marín zanjó las polémicas acerca del nombre de Benengeli al señalarlo transparente y regocijada alusión al mote de *berengeneros* que solía darse a los toleda-

asnos o demonios, son puestas de relieve por Manuel José García, *Estudio crítico acerca del entremés «El vizcaíno fingido» de Miguel de Cervantes Saavedra,* Madrid, 1905.

50 «Reflejos del 'goticismo' español en la fraseología del Siglo de Oro», *Studia Philologica. Homenaje ofrecido a Dámaso Alonso,* I, Madrid, 1960, págs. 368-369.

nos [51]; no podía Horozco menos de hacerse eco de tal dictado tópico y de echarlo a buena parte al glosar el extraño sonsonete *Toledano aho verenjena* (2986):

> Toledo tiene la fama
> de comer más verengenas,
> mas si aquesto se derrama
> no es porque más las ama,
> mas porque en él son muy buenas.
> Porque más de ellas se cría
> en Córdova y en Llerena,
> y si el vulgar se entendía,
> por mejores se decía
> *Toledano aho verengena.*

La posible conexión de Dulcinea con ciertos refranes en que su nombre de pila constituye, como en el caso de Sancho, una mención tópica ha sido ya observada con acierto por J. Casalduero [52]. La sospecha de que Dulcinea pueda derivar también, en cierto modo, del venero refranesco, se acentúa notablemente si tenemos en cuenta el enunciado y la moraleja de otro de los proverbios glosados por Ho-

---

51 Rodríguez Marín fundamenta su nota en el artículo en que L. de Eguilaz y Yanguas establece la equivalencia arábiga *benencheli-aberenjenado;* «Notas etimológicas a *El ingenioso hidalgo*», en *Homenaje a Menéndez Pelayo,* Madrid, 1899, II, págs. 121-142. Sin entrar ni salir en una nueva etimología (*Benengel,* 'hijo del Evangelio'), propuesta por S. Bencheneb y C. Marcilly («Qui était Cide Hamete Benengeli?», *Mélanges à la mémoire de Jean Sarrailh,* París, 1966, I, páginas 97-116), queda siempre en pie la intención cervantina de crear por lo menos una confusión chistosa con las *berenjenas,* según atestigua la interpretación dada por Sancho (2, 2).

52 «Aldonza Lorenzo es la heroína del folklore, que tanto ha contribuido también a formar a Sancho: 'Aldonza, con perdón', 'Aldonza sois, sin vergüenza', 'Moza por moza, buena es Aldonza'... En el siglo XVII, esta relación Dulcinea-Aldonza debió ser uno de los rasgos burlescos que más excitarían a risa»; *Sentido y forma del Quijote,* Madrid, 1949, pág. 48.

rozco, *Diez años la seguía y ella no lo sabía,* en que hasta el lapso de tiempo viene a coincidir, poco más o menos, con el del tímido enamoramiento de don Quijote:

Conviene ser diligente
el que fuere enamorado,
tal que sepa fácilmente
a la dama, lo que siente
dar a entender muy priado.
Si no, por él se diría
este refrán de reír:
«Que *diez años la seguía*
y que *ella no lo sabía*
ni él se lo osaba decir» [53].

También existe, para volver a Sancho y a sus aventuras, algún otro momento en que puede haber pisado sobre huellas de las ocurrencias de Horozco. Se trata de cuando remacha el clavo del discurso de su señor a los belicosos habitantes del pueblo del Rebuzno: «Que yo me acuerdo, cuando muchacho, que rebuznaba cada y cuando que se me antojaba, sin que nadie me fuese a la mano, y con tanta gracia y propiedad, que en rebuznando yo, rebuznaban todos los asnos del pueblo» (2, 27); lo mismo, exactamente, le ocurría al animalazo del Villano en el *Entremés* de Horozco:

Juro a diez qu'en mi lugar
también he yo pregonado,
y en començando a sonar
yo hazía rebuznar
todos los asnos del prado.

Sometido el Villano a un examen de rebuzno, su destreza en tan difícil especialidad merece a otro circunstante el más halagüeño comentario:

---

[53] *Refranes glosados,* IV, pág. 391.

Qué gentil rebuznador
me he hallado!
di, quieres ser mi criado? [54].

Todo este desfile de textos tiende a confirmar moderadamente la posibilidad del conocimiento de Horozco por Cervantes, haciendo ver también que en el *Quijote* laten más refranes que los textualmente citados. Por lo menos, resultan útiles dichas coincidencias para darnos una de las relativas certezas a que cabe aspirar en este tipo de investigación, y según la cual el caso de la *Representación de la historia de Ruth* no constituye un hecho aislado. De una forma u otra, los fragmentos de Horozco apuntan claramente hacia una tradición literaria destinada tanto a moldear la creación cervantina como a ser definitivamente superada por ella.

ECOS DE LAS «CELESTINAS»

El sentido de cuanto hasta ahora llevamos estudiado se vuelve más inteligible si, remontándonos a un nuevo plano, advertimos sus conexiones con otro brote literario íntimamente ligado con la intención y convencionalismos del teatro primitivo y prelopesco. Observó Hendrix con acierto la vecindad de la novelística cervantina, respecto al uso y manejo de ciertos artificios, con el extenso y hoy poco apreciado género de las continuaciones e imitaciones de *La Celestina*. En su artículo, tantas veces citado, expuso Hendrix algunos ejemplos bien escogidos, si bien distó de agotar el catálogo

---

[54] *Cancionero*, pág. 169. Rodríguez Marín aduce el mismo texto sin extraer ninguna consecuencia en nota a las anteriores palabras de Sancho; sorprende que en el apéndice dedicado a *Los rebuznadores*, tras revolver todas las posibles implicaciones folklóricas del tema, no acoja esta coincidencia con el *Entremés* de Horozco.

de las deudas de Cervantes con dicha tradición literaria, tarea que tampoco pensamos acometer aquí, pues nuestro intento se limita a remachar el clavo de tales entronques dentro de un criterio de orden valorativo.

Puede servirnos de punto de partida la *Segunda comedia de Celestina* (1534) de Feliciano de Silva, en la que ya Gallardo observó la semejanza con ciertos pasajes cervantinos, sobre todo en la donosísima e intencionada escena de los juramentos a que ha de someterse el mozo Loaysa de *El celoso extremeño* [55], contagio aceptado a medias por Menéndez Pelayo no sin, de camino, criticar al gran bibliógrafo [56]. Convendrá puntualizar en esto que las semejanzas de situaciones son, en realidad, algo más amplias de lo notado por Gallardo. La tercería corre, más bien que por cuenta de Celestina, por la de la criada de Polandria, la avispada Poncia, que también busca, y halla, su remedio al mismo tiempo que el de su ama, lo que hace de ella un precedente menos odio-

---

[55] Bartolomé José Gallardo, *Ensayo de una biblioteca española de libros raros y curiosos*, Madrid, 1889, IV, núm. 3.939, col. 615. Los pasajes aludidos se encuentran en las *cenas* XIV y XXVI. Por cierto que Menéndez Pelayo los funde, equivocadamente, en uno al citarlos en su estudio sobre Silva en *Orígenes de la novela*. Los juramentos disparatados (por el puerto de Jafa, las quicialeras del templo de Jerusalén, etc.) son tan abundantes en las *Celestinas* que podría redactarse, coleccionándolos, el más pintoresco catálogo.

[56] Para Menéndez Pelayo la posibilidad de un influjo de Feliciano de Silva sobre Cervantes era inadmisible porque «burlarse de un autor es precisamente lo contrario de imitarle»; *Orígenes de la novela*, IV, pág. 78. A esto habrá que responder que todo depende de lo que se entienda por *imitación*, y que en absoluto aceptaríamos hoy la aceptación clásica del término para calificar una contaminación del tipo de la que pudo darse en Cervantes. Incluso un libro mediocre (y con todo no creemos que lo sea el de Feliciano de Silva) puede causar, por motivos muy complejos, una profunda impresión en algún lector determinado. Y lo que no puede negarse, ni siquiera por Menéndez Pelayo, es que Cervantes conocía, a través de una atenta lectura, la *Segunda Celestina*.

so de la repugnante dueña de *El celoso*[57]. Amén de otras coincidencias de menor cuantía[58], hay que señalar además una curiosa anticipación de las maravillosas escenas del patio de Monipodio en las que mantiene el fanfarrón o *panfarrón* Pandulfo con su manceba Palana[59], situación añadida desde entonces al clasicismo del género.

Pero incluso aquí se impone observar que no es Feliciano de Silva el único en quien topamos con tales tratamientos de situación, que surgen, idénticos o con variantes de pormenor, tanto en las obras propiamente dramáticas como en las semi-novelas dialogadas, y constituyen prueba palpable de la extraordinaria afinidad de ambos géneros. La criada o dueña entrometida (presente también en *Tirant lo Blanc)*, que se hace cómplice más o menos interesada en los deslices de su señora y hasta «bendice» sus amores ilícitos, aparece reiteradamente en toda suerte de obras dialogadas, estén o no destinadas a la escena. Tal es el caso, por ejemplo, de la *Tragicomedia de Lisandro y Roselia,* cuya alcahueta se ha atrevido a oficiar por su cuenta y riesgo los «desposorios» de cierta pareja y se ve por ello envuelta y obligada a testificar en un vergonzoso proceso[60]. Un caso por

---

57 Poncia termina por desposar sin más ni más a Polandria y a su amante Felides. La desenvuelta doncella comenta a continuación con la mayor desfachatez: «Pues los que Dios y yo hemos ayuntado no los apartará Sigeril, que conmigo será testigo»; *op. cit.*, pág. 366.

58 Gallardo observó la presencia de algunas de las expresiones más usadas por Cervantes, posibles relaciones con *La tía fingida,* etc.

59 Nos referimos al desarrollo de toda la *cena* V. El brutal fanfarrón Pandulfo llega echando fieros a casa de Palana para sacarle la ganancia del día. Palana, perdidamente enamorada del falso desuellacaras, termina por avenirse a todo, de forma que la disputa termina en la más apasionada reconciliación.

60 Tan no santas incidencias ocupan toda la *cena* V, cuya rúbrica afirma, con el cinismo habitual del género, que «está llena... de mucha doctrina, y no menos de gracias y donaires», págs. 127 sigs. En la *Comedia llamada Florinea* la pareja de nobles amantes desposan

el estilo sucede también en la *Calamita* de Torres Naharro [61].

La identidad de procedimientos y situaciones se hace aún más transparente si nos ocupamos del tema de los fanfarrones mantenidos por las desdichadas que para ellos trabajan en la mancebía, que, como dijimos, rara vez falta en esta literatura. Podemos hallarlos, por citar sólo algunos ejemplos, en el mismo Torres Naharro [62], en Lope de Rueda [63], en Juan de la Cueva [64], en Sebastián Fernández [65], en *Lisandro y Ro-*

---

a la de sus criados confidentes, y éstos, a su vez, a sus enamorados señores; *Orígenes de la novela,* Madrid, 1910, III, pág. 271. A pesar de la amplitud canónica pretridentina en lo relativo a matrimonios clandestinos y al carácter de recurso literario que éstos habían llegado a revestir, es evidente que las *Celestinas* tienden a presentarlos, con mentalidad crítica, de un modo burlesco y desfavorable.

61 Un personaje, despechado, comenta así la incidencia: «Déxame, hermano, hazer / de manera / que a la puerca hechizera, / porque los ha desposado, / que le hieda el adobado»; *Propalladia and other Works,* II, pág. 443.

62 En la *Comedia Soldadesca* planean unos la deserción y hacen propósito de llevarse a sus mancebas y hasta alguna supernumeraria para que les «gane».

63 El valentón Rodrigo de la *Eufemia* tiene a una ganando para él en la mancebía de Medina del Campo.

64 De gran interés resulta una escena de *El infamador* en que el fanfarrón Farandón relata las sabrosas viandas a que le acaba de convidar doña Magandina de Zúñiga, su «moza de respecto», que bien pudo sugerir a Cervantes la feliz idea del festín en el patio de Monipodio; Juan de la Cueva, *El infamador, Los siete infantes de Lara y el Ejemplar poético,* ed. Francisco A. de Icaza, Clásicos Castellanos, Madrid, 1965, pág. 28.

65 En la *Tragedia Policiana* las cortesanas Orosia y Cornelia se lamentan amargamente de cómo han de mantener, vestir y dar para juego a sus rufianes. Otro se envanece de tener cincuenta mujeres repartidas por todas las mancebías del reino; *Orígenes de la novela,* Madrid, 1910, III, págs. 10 y 14. Se hallan también aquí algunos refranes que pueden tener algo que ver con diversas aventuras del *Quijote.* Una frase proverbial reza *Echar el gato a las barbas,* otra menciona *El papo hecho, como a mesa de alemanes* (págs. 15 y 18). Se aconseja también que las doncellas cuidadosas de su honra pro-

selia[66]. En la *Comedia Thebayda* se hace además un muy intencionado comentario sobre los rufianes que están «concertados» con la justicia y gozan de patente de corso para sus fechorías, a cambio de actuar de soplones cuando llegue la ocasión[67]. El *Rinconete,* obra de aspecto muy dramático, según han señalado diversos críticos[68], hunde sus raíces en

curen estar siempre ocupadas (pág. 20), como era preciso recordárselo a Altisidora.

66 El rufián Brumandilón declara haber perdido «a los dados de un mal azar» los seis reales que le dio la que tiene en la mancebía (página 162).

67 Cierto personaje describe así las buenas prendas del rufián Galterio: «Y a osadas que no venga mujer de nuevo a la mancebía sin traelle carta; y lo primero que el rufián hace, venido a la ciudad, es venir a hablalle para que le concierte con los alguaciles; y sus más recios delitos son éstos, y dar avisos a la justicia algunas veces de los males que se hacen» (pág. 144). Más adelante es el mismo Galterio quien especifica sus artes; «Mi principal intención es, como ya sabes, ser amigo de todos los ministros de la justicia, porque éstos contentos puede hombre desollar caras en medio de la ciudad como cada día ves que se hace; y esto con poco trabajo se alcanza, porque con dar, como antes apuntabas, algunos avisos de hombres facinerosos, y de algunos que juegan juegos devedados, y de algunas mancebas de casados, o frailes o clérigos pobres, que de los demás otro norte se sigue, como luego verás, y también acostumbro acompañar algunas noches al corregidor, o teniente, y con llevarle alguna vez algún presentillo liviano de cualquier par de perdices, y con otros servicios de pelillo semejantes a éstos, puedes a banderas desplegadas meter moros» (págs. 180-181). Su interlocutor califica al rufián con el adecuado término de malsín y se lamenta del error de la justicia al tolerar y proteger a semejante ralea; a esto le ataja Galterio asintiendo, pero con la salvedad de que el de malsín «es oficio de hombres justos y celosos de concordia», pues no a otra cosa se dedican regidores y jurados delante del corregidor, irónicas reflexiones paralelas al comentario de don Quijote sobre la utilidad de los alcahuetes (1, 22) que en vano pretende tomar en serio Otis H. Green, «Don Quijote and the alcahuete», *Estudios dedicados a James Homer Herriot,* Madison, 1966, págs. 109-116.

68 Véase Mariano Baquero Goyanes, «El entremés y la novela picaresca», *Estudios dedicados a Menéndez Pidal,* Madrid, 1956, VI, páginas 215-246. Domingo Ynduráin Muñoz, «*Rinconete y Cortadillo.*

el humus espeso de aquellas escenas rufianescas y se convierte en bello ejemplo de cómo el genio realiza en su mente el milagro original con que la naturaleza transforma el estiércol en rosas.

Por todo ello, un recorrido de estas obras de corte semidramático ofrece siempre insistentes motivos de comparación con la novelística cervantina. La discusión mantenida por Sancho con don Quijote, encantado en el carro de bueyes, acerca de la corporeidad y necesidades fisiológicas de los fantasmas, tiene un breve destello de semejanza con un paso de Lope de Rueda [69], pero mucho más clara es la coincidencia que se advierte con los discreteos que se disparan el pretendiente y la doncella en un coloquio de Erasmo [70].

De entremés a novela», *Boletín de la Real Academia Española,* XLVI, 1966, págs. 321-333.

[69] Se trata del paso de *La Carátula,* en el que el simple Alameda pregunta al supuesto aparecido si come en el otro mundo, a lo que el socarrón responde afirmativamente y hasta especificando que sólo consumen «lechugas cozidas y raíces de malvas». Es curioso que cuando el aparecido le hace algunos incómodos encargos, también se le ocurre a este bobo ir a buscar su borrico.

[70] El pretendiente Pánfilo se queja a María de que ésta lo trae muerto y cadavérico, pero ella se ríe y le pregunta si los fantasmas comen, a lo que responde Pánfilo que suelen tomar «manjares insípidos, como son malvas, puerros e altramuzes»; más adelante pregunta la muchacha, que se ha reído del buen color de su pretendiente para estar tan mal mantenido, si los fantasmas también hablan, a lo que el joven responde que lo hacen con «una boz delgada, sotil y cansada, assí como la mía» y que andan, visten, duermen «e aun engendran en cierta manera»; el pretendiente continúa con su disertación técnica sobre los fantasmas y pone bien en claro que «los que de spíritu divino son transportados e arrebatados, de tal manera pierden los sentidos, que ni oyen, ni veen, ni huelen, ni sienten aunque les metan una espada por el cuerpo», *Colloquios de Erasmo,* en *Orígenes de la novela,* IV, págs. 164-165. En 1, 47 discurre Sancho con don Quijote acerca de que nada de aquello tiene visos de realidad, porque los figurones que los acompañan, contrariamente a sus conocimientos sobre el particular y aun contra los de don Quijote, son rollizos de carnes y huelen a perfumes. Algo más adelante protesta

Y, sin entrar ni salir en cuestiones muy debatidas, no creemos que pueda argumentarse sobre escrúpulos de conciencia en Cervantes para leer toda suerte de libros; el índice de Valdés (1559) prohibía el *Coloquio de las damas* del Aretino, traducido por el sevillano Fernán Xuárez e impreso en 1548; pero bien que conocía el desvergonzado original italiano el autor de *La tía fingida,* lo mismo que tampoco parece ignorarlo, al menos en su forma traducida, el del *Coloquio de los perros,* novela en la que ciertas mañas favoritas de aquella buena pieza de la Colindres se parecen demasiado a las que se narran en obra tan poco edificante como la del famoso y arisco maldiciente [71].

También algunas figuras y hechos secundarios del *Quijote* proceden claramente del campo que venimos acotando. No lo diremos, dada su universal mala prensa, de los tipos de venteros apicarados, pero en todo caso la enumeración de

---

Sancho de que su amo no va encantado, puesto que «come y bebe, y hace sus necesidades como los demás hombres». En los dos capítulos siguientes insiste en la inverosimilitud del encantamiento argumentando con la absoluta falta de necesidades fisiológicas de los cuerpos fantásticos. Otra reflexión de don Quijote que bien podría derivar de los *Colloquios* es la pronunciada ante el famoso Roque Guinart, según la cual «tan buena es la justicia, que es necesario que se use entre los mesmos ladrones» (2, 40), dicha también en el coloquio del soldado y el cartujo en forma muy parecida: «Como San Agustín dize, aun una manada de ladrones por los montes, ni una nao de cossarios por la mar, no podría sostenerse si no tuviesse ya ciertos límites entre sí y assientos, que son como leyes de lo que an de fazer y de la orden que entre sí an de guardar» (pág. 175).

71 *Coloquio de las damas,* en *Orígenes de la novela,* IV, pág. 257. La primera edición es de Medina del Campo, 1548. Una de las cortesanas está en completo acuerdo y gran vecindad de palabras con lo expresado en *El licenciado Vidriera* sobre no haber en el mundo «yerbas, encantos ni palabras suficientes a forzar el libre albedrío». La cortesana Lucrecia afirma que «aunque he provado quantas yervas ay en los prados, y cuantas palabras se dizen en los mercados, y con todas ellas no he podido jamás mover el coraçón a un hombre» (página 264).

focos y universidades de la picaresca, con que se hace historia del de la armazón de caballería, es el recurso más habitual para subrayar el acento rufianesco de todos los fanfarrones de las *Celestinas* [72].

Sancho, desde luego, no se ha sustraído tampoco a esta suerte de influjos. Su primera embajada a Dulcinea ha sido relacionada, en conjunto, con otra mensajería amorosa descrita en la *Tercera parte de la Tragicomedia de Celestina*, menos desconocida como *Tercera Celestina* de Gaspar Gómez de Toledo (1536) [73]. En la *Comedia Florinea* del bachiller Juan Rodríguez Florián (1554), el Calisto de turno se muestra tan impaciente en conocer el resultado de la embajada amorosa como don Quijote ansioso de los detalles de la ida al Toboso de Sancho Panza [74]. Don Quijote habla a Sancho como

---

[72] El ventero había rodado por «los Percheles de Málaga, Islas de Riarán, Compás de Sevilla, Azoguejo de Segovia, la Olivera de Valencia, Rondilla de Granada, Playa de Sanlúcar, Potro de Córdoba y las Ventillas de Toledo» (I, 3). En *Lisandro y Roselia* es Brumandilón quien se envanece de ser «nombrado en las partes orientales, también soy tuerto y tundidor, y más de Córdoba, y nací en el Potro y pasé por Xerez y tuve la pascua en Carmona», *op. cit.*, págs. 165-166. En la *Thebayda* es el fanfarrón Galterio quien enumera haber sido prioste de esgrima, servidor de un hostal en Sanlúcar de Barrameda, dueño de casa de trato en Carmona y padre de mancebía en diversos lugares. En la *Tragedia Policiana* se quejan unos rufianes de ciertas damas que se las dan de melindrosas «después de aver trotado los bancos de Flandes, y el Potro de Córdova y el Aduana de Sevilla», *Orígenes de la novela*, III, pág. 29. El matón de la *Comedia llamada Florinea*: «A la fe no en balde he estado yo en Córdoba, y hallé madre en Carmona, y me llaman Fulminato», *Orígenes de la novela*, III, pág. 162.

[73] Mac E. Barrick, «Sancho's Trip to El Toboso: A Possible Source», *Modern Language Notes*, 81, 1966, págs. 222-225.

[74] Floriano atosiga así a la alcahueta Marcelia: «Dime, dime, cómo la vistes? dónde estava? qué hazía? qué semblante mostrava oyéndote hablar de mí?», *Orígenes de la novela*, III, pág. 217. La misma ida de don Quijote al Toboso está afectada, según Bataillon, por el proceso caricaturizador de las *Celestinas*; *La Célestine selon Fernando de Rojas*, París, 1961, pág. 233.

cualquiera de tantos Calistos cuando le pregunta: «¿Dónde, cómo y cuándo hallaste a Dulcinea? ¿Qué hacía? ¿Qué le dijiste? ¿Qué te respondió? ¿Qué rostro hizo cuando leía mi carta?» (1, 30). El graciosísimo soliloquio de Sancho cuando, enviado por su señor a casa de Dulcinea, teme si llevarán a mal los del Toboso que vaya él a sonsacarles sus princesas, procede de las atemorizadas reflexiones que, invariablemente, se hacen todas las Celestinas al comienzo de sus dudosas empresas. También suelen hacerse iguales consideraciones los rufianes matasietes y cobardes que nunca dejan de aparecer envueltos en las incidencias de los amores.

LA CARACTERIZACIÓN DRAMÁTICA DEL RÚSTICO

La necesidad de relacionar la figura de Sancho con los tipos cómicos del teatro primitivo equivale a rendir virtual homenaje a Torres Naharro, que es quien moldea, con sus criados y rústicos de los *Introitos*, el paradigma del pastor o campesino bobo, figura que lleva sobre sí todo el peso de nuestro teatro hasta el advenimiento de Lope de Vega. Ya hemos tenido ocasión de apreciar, por ejemplo, cómo la rudeza de estos personajes suele aparecer subrayada con la mención risible de sus aficiones a cosas de asnos y bestias de carga. Y ha sido Torres Naharro quien, en fecha muy temprana, establece con toda claridad tan entrañable rasgo sanchopancesco [75]. Insiste también el gran autor extremeño

75 Cuando en la *Comedia Aquilana* languidece de amor su personaje y el rey Bermudo llama a los médicos de su corte, salta así el rústico Galterio: «Mas, señor, / ¿quieres sanallo mejor? / Yo conozco un buen fisico, / Pero Gil, el herrador, / que me sanó mi borrico. / Y ha sanado / la burra de Anthón Manchado / y el asno del mesonero; / basta qu' es más aprovado / que dos vezes el barvero», *Propalladia and Other Works,* II, pág. 527. En la misma obra menciona otro de

en la poca memoria de sus villanos, que cometen por ello ridículos disparates que los hermanan o poco menos con los simpáticos y útiles semovientes [76]. En el caso particular de la embajada de Sancho, parece como si éste siguiese, en su vano intento de recordar el texto de la más bella carta de amor, las huellas de Faceto, un criado de la *Comedia Aquilana* que comete los más chuscos errores al descifrar otra epístola amorosa enviada a su señor:

«Aquilano
porque no es más en mi mano
yo t'escurro burramente...»
AQUILANO. Mira que dize, villano,
«yo tescrivo brevemente» [77].

---

estos personajes rústicos a un cuñado suyo llamado Juan Burro (página 533). En el *Diálogo del nascimiento* un pastor hace la clásica retahíla de la dote de su novia, entre la que se cuenta «un asno albardado mayor que no yo»; I, pág. 263. La mención destacada de materias asnales comienza ya en Juan del Encina *(Auto del repelón)* y en algún que otro pasaje de Lucas Fernández. Es, sin embargo, Torres Naharro quien la lega al teatro prelopista como toque fundamental en un cuadro por completo enderezado, según Noël Salomon, a la «asnificación» del rústico; *Recherches sur le thème paysan dans la «comedia» au temps de Lope de Vega*, Bordeaux, 1965, pág. 12.

[76] Así el villano del introito de la *Comedia Seraphina:* «¡O qué memoria cagada / de gallito y an peor! / Tal toma'll embaxador / que s'olvida la embaxada. / Tómenme agora sequiera / el dïabro y la dïabra, / que ni m'acuerdo palabra, / ni trayo aquí la mollera. / S'alguna patraña huera / yo's la dixera de presto, / que de asnerías y d'esto / harto sé más que quigera»; *Propalladia and Other Works*, II, página 5. Y el de la *Comedia Jacinta:* «Rebentado muera yo, / como la burra dell'otro, / si lugo no m'aquestotro / como entre gentes estó. / ¡La puta que me parió! / Porque no me acuerdo ya... / mas cro que sí... nantes no»; II, pág. 325. El de la *Comedia Aquilana:* «Ved a quién, / do tanta gente de bien, / embían a pernociar; / que vos juri a Sanctarén / que estoy por no me acordar»; II, pág. 464. El rasgo de la mala memoria fue desde entonces uno de los repetidos con mayor monotonía.

[77] *Propalladia and Other Works*, II, pág. 472. Como se recordará, la memoria prevaricadora de Sancho transformaba en «Alta y so-

La reincidencia en deturpar así todo el texto de la carta da pie a Torres Naharro para una escena de seguro efecto cómico que no debió escapar a la perspicaz admiración cervantina.

La misma *Comedia Aquilana* vuelve a traernos a la memoria otra de las mejores ocurrencias de todo el *Quijote*, concretamente los comentarios de Sancho Panza al enterarse, con asombro, de la identidad de Dulcinea con aquella Aldonza Lorenzo conocida suya, campeona en el tiro de barra y adornada con formidable vozarrón. El bobo que recita allí en el *Introito* evoca sus sabrosos amores, interrumpidos por la muerte, con una zagalona hombruna, igualmente diestra en el tiro de barra:

> ¡Mallograda!
> Que viniendo del arada
> muchas vezes me ganó,
> que tirava un aguijada
> quatro passos más que yo.
> ¡Qué braçones,
> qué pezachos, pernejones,
> bocacha de oreja a oreja,
> los ojos dos barreñones,
> la nariz como una teja! [78].

---

bajada señora» el «Soberana y alta señora» (1, 26) con que comenzaba la carta de don Quijote a Dulcinea.

[78] *Propalladia and Other Works*, II, págs. 462-463. Cuando el físico hace desfilar las damas ante Aquilano, para averiguar quién es la causante de su enfermedad de amor, interviene el rústico Galterio para hacer el elogio de sus conocidas: «Mas, señor, / ¿quiés que vaya, por tu amor, / en dos saltos a llamar / la hija del texedor / que sabe muy bien arar? / Y a Luzía, / la nieta de Antón García / que tiene mil perfeciones, / y aun diz que siega en un día / más que dos buenos peones». El otro rústico, Dandario, insiste en lo mismo: «¡Guay de ti! / Llama, llama, juri a mí, / la hija de Antón Frontino, / que se maja, en hendo assí, / media carreta de lino»; II, pág. 531.

En ambos casos nos encontramos ante un mismo efecto cómico, que cabría definir como el elogio por las cualidades menos femeninas, hábilmente manejado por Torres Naharro en repetidas ocasiones. La *Propalladia* viene después a constituir la Biblia del teatro prelopista, su gran repertorio de fórmulas y de temas: los versos finales del texto citado concretan aún más ese signo de *Venus rustica* latente también en Dulcinea, y pronto lo vemos hacer escuela, por ejemplo, en la *Égloga ynterlocutoria* de Diego de Ávila, a través del encarecimiento interesado de un casamentero:

> Ves, anque tiene la cara flaquilla,
> No pienses qu'es toda de aquella natura;
> Qu'estos dos dedos y más de gordura
> Entiendo que tiene en cada costilla.
> ¡O hi de puta, y qué rabadilla
> Debe tener la hi de vellaca!
> Una espaldaza mayor que una vaca,
> Y tetas tan grandes, qu'es maravilla! [79].

Surge, inevitable, el recuerdo de aquel entusiasmo del escudero del de los Espejos al imaginar la recia feminidad de la hija de Sancho, y todo es efecto del enraizamiento inicial de Cervantes en la tradición y máscara cómica de Torres Naharro.

Mucho más interés reviste para nosotros la frecuencia con que los tipos rústicos del teatro primitivo llevan clavada en la mente una vana esperanza en recompensas absurdas y totalmente desproporcionadas a sus méritos. La ilusión con la ínsula o el condado constituye así uno de los nexos más visibles entre la figura de Sancho y sus modestos antepasados dramáticos. Y es también Torres Naharro quien hace un uso más consciente y reiterado de semejante recur-

[79] Kohler, *Sieben Spanische Dramatische Eklogen*, pág. 250.

so cómico, especialmente en la *Tinellaria,* donde el escudero Moñiz se lamenta de la injusticia de no haber sido promovido cardenal; este mismo tiene a su vez un criado bobo, de nombre Manchado, que ha venido a Roma para pescar un beneficio de los que el Papa León reparte todos los días a quien le parece; con la saneada renta podría el Manchado cubrir su ideal de comer diez veces al día. La plena intención del tema culmina, sin embargo, en la charla de comensales en que la arrufianada servidumbre se reparte a capricho los más sustanciosos cargos de curia [80], para la hipotética contingencia de que su señor el Cardenal fuera elegido Papa. El tema de la recompensa absurda se reproduce, según hemos visto ya, en Horozco, así como en Lope de Rueda [81], y bajo multitud de variantes prácticamente en todos los prelopistas. No deja Cervantes de sacarnos a relucir en sus entremeses tan seguro caso de risa, y ahí tenemos al sota-sacristán Pasillas de *La guarda cuidadosa,* dispuesto a renunciar por amor la expectativa de una ridícula capellanía que pensaba fundar una abuela suya.

El tema de la recompensa absurda y desproporcionada al mérito individual nos sirve muy bien para comprobar la trascendencia ideológica de esta literatura dramática cuyas fórmulas todavía resuenan claramente en el *Quijote.* Ya hemos podido apreciar, en el caso de Torres Naharro, cómo el chiste llevaba dentro de sí el más serio propósito de aludir,

80 *Propalladia and Other Works,* II, pág. 262. En otra ocasión los escuderos Osorio y Godoy comentan esta plaga general con intenciones irónicas: «¿Vistes tal? / Veis qu'es regla general / que todos piensan so capa, / 'l obispo ser cardenal, / y el cardenal de ser papa»; a lo que responde Osorio: «¿Cómo no? / Pues también me pienso yo / ser obispo de mi tierra»; II, pág. 223.

81 El bobo Mendrugo, del paso *La tierra de Xauja,* se pone muy contento al saber que su mujer va a recibir de la justicia un obispado (de coroza, se entiende), y hasta tiene algunas dudas sobre si ella será capaz de regirlo.

con un filo, a la corrupción romana y, con el otro, al desmedido afán de medro social que roía incluso a los individuos más groseros e infames. El tema de la recompensa tiene en Horozco este último alcance de protesta contra el babilónico desintegrarse de la clara ordenación social de los «estados» medievales, proceso claramente perceptible en la época y cuyos contemporáneos, poco atentos a sus verdaderas causas económicas y políticas, suelen atribuir, unánimes, a la difusión de una perversidad moral monstruosa y sin precedentes. En un estudio sobre Horozco hemos recogido las constantes diatribas del toledano contra «esta florezica de privar y de subir» [82], y hemos subrayado su valor para interpretar el lúgubre acorde sarcástico, digno de Mateo Alemán, con que el autor del *Lazarillo* nos ha pintado la felicidad y «llegada» de quien ha podido escalar, a fuerza de atroces claudicaciones, la cumbre de la buena fortuna en el goce de su infame oficio pregoneril. Américo Castro ha señalado la raigambre humanista (por ejemplo, en Telesio) del cuasi biológico concepto de lo social que informaba tales protestas y que no dejó de influir también en Cervantes [83]. F. Maldonado de Guevara le ha buscado también un entronque con el tema

[82] F. Márquez Villanueva, «Sebastián de Horozco y el *Lazarillo de Tormes*», en *Revista de Filología Española*, XLI, 1957, pág. 333.

[83] «De esa suerte el nacimiento y la condición heredada constituyen una verdadera naturaleza, que muy difícilmente podrá contrarrestarse por la costumbre y práctica de otra vida. La idea de lo natural se aplica así para justificar la rígida división de las clases sociales, y más aún para combatir el intento de elevarse a mayores en las gentes de condición media»; *El pensamiento de Cervantes*, págs. 168-169. Buena observación, en la misma obra, del buen sentido con que Sancho conduce su gobierno *sanchescamente*, es decir, sin la menor vanidad ni humos (pág. 331); hay que aclarar, sin embargo, que el desastroso final de su aventura en la ínsula termina así en castigo a su afán de subir, como lo reconoce el mismo Sancho y como sucede, según observa también Castro (pág. 331), a todos los personajes cervantinos que vuelven la espalda a su naturaleza.

del *Somnium vitae humanae,* caro al humanismo centroeuropeo [84], y bien que merecería la pena aclarar debidamente ese punto.

De todas formas, el sentido que pueda ser adscrito al tema de la ínsula sanchesca es claramente esencial para el recto esclarecimiento del personaje. Y son, como hemos de ver, sus fuentes literarias las que, por encima de interpretaciones más fáciles [85], tienen todavía bastante que ofrecernos para desentrañar la compleja urdimbre del incomparable escudero.

EL ESPÍRITU ANTIRRÚSTICO

Iniciado por Juan del Encina y enriquecido por Torres Naharro, el tipo del rústico o pastor más o menos bobo constituye la figura cómica más frecuente y capital del teatro prelopista. Sus infinitas variantes no se proponen sino el juego con una caracterización bastante fija, con una perfecta y auténtica *máscara* a la que no se pretende añadir ni quitar nada esencial.

---

84 «El tema de la ínsula, en su categorización estética y moral, es muy afín al tema del *Somnium vitae humanae,* peculiar, en el centro de Europa, del Humanismo debatiéndose, aún, a vueltas con la Edad Media. Las manifestaciones más tempranas del tema —el labrador que sueña durante una noche que es rey— proceden, como he dicho, del centro de Europa: la culminación, empero, la logra Calderón, y, antes que Calderón, Cervantes, en los capítulos dedicados a la ínsula Barataria. La entonación de Cervantes al componer este su episodio inmortal, no sólo es trascendental y metafísica, como en Calderón, sino satírica, política y cómica»; «Ociosidad y Sanchiquijotismo», *Boletín de la Biblioteca de Menéndez Pelayo,* XXIII, 1947, pág. 133.

85 Para C. Sánchez Albornoz la credulidad de Sancho en la ínsula prometida reflejaría, simplemente, la actitud de un pueblo habituado a presenciar enriquecimientos súbitos, bien debidos al favor real o en recompensa de hazañas personales; *España, un enigma histórico,* Buenos Aires, 1956, I, pág. 690.

Semejante obsesión con la figura del rústico debe ser, pues, cuidadosamente sopesada. En general los humanistas, adoradores ingenuos del tema bucólico en cuanto resurrección de la literatura antigua, no suelen mirar con benevolencia al labrador como realidad social contemporánea; y esto por simple cuestión de principios, ya que el elemento rústico constituía el sector humano más irremisiblemente captado por la vieja cultura que ellos se proponían superar. Sólo el ala menos paganizante, representada por el humanismo cristiano de orientación erasmista, sentía una benevolencia más teórica que eficaz hacia el campesino como encarnación de una idea moral de laboriosidad contrapuesta al espíritu económico de los nuevos tiempos [86]. Por todo ello, no puede sorprender que el rústico salga malparado en la literatura del siglo XVI, ni que el teatro especialmente se haya reído de él con demasiada frecuencia. Y, sin embargo, la intensidad de sentimiento desencadenado por los prelopistas en torno a la figura del pastor no queda bien explicada por consideraciones de orden general e igualmente válidas para otras literaturas.

Por supuesto, la caracterización del rústico que venimos encontrando en el teatro primitivo español es, al menos a partir de Torres Naharro, netamente desfavorable e incluso virulenta en su conjunto. Los rústicos de la *Propalladia* (1517), que exhiben satisfechos su maliciosa tosquedad, no

[86] Así, Diego Sánchez de Badajoz, uno de los prelopistas más corrosivos en sus pinturas de villanos, presentará a un pastor encareciendo su vida tranquila, aunque trabajosa, en la *Farsa del rey Dauid; Recopilación en metro* (Sevilla, 1554), f. CVIII v., ed. facsímil, Real Academia Española, Madrid, 1929. Lo mismo Gil Vicente, que envía su labrador al Purgatorio con lástima a sus duros trabajos y al sino de ser exprimido por los mismos a quienes alimenta con su sudor; *Auto da barca do Purgatorio,* (1518), *Obras completas,* edición Marques Braga, Clássicos Sá da Costa, Lisboa, 1959, II, págs. 91 y sigs.

tienen mucho que ver con los mitos renacentistas sobre la humanidad primigenia, ni quedan bien interpretados dentro del marco de conceptos antropológicos que para ellos construyó el llorado J. E. Gillet. Se trata, por el contrario, de figuras sacadas a la vergüenza, empicotadas con ánimo de rebajar a todo el estamento de labradores, cuya vida queda peyorativamente calificada, en muy diversos aspectos, como propia de una masa cerril e incapaz de toda redención.

Dicha clave intencionada, y no ninguna otra, es la que nos entrega la razón de ser de la caracterización cómica de los rústicos. Muy en primer término, la del llamado *sayagués*, seudodialecto imaginario [87] consistente en la acumulación de toda suerte de arcaísmos y deturpaciones vulgares, muy distinto, por ejemplo (para juzgar en correcta perspectiva), del pintoresquismo que determina el uso del dialecto bergamasco por los *zani* o tipos rústicos de la *Commedia dell'arte* [88].

---

87 Acertadamente comentado por Frida Weber de Kurlat: «Y si una jerga puesta en boca de rústicos, creada y utilizada preferentemente por poetas educados o nacidos en Salamanca, tomó un nombre tan significativo de la presunta condición cultural y social de sus hablantes, ello mismo implica, no un intento de adaptación realista a modos de hablar de una determinada región dialectal, sino un intento superior de creación artística: el nombre elegido no es designativo, es una valoración y apunta a la calidad del contenido, lo designado en su cualidad, no como cosa»; «El dialecto sayagués y los críticos», *Filología*, I, 1949, pág. 47. O dicho más técnicamente: «Los elementos que componen esta lengua pastoril son múltiples y de muy variada importancia: vulgarismos y arcaísmos castellanos, latinismos arrusticados, leonesismos, léxico festivo —cuya creación se apoya en la búsqueda de comicidad—, galleguismos y lusismos»; «Elementos leoneses en la lengua del teatro pastoril de los siglos XV y XVI», *Actas del Segundo Congreso Internacional de Hispanistas* (Nimega, 1967), página 411. Para N. Salomon el sayagués «pour le dramaturge, il est moins question de réalisme régional que de recherche d'un contraste linguistique»; *Recherches sur le thème paysan*, pág. 146.

88 Impulsada por el ideal de excelencia interpretativa a que alude su nombre, la *Commedia dell'arte* halla un básico recurso de lucimiento en el contraste dialectal infuso en sus tipos fijos; bergamasco

Y es que entre nosotros se trataba sólo de plasmar en escena el concepto de la crasa ignorancia y rudeza, según contribuye a resaltar con elocuencia la sistemática asociación de estos rústicos con las más diversas materias asnales. Si un pastor nos relata sus habilidades, no dejará de encarecernos tan delicada flor como la de ser capaz de «sorrabar» un par de rocines [89]. Y si le entran ganas de cantar, la copla tendrá, cómo no, un pie forzado:

> La burra, quando está echada,
> no puede estar levantada [90].

Los horizontes vitales del rústico y el orden de sus afectos quedan bien resumidos por la cumplida declaración que Diego Sánchez de Badajoz pone en boca de uno de ellos:

> Gente honrrada, Dios mantenga,
> y si ansí no queréis vos,
> a mí me mantenga Dios
> con vida muy sana y luenga,
> y que norabuena venga
> yo y mi hato y mi pellica,
> y en tal quede mi borrica
> y mi esposa Mari Menga [91].

Todo va aquí encaminado a definir al rústico en términos de una realidad de puro orden biológico, elementalmente li-

---

los *zani,* boloñés el doctor Gratiano, toscano los amantes, napolitano Pulcinella, latín macarrónico los médicos, etc.; K. M. Lea, *Italian Popular Comedy,* New York, 1962, I, págs. 17 y sigs.

[89] D. Sánchez de Badajoz, *Farsa de la Natiuidad; Recopilación en metro,* f. XXI r.

[90] Francisco de Avendaño, *Comedia Florisea* (1551); Adolfo Bonilla y San Martín, «Cinco obras dramáticas anteriores a Lope de Vega», *Revue Hispanique,* XXVIII, 1912, pág. 412.

[91] D. Sánchez de Badajoz, *Farsa de la hechizera; Recopilación en metro,* f. CXXXI r. (suplida puntuación y acentos).

mitada a las satisfacciones de sueño, comida y reproducción. El mismo autor extremeño nos lo presentará alguna vez en acto de atiborrarse de bellotas, clara manera de forzar el parecido con el ganado porcino de aquella tierra *(Farça de Salomón)*, y otros tantos pastores actúan como personificaciones del Cuerpo y el Descuido en su *Farsa racional del libre aluedrío.* Otra figura de pastor, particularmente bebedor y tragón, sirve también de adecuado disfraz alegórico a Nequicia (la Maldad), que se opone a las virtudes cardinales en la *Farsa moral* del mismo Sánchez de Badajoz. De villano se caracteriza igualmente la Culpa en el *Auto de Caín y Abel (Códice de autos viejos)* del maestro valenciano Jaime Ferruz. La investigación del tipo del pastor terminará, por este camino, con ofrecer textos de inconcebible violencia y que más vale no recordar [92].

Hasta aquí hemos venido hablando de la comicidad de estas caracterizaciones, pero es preciso comprender que toda ella responde a motivación de orden profundamente serio. Un detalle como el de la carencia de espíritu aventurero y aversión a abandonar el terruño parece de momento un incidente divertido y trivial. Pero Torres Naharro, como de costumbre, nos desvela toda la intención, claramente despectiva, que late en dicho tema:

> ¡Bouarrones
> que alabáis otros garçones
> porque mil gratias touieron;
> y en su vida supïeron
> salir de tras los tizones! [93].

---

[92] El más repugnante de ellos es sin duda la confesión de un pastor amenazado por un rufián en cierto *Gracioso razonamiento* de un pliego adscribible a la primera mitad del XVI; «Una colección de pliegos sueltos», *Revista de Archivos, Bibliotecas y Museos,* año XXXV, 1931, págs. 335-336.

[93] *Comedia Trophea; Propalladia and Other Works,* II, pág. 88.

Es lo mismo que nos hace ver *El Crotalón:* «Son tan acobardados para en esto los labradores que nunca se atreven a hacer mudança de la tierra donde naçen; porque una legua de sus lugares les pareçe que son las Indias; y imaginan que ay allá gentes que comen los hombres bivos» [94]. La inicial antipatía hacia el rústico ha sido compartida por grandes y pequeños en el sector humanista español: J. A. Maravall cita un texto de Luis Vives estrictamente paralelo a los que aquí anteceden [95].

La figura del criado rústico aparece también alguna vez en la farsa francesa del XVI, pero ni con tanta frecuencia ni con semejante cargazón de tintas [96]. El *zani* o rústico es personaje básico en la *Commedia dell'arte,* pero, además de ser tratado con la ligereza típica del género, resulta en conjunto un tipo simpático, que suele poner su buena aunque tosca voluntad al servicio de la pareja enamorada [97]. Pero en el rústico español encontramos no sólo una acumulación de notas negativas, sino la presencia de otras que lindan ya con un propósito infamante. Lo advertimos con toda claridad en la frecuente tacha de cornudo, o en la pintura lamentable de su vida conyugal [98], cosas con las que nuestra literatura nun-

---

Algunas ideas de interés en el apartado «The Spirit of Adventure», IV, págs. 160 y sigs.

94 *Orígenes de la novela,* Madrid, 1907, II, pág. 137.

95 «La estimación de lo nuevo en la cultura española», *Cuadernos Hispanoamericanos,* núm. 171, 1964, pág. 441.

96 Véase Barbara C. Bowen, *Les caractéristiques essentielles de la farce française et leur survivance dans les années 1550-1620,* University of Illinois Press, Urbana, 1964.

97 K. M. Lea, *Italian Popular Comedy,* I, págs. 61-62.

98 Por ejemplo, la pintada con lujo de circunstancias por Sánchez de Badajoz en su *Farsa theologal,* cuyo pastor sospecha que su esposa «no es casta muy perheta» y, tras acusarla de «criminosa», termina por compararla «con cualquier burra tiñosa»; *Recopilación en metro,* f. XI r. Peor lo hace el rústico Gazardo de la anónima *Farça a manera de tragedia* (1537), que se niega a tomar venganza de la manifiesta

ca ha jugado a la ligera. Peor intención tienen, si cabe, las frecuentes alusiones a su carencia de instrucción religiosa, por lo que es preciso a veces que algún fraile se esfuerce para meter en sus duros cascos los misterios más básicos de la doctrina cristiana [99]. Y que, por supuesto, no acaba de entender hasta transponerlos mentalmente a alguna parábola de borricos [100].

Las cartas han estado boca arriba desde el primer momento, pues ya Juan del Encina nos presenta a sus pastores despojándose de los hábitos rústicos para transformarse en cortesanos:

---

infidelidad de su desposada: «Si lo encubre o descubre, / tóquele yo aquella ubre / qu'essotro no se me da nada»; y cuando le llaman cornudo: «Y esso, ¿qué se me da a mí? / también son otros cornudos»; ed. H. A. Rennert, *Revue Hispanique,* XXV, 1911, pág. 299. El rústico de la *Farsa de Lucrecia,* por Juan Pastor, sale muy contento a relatar su «desposorio» con «la borrica manchada»; A. Bonilla y San Martín, «Cinco obras dramáticas anteriores a Lope de Vega», página 441.

99 Caso de Sánchez de Badajoz en sus *Farsa del Santíssimo Sacramento* y *Farsa del molinero.* El mismo Encina introduce ya algunos equívocos graciosos que muestran el desconcierto e ignorancia de los pastores ante el nacimiento de Cristo; Lucas Fernández *(Auto o farsa del nascimiento)* los presenta groseramente escépticos, tomando al ángel por un ladrón y a su canto por el de un grillo, más interesados en jugar a la chueca que ál. El teatro primitivo, observa J. P. Wickersham Crawford, denuncia como regla la crasa ignorancia religiosa de los villanos, aun cuando en casos excepcionales sean encargados de alguna parrafada edificante; «The *Pastor* and *Bobo* in Spanish Religious Drama of the Sixteenth Century», *Romanic Review,* II, 1911, página 396. El bobo de la *Farsa sacramental de la fuente de la gracia,* que representa el *Descuydo,* es invitado a beber de las aguas salvadoras, pero se niega a hacerlo, estando en ayunas, por miedo a resfriarse; Rouanet, *Colección de autos, farsas y coloquios,* I, pág. 452. En el *Auto da feira* (1527) de Gil Vicente un serafín ofrece «conciencia» para sus almas a las campesinas que concurren al mercado alegórico, pero éstas responden que sólo andan buscando sombreros de palma para la siega; *Obras completas,* I, pág. 233.

100 Así ocurre con el misterio de la Redención en la *Farsa theologal* de Sánchez de Badajoz; *Recopilación en metro,* f. XII r.

Dexemos aquesta vida
ques muy grossera y muy mala [101].

Y más adelante:

Dexemos de ser pastores
ques hato de mal asseo [102].

El rústico del teatro primitivo siente una aversión casi profesional hacia cuanto signifique saber y cultura. Sánchez de Badajoz saca a escena a un pastor en acto de insultar a un teólogo [103], y un colega, que presencia la disputa de Cristo con los doctores del Templo, se sirve muy a su gusto en materia de comentarios despectivos hacia unos personajes tan odiados por judíos como por doctores [104]. En su *Farsa de la Natiuidad* vemos al pastor desahogando toda su mala voluntad contra una hermosa doncella que personifica la Ciencia; ésta reprende a un clérigo y a un fraile la inutilidad de perder el tiempo con tan indigno sujeto:

Es dañoso
con necio ni malicioso
la habla ni conuersar;
del loco y del porfioso
lo mejor es apartar [105].

Cierto día de los albores del siglo XVI unos escolares burlan y repelan, en una plaza de Salamanca, a los pastores

---

[101] *Égloga* VIII (anterior a 1496); *Églogas*, ed. Humberto López Morales, Madrid, 1963, pág. 115.

[102] *Ibid.*, pág. 120. Harto significativo de las verdaderas intenciones de Encina es el comentario de uno de los pastores cuando le enseñan a vestir el traje cortesano y a ajustarse airosamente el bonete: «¡Ha, paresceré jodío!» (pág. 122).

[103] *Farsa theologal; Recopilación en metro*, f. XI r.

[104] *Farsa de los doctores; Recopilación en metro*, f. XCVIII r.

[105] *Recopilación en metro*, f. XXXIV v.

Piernicurto y Juan Paramás. Y este último vomita después su odio no ya contra las personas de sus verdugos, sino hacia la Ciencia:

> ¡A, ñunca medre la cencia
> y on el puto que la quier! [106].

Y estamos ante la dramatización del conflicto social y religioso que decidió la suerte de la cultura española en aquel siglo clave. *Rústicos* (léase gente atrincherada en una cultura regresiva, sin futuro) contra *escolares* (intelectuales de mentalidad reformista y moderna). *Rústicos* (estrato campesino en cuanto esencia simbólica de cristiano viejo) contra *escolares* (burgueses y pequeños nobles de origen frecuentemente converso). Adviértase que todo el teatro prelopista procede, en su conjunto, de humanistas con grados universitarios, burgueses o «villeros», como decía con despecho otro pastor de Sánchez de Badajoz [107], más o menos militan-

---

106 *Auto del repelón;* Juan del Encina, *Églogas*, pág. 211.

107 En la *Farsa de Isaac* el curioso término de *villero* es usado, con obvio matiz despectivo, referido al caso ideal del campesino que, a causa de los desvelos de su madre, llega a ser clérigo de aldea; *Recopilación en metro,* f. CV v. Sánchez de Badajoz está obviamente obseso por el espíritu de rebelión social de los rústicos, que ilustra con aguda conciencia y condena de acuerdo con las ideas habituales en el humanismo cristiano. En la *Farsa de la fortuna o hado* el Pastor despotrica contra la injusticia y mala ventura que le condena a duros trabajos para sustentar la vida de holganza que los caballeros pasan entre naipes y cacerías. El Caballero logra convencerle, con gran habilidad y paciencia, de que todos son miembros necesarios de un mismo cuerpo y de que la Providencia hace nacer a cada uno en el estado que más le conviene, para una vida igualmente marcada por el dolor. El fondo del conflicto está expuesto con máxima transparencia en aquella *Farsa de Isaac,* cuyo pastor interpreta así la enemistad de los mellizos Esaú y Jacob: «Y quantos dellos vinieron, / que nunca bien se quixeron, / son judíos y gentiles. / Hizieron los malhazejos / entre sí tantas carniças, / que an agora en fe parejos / entrellos nueuos y viejos / no faltan llas ojariças» (f. CIV v.). La copla final, cantada por el pastor, es igualmente inequívoca: «Ya no falta bendi-

tes en el humanismo cristiano, casos como el de Hernán López de Yanguas, que acaba de ser identificado como uno de los más precoces erasmistas [108]. Y aquí sí que pisamos terreno firme para una comprensión de la máscara del rústico pastor, cuyo tratamiento naturalista con finalidad jocosa ha sido inventado, no se olvide, por fray Íñigo de Mendoza *(Vita Christi)*, un converso del siglo xv en el que nadie pretenderá reconocer una mentalidad mínimamente renacentista [109].

---

ción / a nosotros y a vosotros, / pues después de su Passión / mora dios entre nosotros, / y a los unos y a los otros festejemos por mil modos / pues que dios combida a todos» (f. CVII r.). Tras la Redención no tiene, pues, ningún sentido la división entre *nosotros* (campesinos en cuanto cristianos viejos) y *vosotros* (burgueses y nobles, es decir, conversos o cristianos nuevos). Buena idea de la importancia central de este problema, así como del carácter unitario del teatro prelopista, nos da el encontrar ya perfectamente definido en Encina el tema de la inquina villanesca contra universitarios, burgueses y nobles: «¡Dalos a ravia y a roña / los de villa y palaciegos! / El amor los endimoña. / Peores son que ponzoña, / todos son unos rapiegos / lladobrazes / que nunca querrían pazes. / ¡Dios les dé malos sosiegos!» *(Plácida y Vitoriano). Églogas*, pág. 264. En prensa este libro, el enfrentamiento de conversos y cristianos nuevos en torno a una polarización de *saber* contra *ignorancia*, ha sido profunda y magistralmente estudiado por Stephen Gilman, *The Spain of Fernando de Rojas*, Princeton, 1972, págs. 340 y sigs.

[108] Eugenio Asensio, «Heterodoxos españoles en el XVI. Los estudios sobre Erasmo de Marcel Bataillon», *Revista de Occidente*, VI, segunda época, núm. 63, junio, 1968, pág. 316.

[109] Es de notar que los pastores de fray Íñigo, antecesores directos de los del teatro, han sido pintados, aunque en plano de burla, sin la cargazón de tintas ridículas con que aparecerán después. Se advierte en el planteamiento temático del rústico una evolución clara y de subido interés. En 1467-68 (primera versión del *Vita Christi)* el converso podía permitirse el lujo de echar todavía a broma las «chufas de pastores». Como hemos visto, las cosas han cambiado ya para la nueva generación, a que pertenece Juan del Encina, y, sin embargo, como si aún guardara alguna esperanza, ha sido éste el único en presentarnos a los pastores transformándose de buena gana en cortesanos; pero lo hace así en una égloga anterior a 1496, que contrasta con la violencia desatada del *Auto del repelón* (anterior a 1509). Recientemente se ha señalado a Lucas Fernández como inventor de uno de

De momento, como aquel día en Salamanca, los intelectuales se imponían con el repelón de lanzar sobre los rústicos del tablado unos sambenitos simbólicos (asnerías, sayagués, cuernos) a modo de represalia por los sambenitos demasiado auténticos que aquéllos les cargaban sobre las espaldas en el otro teatro que eran también los cadalsos de

---

los rasgos más inconfundibles de la caracterización de los tipos rústicos: el orgullo genealógico que los induce a blasonar de alcurnias consteladas de porqueros, alcahuetas, clérigos sacrílegos, hechiceras y melcocheros; John Lihani, «Lucas Fernández and the Evolution of the Sheperd's Family Pride in Early Spanish Drama», *Hispanic Review*, XXV, 1957, págs. 252-263. La caracterización agresivamente ridícula queda fijada, según dijimos, por Torres Naharro. Y en este punto hemos de rectificar una idea según la cual los espléndidos pastores de los introitos están presentados en forma benévola, como ejemplos de agudeza picaresca (H. López Morales, *Tradición y creación en los orígenes del teatro castellano* [Madrid, 1968], pág. 157); no hay tal en rigor, pues lo que sí hace con ellos Torres Naharro es enriquecerlos con la nueva dimensión tópica de la *malicia* campesina. Un rústico de la *Farsa de la natiuidad* de Sánchez de Badajoz es increpado como «Juan malicioso» (*Recopilación en metro*, f. XXXII r.) y el tópico resistió incluso bajo la glorificación posterior del campesino en el teatro de Lope, según ha observado N. Salomon (*Recherches*, pág. 835 nota). Sólo el problema de los conversos y de la limpieza de sangre alcanza a dar una explicación integral de la figura del rústico en el teatro prelopista, sin necesidad de recurrir a hipótesis tan alejadas como las *fabulae atellanae* (Crawford y otros) ni las representaciones sacras que hoy sabemos que apenas si existieron en Castilla. H. López Morales convence bien con su tesis de que el teatro primitivo no empalma con ninguna tradición literaria distinta de la lírica cancioneril, de que insensiblemente se desprendió (*Tradición y creación*, pág. 110). El teatro basado en la burla del rústico era, con toda lógica, un brote literario por esencia culto y aristocrático, que tomaba posiciones ante la oleada demagógica de la «limpieza». Damos pie de esta forma en su raíz «social», si bien fuera de todo contexto marxista, pues no se trataba de un conflicto de *clases*, sino de *sangres* o de *castas;* y aun esto sin nada que ver también con la acepción racista que hoy sugieren esos términos, y sólo en la que entonces tenían como signos verbales de la lucha a muerte de opuestas concepciones del mundo, de dos sentidos de lo divino y de lo humano: de dos modos de entender la vida.

los autos de fe. Y por eso Sánchez de Badajoz se divierte con harta intención en sacar a un pastor sufriendo en escena el tormento del agua *(Farsa de Tamar)*, el más temido de los administrados por el Santo Oficio. Los *escolares* se resarcen en sarcasmo pintando (al mismo tiempo que pierden la batalla de los estatutos de limpieza de sangre) la petulancia con que los *rústicos* se consideran aptos para gobernadores sólo por llevar sobre sus ánimas, como Sancho Panza, cuatro dedos de enjundia de cristianos viejos. Esos cristianos *viejos*, mastines de la ortodoxia, que no han tenido tiempo de aprender los rudimentos de la doctrina y cuyos rezos son muy divertidos de escuchar:

Nomeli Patris en Fillo
del Esprito sancto, amén [110].

(¡Dios mal juba me festina!) [111].

Crialeysón del paternostra
qui ex in celis lo dinos
tentaciones bita nostra [112].

O *Pater noster* queréis?
Já eu soube bon quinhao delle.
No *santo faceto* andei ja,
e nunca me dei per elle;
e a *Ave Maria* a par delle
soube eu lá ja tempos ha [113].

---

110 Torres Naharro, *Comedia Trophea*, en *Propalladia and Other Works*, II, pág. 135.

111 Torres Naharro, *Comedia Aquilana*, en *Propalladia and Other Works*, II, pág. 461.

112 *Comedia Aquilana*, pág. 517.

113 Gil Vicente, *Auto da barca do Purgatorio*, en *Obras completas*, II, pág. 110.

Verbum caro fatuleras
vosotros porque reñéys [114].

Gran gasajo recebimos,
que a los ángeles oymos
la grolla del celis Deo [115].

El *Patre Nostro* también
se sin poner entreualo:
*«patre nostro, solibranos a malo
amén, dios, señor, amén»* [116].

Con el tiempo, hasta esta especie de desquite puramente literario vino a hacerse impopular o demasiado peligroso y terminó por desaparecer. El tipo del rústico cambia bruscamente de signo hacia fines del reinado de Felipe II y temas hasta entonces ridículos, como el del linaje o el de la dote campesina, adquieren de pronto un tratamiento de la más alta dignidad [117]. El término *villano* empieza a ser pronuncia-

---

114 Lucas Fernández, *Comedia en lenguaje y estilo pastoril; Farsas y églogas*, Salamanca, 1514, ed. facsímil Real Academia Española, Madrid, 1919.

115 Juan del Encina, *Égloga* II (1496); *Églogas*, pág. 35.

116 Francisco de Avendaño, *Comedia Florisea;* A. Bonilla, «Cinco obras dramáticas anteriores a Lope de Vega», pág. 399.

117 N. Salomon, *Recherches*, págs. 46-47 y 823. El mismo autor relaciona agudamente el repentino triunfo del rústico con el movimiento *isidrista* que, iniciado hacia 1588, culmina en la beatificación (1619) y canonización (1622) de San Isidro Labrador. Visto en principio sin mucha simpatía por la jerarquía eclesiástica y con manifiesta frialdad en Roma, el entusiasmo por el legendario santo no reparó en dificultades ni en gastos. Lope actúa como pieza tal vez clave de este juego, personándose con firmeza en el proceso de beatificación y propagando la popularidad del Santo con su *Isidro* (un *best seller)*, sus tres comedias de San Isidro Labrador y la pintura sistemáticamente amable y digna del rústico en sus deliciosas comedias campesinas (págs. 206 y sigs.). Escapa a Salomon, sin embargo, entender el *isidrismo* como efecto y no como causa, dado que su auge, estrictamente paralelo a la flecha ascendente de la *limpieza*, no supone sino

do con solemne respeto y el fermento más activo de esta transformación por más de un concepto dramática se llama, desde luego, Lope de Vega.

En el siglo XVII conoce la figura del rústico alturas de apoteosis bajo los nombres de Peribáñez, García del Castañar, Pedro Crespo, o en glorificaciones colectivas como *Fuenteovejuna*. El rústico encarna entonces el más alto ideal humano, lindante con el héroe bélico y con el santo, como el más puro depositario del honor, de la entereza y virtudes ancestrales que se suponen místicamente aparejadas con su absoluta limpieza de sangre. Como medio de concitar admiración hacia una simpática villana, Tirso de Molina comienza por presentarla en trance de machacar a cantazos el cráneo de un viajero dormido, sólo por el acaso de que éste pueda ser algún judío fugitivo *(Mari Hernández la gallega)*. La figura del rústico ha experimentado así una inversión polar en su tratamiento dramático, reflejo y síntoma perfec-

---

una canonización simbólica de ésta. El valioso libro de Salomon, con toda su concienzuda pesquisa de los aspectos económicos, sólo alcanza a probar que éstos no eran realmente decisivos en cuanto no logran explicar la inversión polar de la figura del campesino reflejada por el teatro de Lope. Tan curioso fenómeno literario se produjo bajo la presión de una sociedad cuyos valores supremos eran de *casta* y *honra*, no *económicos*. El campesino de la comedia vale nada más que en cuanto emblema de la sociedad cristiana vieja y de su triunfo definitivo. Es, por lo mismo, puramente literario y por completo irreal como documento sociológico. La sociedad de aquellos cristianos viejos y de sus tataranietos no se ha distinguido, ciertamente, por su amor al campesino. El villano que sudaba sobre los terrones no interesaba en cuanto tal ni a Lope ni a ningún otro *isidrista*. De ahí todo el desajuste entre sociología y literatura que entorpece a menudo la obra que comentamos. Con su gran conocimiento de las *Relaciones topográficas* advierte Salomon, por ejemplo, el contraste entre la «geografía de hambre» que éstas describen y el tópico de la abundancia de alimentos en la vida campesina (pág. 314 nota), pero sin que ello le haga vacilar en su manejo a veces inseguro de datos económicos y sociológicos.

to de una espasmódica, definitiva inflexión de la cultura española y de su subsuelo axiológico.

SANCHO PANZA COMO SUPERACIÓN

Sólo en este momento estamos en condiciones de analizar en terreno firme la génesis y logro de Sancho Panza. Como hemos visto, el aldeano manchego permanece, en conjunto, marcadamente fiel a la caracterización dramática del rústico. Sancho, que fue pastor y porquero en su mocedad, siente fraternal ternura por su rucio, es dormilón, enemigo de pendencias, muy aficionado a sus fiambres y al tinto de su bota, pero, sobre todo, soñador incurable con su ínsula o condado. Cervantes sabía muy bien que el tema de la recompensa desproporcionada constituía en el fondo un ataque contra la limpieza de sangre, y la mejor prueba de ello es que no deja de subrayar la magnitud del absurdo con irónica valentía: «Que yo cristiano viejo soy, y para ser conde esto me basta». «*Y aun te sobra*», responderá don Quijote (1, 21).

La intención de reírse del estado de labradores y cubrirlos de ridículo, en la línea del teatro prelopista, no es tampoco nada nuevo en Cervantes. *La elección de los alcaldes de Daganzo* nos los muestra revolcándose en el lodazal de la ignorancia tenida a orgullo [118]. *El retablo de las maravillas* se refocila en atacar la alianza de la estupidez con la manía de *limpieza*, igualmente proverbial, de la gente del campo. En *Pedro de Urdemalas* se nos hace reír con la estafa bien

---

118 Cervantes ha sido, según Salomon, el primero en fundir la burla de la *limpieza* en el tema del alcalde villano *(Recherches*, pág. 118). Significativo, e inevitable, es que Lope *(San Diego de Alcalá)* invierta los términos de lo ocurrido en Daganzo y presente, en cambio, el ridículo del «alcalde de hidalgos», rechiflado por los cristianos viejos a cuenta de su sangre maculada *(ibid.*, pág. 822).

empleada de una rica viuda labradora, mujer boba y supersticiosa, cuya religión se reduce a pagar las oraciones de un ciego (al estilo del amo de Lazarillo) y asustarse de las almas del Purgatorio; única y estúpida superviviente de toda una parentela de *Sanchos:* una hermana llamada Sancha, un tío Sancho Manjón y una hija Sancha Redonda, en clara alusión a su gordura (Jornada tercera). Aunque a muchas leguas por encima en ingenio y en técnica, representan todos estos casos una obvia participación en el espíritu antirrústico que hemos venido estudiando.

Si la caracterización dramática acostumbrada sigue siendo válida para Sancho Panza en cierto indiscutible nivel, hay que insistir, sin embargo, en que aquélla viene a quedar destruida en otro que es el que más importa. Cervantes la anula en un plano inédito desde el punto de vista artístico. Porque el verdadero Sancho surge, como intuyó Hendrix, de un tejido de contradicciones: simple, pero agudo, materialista en un sentido, soñador y abnegado en otro. Pero, sobre todo, abandonada ya la andadera de la *máscara* del rústico, Sancho es hombre bueno, moralmente sano, sensato y blando de corazón en medio de sus defectos. La caracterización heredada, copioso haz de notas peyorativas con mira infamante, limita ahora su función a trazar el mapa sicológico de las debilidades humanas de un labrador manchego llamado Sancho Panza. Los vicios han perdido su virulencia al quedar ligados con la realidad, igualmente legítima, de sus virtudes. Si tomamos como punto de referencia la inclinación a cosas de bestias, en la que latía tanta mala voluntad, se advierte que en Sancho se nos da sólo como el módulo de una dulzura temperamental, que se encariña con cuanto le rodea y llega a adornarse con la bella cualidad del amor a los animales, que es en el fondo amor a la Naturaleza y a su Creador.

El más claro signo literario de esa voluntad de transformación se perfila con toda la nitidez deseable en la inexistencia que se da en Sancho de las dos notas de infamia en que culminaba el vejamen de los rústicos. Porque Sancho no es cornudo, sino, por el contrario, buen esposo y padre, feliz a su manera en su vida conyugal, varón respetado y querido por todos los sujetos a su firme mano de patriarca. La cálida vida familiar de Sancho, que comienza por ser exigencia estructural con miras a superar una fórmula técnica, termina por ser amplia y exquisitamente tratada por Cervantes en la segunda parte del *Quijote*, donde se torna manantial de tanta conmovedora delicia: el coloquio con su esposa sobre el casamiento de la hija (2, 5), el intercambio de cartas de ambos cónyuges (2, 36 y 52), la seriedad del padre que no tolera bromas con el buen nombre de las mujeres de su familia (2, 13), la peregrina idea de celebrar a su mujer como pastora Teresona, pues ni de burlas puede acoger la idea de la menor infidelidad (2, 67). La otra gran ausencia queda marcada por la buena formación cristiana de Sancho Panza, tan opuesta a la falta de doctrina y materialismo religioso de aquellos otros rústicos del teatro. Por el contrario, Sancho no sólo sabe bien su catecismo, sino que incluso ha absorbido bastantes puntos avanzados en materia de teología y de general familiaridad con las cosas eclesiásticas. Pero, sobre todo, Sancho *practica* además su cristianismo a través de un gran ímpetu de caridad, que le ablanda las entrañas a los dolores del prójimo y le incapacita para toda maldad premeditada [119]. Estamos de nuevo ante un pro-

---

119 Aunque Sancho se proclame en cierta ocasión «enemigo mortal de los judíos» (2, 8) con énfasis que se nos antoja hoy algo crudo, no se trata sino del enunciado en abstracto de un rasgo exigido por su naturaleza literaria de rústico; esa inquina genérica no se objetiva en ningún acto específico contra judío, moro o cristiano. No es pre-

pósito sostenido con plena conciencia a lo largo de toda la obra, prueba firme de la pericia con que Cervantes sabe elegir los medios técnicos que conducen a sus fines en el orden del arte y de las ideas.

Las únicas huellas, clarísimas, de los sayagueses en relación con lo religioso se advierten en las dificultades sanchescas con el latín eclesiástico: lo del *abernuncio* (2, 35), lo de *nula es retencio* (1, 25). Pero aun ahí ha desaparecido toda intención aviesa, la granada carece de fulminante y el uso de tales expresiones sirve, en sentido inverso, para mostrarnos al rústico escudero en posesión de una casi heroica cultura religiosa. La deturpación de los latines constituye parte de la general dificultad que Sancho encuentra en la pronunciaciación de toda suerte de cultismos [120], vocablos cuyo simple conocimiento basta para acreditarle, por otra parte, de entendimiento nada vulgar. La herencia sayaguesa, invertida según hemos visto en el plano estructural, no constituye en el lingüístico más que un retrato objetivo de las dificultades de pronunciación de un campesino, en cuanto persona que no posee una cultura formal. Quiere decir, pues, que nos encontramos ante una nota más al servicio de un general afán de caracterización verista en sentido ya totalmente moderno, que nada tiene que ver con Torres Naharro ni con Horozco.

Toda esta benevolencia con que Sancho es visto por Cervantes puede interpretarse a un nivel fácil como punto medio en el curso de los tipos rústicos, desde la denigración habitual en el primer Renacimiento hacia su apoteosis barroca. Los valores religiosos de Sancho podrían igualmente

---

ciso recordar el conmovedor encuentro con Ricote, el morisco proscrito.

120 Amado Alonso, «Las prevaricaciones idiomáticas de Sancho», *Nueva Revista de Filología Hispánica*, II, 1948, págs. 1-20.

ser puestos a cuenta de espíritu tridentino. Se trata, sin embargo, de explicaciones más bien vacuas. El estudio de las fuentes basta para mostrarnos todo eso como resultados de una lógica interna, centrifugada a partir del afán cervantino por crear *su* obra, a la vez dentro y fuera de la tradición literaria de su tiempo. La *máscara* del rústico tenía que ser repudiada en el fondo, porque su norte era una estética de caricatura, definida por el prurito de dar una imagen peyorativa no de *rústicos*, sino de la *rusticidad*, lo cual equivale a correr detrás de abstracciones literarias. Y Cervantes era, en cambio, el primero en perseguir la creación de individuos, hombres de carne y hueso, de cuerpo y alma que se hicieran viviendo a través de las páginas del libro. El personaje de una pieza (totalmente bueno o malo) se quedaba sin presente ni futuro en la literatura. La cargazón de tintas venía a erigirse en el mayor pecado poético. De conservar el tipo tradicional, grotesco espantapájaros sin religión ni dignidad, Sancho no hubiera podido alcanzar, como máximo, otro relieve que el de su homónimo en Avellaneda. Pero en Cervantes tendría que mostrarse buen cristiano por el ineludible imperativo de desmantelar la vieja fórmula, es decir, por la misma razón que le impedía aparecer como cornudo. Y sólo después de tomar esto en cuenta podrá, quien lo desee, empezar a hablar de tridentinismo [121].

¿Y la ínsula? Todo nuestro estudio no ha hecho hasta ahora sino confirmarnos en su alcance de crítica social, dardo apuntado hacia la limpieza de sangre, aquella incurable y putrefacta llaga. El caso es grave, y los partidarios del Cervantes pacato en que tampoco «pasa nada» tienen en él

---

121 Se hace preciso insistir en que la religiosidad de don Quijote y Sancho, claramente enraizada en humanismo cristiano, tiene poco que ver con el espíritu de Trento. ¿Cómo podrían participar de éste dos héroes que, en toda la obra, no llegan a pisar jamás una iglesia?

duro hueso que roer. Ahí está, pues, la intención peligrosa, con toda su valentía y responsabilidad, pero también hay que decir que aliviada, al mismo tiempo, de todo aquel lastre grotesco y casi apocalíptico con que sus fuentes tendían a concebir dicho tema. La ínsula soñada por Sancho es mucho más. Se trata, por lo pronto, del elemento de mayor valor funcional en la caracterización de Sancho, pues nos hace palpar la capacidad de locura, de riesgo y fantasía que late como factor decisivo en el plano sicológico de éste. Pero la ínsula es en Sancho el elemento homólogo de Dulcinea en don Quijote, nexo a través del cual se establece la semejanza básica de don Quijote y Sancho, artificio que precisamente hace posible el juego de la pareja como protagonista dual [122]. La ínsula se nos revela, por tanto, como una rica, inextricable fusión de diversos planos funcionales. Es, desde luego, una nota satírica, una gotilla de veneno endulzado, a la vez que cuenta entre los pilares que mantienen la obra en pie. Pero el verdadero golpe de genio se da a un nivel, totalmente imprevisto, de altísimo simbolismo en que la ínsula anhelada se eleva a exponente literario de la fecundidad del ideal, del poder de la ilusión para alimentar a la vez que consumir en su llama los más nobles y heroicos impulsos del ser humano.

PERSPECTIVAS FINALES

El enraizamiento de la figura de Sancho tanto en la aceptación como en el repudio de las fórmulas del teatro primitivo, no hace sino alinearse en armonía con otras fuentes fundamentales del *Quijote*, de común naturaleza dramática todas ellas. Junto a la sugestión del *Entremés de romances*

---

[122] Dámaso Alonso, «Sancho-Quijote. Sancho-Sancho», *Homenaje a Cervantes*, Valencia, 1950, págs. 55-63.

y del *Don Duardos* vicentino, al que la crítica se inclina con preferencia sobre el libro caballeresco de *Primaleón*[123], viene a sumarse la de la *Representación de la historia de Ruth* y demás *Celestinas* y dramaturgos primitivos. Toda aquella fronda literaria debió ser objeto de un interés excepcional por parte de Cervantes, con vistas sobre todo a su formación como autor dramático y en respuesta a sus ilusionadas ansias de éxito en los corrales. Si nos adentramos un poco en semejante actitud, tal vez cupiera deducir de ella una equivocada perspectiva cervantina sobre el problema del drama. Habría que pensar hasta qué punto no sería aquel aferrarse a las fórmulas y motivos del teatro precedente, que no era, en el fondo, sino un conjunto de tanteos inseguros, algo así como elegir un camino que no conducía a ninguna parte. O renunciar de antemano a la innovación radical con que Lope, dotado de intuiciones dramáticas que no se daban en Cervantes, creó un gran teatro a puros golpes de genio. Su incapacidad incluso para asimilar la manera de Lope, cosa que pronto lograrían hombres, aunque más jóvenes, de talento literario notablemente inferior al suyo, apunta también hacia la explicación que acabamos de sugerir.

Podemos comprender ahora muy bien en qué sentido podía Avellaneda afirmar, sin mentir, que las novelas de Cer-

---

123 Dámaso Alonso advertía que, en general, el Camilote de Gil Vicente se parece más a don Quijote que el del *Primaleón*, si bien en la *Tragicomedia de don Duardos* no existe una petición de investidura que sí se encuentra en el libro de caballerías, particularidad comentada en estos términos por G. Stagg, partidario, con W. J. Entwistle, del influjo particular de Ariosto sobre Cervantes: «Si estamos de acuerdo en que la introducción de los acontecimientos descritos en el capítulo III del *Quijote* surgen de la imitación de Ariosto, la ausencia de una petición de investidura en la *Tragicomedia* no necesita ya, en sí misma, ser considerada como una objeción para la aceptación de la obra de Gil Vicente como fuente de la obra cervantina»; «La primera *salida* de don Quijote: imitación y parodia de sí mismo», *Clavileño*, IV, 1953, n. 22, pág. 8.

vantes venían a ser una especie de «comedias en prosa». Cabe hoy estar seguros de que el deslenguado falsario había consumido más de una maligna vigilia desmontando los ocultos andamiajes de la obra cervantina, cuyos secretos tal vez lo fueron a voces para los contemporáneos. No es preciso, pues, recurrir, como hace Miguel Herrero [124], a identificar los títulos de las comedias perdidas de Cervantes con el contenido de ciertas *Novelas ejemplares* para justificar las palabras de Avellaneda.

Otra deducción obvia es el hecho de la gran importancia que hay que atribuir a toda esa literatura dialogada de la primera mitad del siglo XVI. En rigor, tampoco debería sorprendernos semejante perspectiva. La sucesión de imitaciones más o menos directas de *La Celestina* no deja margen a dudar sobre la avidez que de ellas sentía una amplia masa de lectores. Respecto al siglo XVI, hemos de tener en cuenta la medida en que el gusto del público no coincidía con la estricta valoración literaria, como es la que aplicamos a varios siglos de distancia y que supone, por tanto, una especie de «falseamiento» de la realidad materialmente entendida. El lector medio gustaba, sobre todo, de los libros de caballerías, de las continuaciones e imitaciones de *La Celestina* y, en materia de lírica, mucho más de los viejos poetas cancioneriles que de los vanguardistas italianizantes [125].

---

124 «Una hipótesis sobre las *Novelas Ejemplares*», en *Revista Nacional de Educación*, X, 1950, págs. 33-37, n. 96.

125 Tampoco es pequeña la deuda de Cervantes con la vieja poesía de cancioneros. Menéndez Pidal señaló con acierto la fuente del episodio de Cardenio en un romance de Juan del Encina, «Un aspecto de la elaboración del *Quijote*», págs. 31-32. Aunque en *Los baños de Argel* se diga que el argumento de esta comedia, coincidente en lo esencial con la historia que narra en el *Quijote* el capitán cautivo, deriva de un sucedido real, consideramos muy probable que hayan intervenido también en su génesis las coplas de *La morica garrida*, muy conocidas y reelaboradas a partir de su aparición impresa en el cancionero *Flor*

Ahora bien, el caso de las *Celestinas* difiere del de los libros de caballerías, porque aquéllas eran obras de un valor que hoy distamos de conocer y apreciar correctamente. Aun en las más flojas nos sorprende, a veces, la acertada caracterización de un personaje o de un pormenor sicológico, algún nervioso esguince estilístico y mucha jugosa transcripción del habla más castiza y popular. En otro orden de cosas, se da en ellas una extraña, interesante fermentación ideológica que afecta a diversos y complejos elementos, pero entre los que destacan una agria hipersensibilidad para ciertas realidades sociales y una definida preocupación por lo religioso, cáusticamente crítica y orientada en el sentido más avanzado [126]. Si buscásemos una nota esencial y común a tan hete-

---

de enamorados (1562). Se refiere en ellas la audacia de una mora malmaridada que, cuando el asedio de Antequera por el infante don Fernando, se concierta desde las murallas para huir con el cristiano de quien se ha enamorado. Nos mueve a creerlo así el hecho de que Cervantes conociera, sin duda, alguna de las múltiples versiones de tal historia, pues también en *Los baños de Argel* hace, aludiendo a ellas, un típico chiste de actualidad (bastante malo), que ha pasado hasta ahora inadvertido; cuando el Cadí amenaza a Julio por permitir que el anciano padre haya venido a ver a sus hijos, el niño Francisquito comenta al notar la cólera del morazo: «¡Válame Dios, qué alterada / está la mora garrida!». Cervantes no perdió, pues, la ocasión de aludir a las coplas de moda, que el auditorio conocía sobradamente. Datos sobre las coplas de la *Morica* en Francisco López Estrada, «Tradiciones andaluzas. La leyenda de la morica garrida de Antequera en la poesía y en la historia», *Archivo Hispalense,* XXVIII, 1958, págs. 141-231.

126 El ideal representado por las *Celestinas,* en cuanto empresas literarias de alto vuelo (se diría un género típicamente *universitario)* y de serios propósitos moralizantes, queda bien encarecido por Alonso de Villegas Selvago al elogiar a sus predecesores en estos términos grandilocuentes: «... claros y doctísimos varones sus excelentísimos ingenios han mostrado, cuyos altos y maravillosos entendimientos, en el cómico estilo disfrazados, no sólo su profundo saber descubren, mas con urbanos dichos y graciosas palabras, astutamente sus sinceras y limpias vidas declarando su satírico modo, la nefanda y mala manera de vivir de nuestro siglo con gran astucia reprehenden»;

rogénea literatura, la hallaríamos en la presencia de un afán de hablar alto y claro que, bajo un velo de humor y cinismo, afecta desde la denuncia de la suciedad de las calles hasta la de los males, harto específicos, que corroen la realización temporal del cristianismo. Interesa observar la unanimidad con que, respecto a la obra que tomaban por modelo, han procedido todas las continuaciones e imitaciones de *La Celestina:* se ha perdido el contraste que allí se daba, en equilibrio, entre el mundo de los amantes y el de los criados y malas gentes que rodean a aquéllos. La historia de los amantes se transforma en todas estas obras en una especie de acuarela desvaída y empalagosa, mientras que el inframundo prostibulario adquiere, por medio de una acentuada brutalidad, hondos perfiles de aguafuerte goyesco. Nos encontramos ahí con un hervidero en que la obscenidad, la impertinencia y, casi siempre, una notable soltura literaria producen una impresión desconcertante en el crítico que, como Menéndez Pelayo, no advierte su ligazón con un criterio estético de la legitimidad de un confesado naturalismo.

Un naturalismo casi tan maduro como pueda serlo el del siglo XIX, de fondo igualmente sermoneador y moralizante, aunque, por supuesto, regido por tensiones literarias e ideológicas de otro orden. *La Lozana andaluza* constituye casi un manifiesto a favor de una literatura de *retrato* y *al natural;* se trata de una obra importante, que tal vez no desconoció tampoco el autor del *Quijote* [127], y con la que todos estos

Comedia llamada Selvagia, ed. marqués de la Fuensanta del Valle y José Sancho Rayón, Colección de libros españoles raros o curiosos, Madrid, 1873, pág. II.

127 A. Vilanova considera a *La Lozana* como precedente directo y modelo de ciertos aspectos muy peculiares, en el plano técnico, de la novelística cervantina; «Cervantes y *La Lozana Andaluza*», en *Insula,* VII, 1952, n. 77. Es difícil no estar de acuerdo, especialmente, con su observación del error cometido por la crítica del siglo XIX al consi-

libros en diálogo parecen hallarse endeudados. Existía el propósito de escribir una literatura cínica, acusadora, que actuase como revulsivo y afilada arma ideológica, forjada por hombres muy cultos (el género tiene un marcado cariz *universitario),* susceptibles a todos los problemas del espíritu en la época pretridentina y que pudieron destilar sus inquietudes en el relativo desahogo de los años del Emperador. Nada más erróneo que la tentación de achacar la avidez por las *Celestinas* a ese público amante de chocarrerías, que existe en todas épocas y que, por naturaleza, no suele digerir tan complejos manjares. Y por este camino, una reflexión final: la justa perspectiva histórica de la novela picaresca. El *Lazarillo* no es, en principio, sino la obra de arte puro en que cuajó toda esta revuelta decantación literaria, la voz impecable y maravillosa que se eleva por encima de este coro a menudo desafinado, única que sigue vibrando al cabo de los siglos. El *Lazarillo* realiza en novela cuanto, confusamente, pretendía lograr aquella literatura, hondamente preocupada bajo la máscara cómica; con el *Lazarillo* se trasvasa todo aquel cúmulo de aspiraciones literarias al campo primaveral de un nuevo género, mucho más dúctil que la tosca farsa de sayagueses o el coloquio erudito e irrepresentable.

Existe, pues, un hondo sentido en la presencia de esta ligazón de Cervantes con aquella vieja literatura dialogada, en la que había tantos materiales aprovechables para una fórmula novelística, que tendía a desprenderse de ella casi espontáneamente. Su atento estudio resultaría fecundo para

---

derarla obra de escaso influjo. Lo que con ella ocurrió es que, por razones harto llanas, fue libro más leído que citado. Para nosotros se refiere a ella (más bien que a los libros de *Mirabilia urbis Romae)* el *Viaje de Turquía* por boca de Pedro de Urdemalas, al referirse desabridamente a las cosas de Roma: «... desta poco hay que decir, porque un libro anda escrito que pone las maravillas de Roma»; ed. Antonio G. Solalinde, Buenos Aires, 1946, pág. 194.

el Cervantes novelista en el mismo grado en que lastraba los esfuerzos del Cervantes dramaturgo. No se podía extraer de allí una técnica teatral convincente, pero se topaba a cada paso, en cambio, con el principio, tan siglo XVI, de una crítica sistemática de todos los aspectos de la vida mediante reducción al canon de la comicidad, factor que en manos de Cervantes se acabó de transformar en *humor*, en un *novum instrumentum* de asombrosa finura y capacitado para todas las empresas.

Se impone reflexionar, además, sobre otro aspecto de notable interés, pues ya hemos visto cómo el atrevimiento ideológico y un recio inconformismo constituyen denominador común [128] de aquellos libros tan cuidadosamente leídos por Cervantes, y hacia cuyas intenciones se impone deducir también una cierta simpatía de principios, muy acorde con la orientación general de su pensamiento, con la noble amplitud de su espíritu para abrirse a toda humana verdad y a todo valor literario.

Y si al estudiar sus fuentes es cuando, por comparación, advertimos mejor las proporciones sobrehumanas de su genio, es al considerar su actitud hacia ellas cuando le sentimos a nuestro lado, mano en nuestro hombro, cercano e íntimo en la fraternidad intemporal de los hombres de buena voluntad.

---

[128] Enteramente significativo del idéntico espíritu que animaba a obras que hoy nos hemos acostumbrado a considerar dispares, es el hecho de que un mismo corrector, el cosmógrafo Juan López de Velasco, tuviera que realizar el expurgo del *Lazarillo de Tormes*, las obras de Castillejo y la *Propalladia* de Torres Naharro.

TRADICIÓN Y ACTUALIDAD LITERARIA EN *LA GUARDA CUIDADOSA*

FÓRMULA Y ACIERTO

Una yuxtaposición de diálogos vivacísimos, compuestos de frases exactas y tajantes que provocan con rigor matemático el efecto cómico avasallador. Un desfile de personajes populares observados con ojo y precisión casi naturalistas (el demandadero ha de salir «con su caja y ropa verde, como estos que piden limosna para alguna imagen»). Otra serie de personajes de mayor relieve, deliciosamente ingenuos todos ellos: un soldado pícaro y derrotado, un sotasacristán tripudo y simple, una fregoncita en que niñez y nubilidad no se anulan, sino que se refuerzan mutuamente, unos burgueses sobresaltados muy de veras al hallarse en el centro de aquella caricatura de conflicto pasional. Y un resol de siesta en la callejuela más olvidada de la villa y corte, cuando se oye mejor el entrechocar de la loza talaverana que se friega después del almuerzo. Todos estos elementos falsamente sencillos, capaces cada uno de poner a prueba el temple de un ingenio creador, se han mezclado sin apariencia de esfuerzo, como jugando, en el entremés más reído que apreciado [1], de *La guarda cuidadosa,* esa maravillosa resu-

---

1 Para A. Cotarelo y Valledor se trata de «la más entremesil» de

rrección de un cuarto de hora de vida de España vista por el extremo empequeñecedor del anteojo.

Distanciándose en la misma medida de las simplicidades prelopistas y de los crueles esquematismos barrocos, Cervantes nos alumbra allí un venero cantarín de sencillas y limpias emociones. A contrapelo de las fórmulas literarias de su época, el tratamiento caricaturesco del conjunto sirve ahora para cubrir a los personajes bajo un manto de cierta rara y estilizada belleza infantil. Ahí están esos amos llenos de paternal desvelo por la conducta moral y buen casamiento de la mocita, el sacristán con su inocente cortejo, reflejado en homenajes de pascual castidad (repiques de campanas, cercenaduras de hostias «*blancas* como la misma nieve», velas de cera «asimismo *blancas* como un armiño»). Con este sotasacristán Lorenzo Pasillas Cervantes se supera, además, a sí mismo, frente a los otros sacristanes de su teatro *(Los baños de Argel, Pedro de Urdemalas, Alcaldes de Daganzo, La cueva de Salamanca)*, grotescos, bebedores o cínicos, siem-

---

las piezas cortas de Cervantes, pero sus tipos resultan apayasados y «las escenas que entre ellos ocurren, poco verosímiles, y los dichos y lances algo burdos y chocarreros. Por estas razones *La guarda* es quizá el sainete de Cervantes que más risa produce, pero el que menos admira; no hay allí pintura de costumbres tomadas de la realidad; profundidad psicológica; observación de la vida, ni ninguna de aquellas prendas, salvo la galanura de estilo»; *El teatro de Cervantes*, Madrid, 1915, pág. 636. En su edición anotada de los *Entremeses*, Madrid, 1916, A. Bonilla y San Martín tampoco va más allá de reconocerle a *La guarda cuidadosa*, en compensación por su escaso interés, el deleite de su estilo y lenguaje (pág. XXVII). «No hay intención moralizante ni enseñanza de ningún género; es una cosa alegre que nos regocija sin pretender más»; Amelia Agostini de Del Río, «El teatro cómico de Cervantes», *Boletín de la Real Academia Española*, XLIV, 1964, pág. 259. J. L. Flecniakoska concluye la ausencia de complejidad tanto en sus intenciones como en su fórmula estructural; «Valeur dynamique de la structure dans les *Entremeses* de Cervantes», *Anales Cervantinos*, X (1971), págs. 15-22.

pre hasta aquí figurones convencionales, trasquilados y con largas sotanas que han de remangarse para bailar [2].

Y más aún la figura del soldado harapiento, cuya filigrana estructural de notas ennoblecedoras ha reconstruido R. Lapesa [3]. Ahí lo tenemos, «con una muy mala banda y un antojo» [4], y de momento no se ve en ello sino una nota ridícula. Pero un detalle como este de los espejuelos es también

---

2 H. Recoules, «Un personnage des intermèdes de Cervantes, le sacristain», *Revue des Langues Romanes*, LXXVI, 1964, págs. 51-61. El autor no advierte el contraste de *La guarda* con el resto de la serie. Tampoco en el examen más amplio que realiza en «Les personnages des intermèdes de Cervantes», *Anales Cervantinos*, X, 1971, págs. 51-168.

3 «Góngora y Cervantes: coincidencia de temas y contraste de actitudes», *Revista Hispánica Moderna*, XXXI, 1965, pág. 252. A la comparación aquí realizada del cómico pero digno Soldado cervantino con la odiosa caricatura de Góngora, cabe añadir también la de Pasillas respecto al tratamiento repugnante a que somete Quevedo el tema del sacristán enamorado en su romance de 1603 *A un sacristán, amante ridículo*, cuyo tono queda definido por la puerca consideración de las prendas de amor: «Sacó luego unos cabellos, / entre robles y castaños, / que a petición de unas bubas / se le cayeron del casco. / Considere aquí el lector / qué sentiría un cristiano, / viendo que de liendres vivas / eran sartas los más largos»; *Obras completas*, ed. Luis Astrana Marín, *Obras en verso*, Madrid, 1943, pág. 237.

4 La anotación de M. Herrero García en su edición de Clásicos Castellanos, Madrid, 1945, afirma que este *antojo* era cierto «tubo de lata a modo de anteojo, en que el soldado llevaba guardada su documentación». S. Griswold Morley se muestra, en cambio, irresoluto acerca de si no se trataría más bien de unos quevedos; «Notas sobre los entremeses de Cervantes», *Estudios dedicados a Menéndez Pidal*, Madrid, 1951, II, pág. 491. La duda es, en nuestra opinión, ociosa; el Soldado va, desde luego, más que regularmente provisto de fes y recomendaciones de generales y maestres de campo, que desea enseñar al amo de Cristina; pero el texto se refiere entonces a «este envoltorio de papeles», aludiendo a un paquete o legajo exageradamente abultado que el actor sacaría tal vez del falsopeto. El *antojo* en cuestión no podía ser más que unos lentes debido a que el Soldado ha querido antes empeñárselo por el precio de las chinelas al zapatero Juncos, y las certificaciones de sus campañas son precisamente lo último que el desdichado mílite podía avenirse a perder.

clave de otro nivel de caracterización, pues tan poco marcial adminículo expresa con patética hondura el declinar físico del pobre veterano. Esa vista disminuida y cansada es una clave sutil para entender la crisis de este hombre que, al entrar por la Puente Segoviana, hace ya treinta y nueve días, ha sentido de pronto el cansancio de sus molidos huesos al mirar a la primera muchacha bonita. Y ahora lo vemos vivir en la escena su locura, el sueño imposible de un modesto hogar, sin ruidos ni zalagardas, alegrado por las risas de una esposa aún niña. El grotesco, risible antojo concentra en sí todo el momento sicológico del personaje, en cuanto signo que permite descifrar con exactitud no tanto su situación dramática como su *novela*. La invisible novela *ejemplar* que pesa sobre sus espaldas.

LA GARRA DEL LEÓN

Ardua pretensión e imposible tarea la de seguir los vuelos de Cervantes en el *Quijote* o en cualquiera de los grandes aspectos de su obra. Paseo mañanero, en cambio, este ir tras sus pisadas en una obrilla como *La guarda cuidadosa* que diríamos proyectada a escala humana, es decir, en un plano de propuesta normalidad literaria. La pieza se va perfilando, a medida que en ella nos adentramos, como un bien gobernado microcosmos: todo es pequeño, pero nada es insignificante. Se advierten coincidencias que no lo son, sino efectos de refinado cálculo, se levantan las liebres de las alusiones risueñas e intencionadas. Y Cervantes termina también esta vez por sacarnos ventaja y dejarnos irremisiblemente atrás.

Sale a escena un pacífico vendedor de quincallas de importación y es fácil y cómicamente puesto en fuga por la celosa vigilancia del Soldado. Pero el pregón con que el buhonero anuncia sus mercancías extranjeras (el único producto relativamente nacional es hilo *portugués)* basta para asociar todo el juego escénico a la denuncia, tan frecuente y áspera en los escritores de unos años más tarde, de la simpleza con que los españoles se dejan sacar su oro a cambio de chucherías ultrapirenaicas [5]. Dado el ambiente general de *La guarda cuidadosa,* cuyos personajes, con la excepción tal vez de un pobre zapatero, viven en ociosidad o se dan a actividades improductivas y poco serias, el pregón del quincallero tiende además a sugerir, de un modo automático e inevitable, la pregunta: «¿Aquí quién trabaja?» [6].

La fórmula cervantina del calculado juego con la ambigüedad continúa imprimiendo su huella en el conjunto y en los detalles: acciones y palabras se tornan plurifrontes al tajo de una ironía sabia y contenida. El Soldado aprovechó para garrapatear su billete amoroso el revés de un memorial

---

5 Entre los más notables y precoces ataques a esta clase de comercio cuenta el de fray Juan de Pineda en sus *Diálogos familiares de la agricultura cristiana* (1589). Las riquezas de las Indias terminan por aprovechar a los enemigos de España: «... con que por el mal gobierno de los españoles las otras gentes están llenas de dineros, con que nos guerrean. Y, cuando mucho, nos dan en pago trompas de París y alfileres de cabezuela y cascabeles de Milán, como que no suenen mejor los cencerros de hierro, que se hacen en Vizcaya»; ed. J. Meseguer Fernández, Madrid, 1963, II, pág. 323.

6 El viajero inglés William Cecil, Earl of Ross, escribía en 1610, pocos meses antes de ser redactada *La guarda cuidadosa* (1611): «Pero, por naturaleza le encanta (al español) estar desocupado, y preferiría depender de la providencia de Dios antes que ponerse a trabajar. Y observo que siente una antipatía especial para el comercio y la agricultura, y su orgullo le impide ser labrador... Y es digno de notar que la mayor parte de los que hacen trabajos humildes en España, como traer agua, limpiar las calles y las casas, etc., son franceses que van allí con este propósito, y la mayor parte de los labradores eran moriscos y ahora que los han expulsado... se nota mucho en España la falta de labradores...»; Patricia S. Fairman, «Un turista inglés en España a principios del siglo XVII», *Homenaje al Profesor Alarcos García,* Valladolid, 1967, II, pág. 821.

de sus servicios presentado al Rey y remitido por éste al Limosnero mayor para un socorro de cuatro o seis reales. ¡Donosos méritos, que no daban para mayor recompensa! Pero la risa se nos hiela en lágrimas al evocar el síntoma de una gloriosa Monarquía que reserva *limosnas* para sus soldados viejos [7]. Soberano ridículo el de tan altos personajes (el Limosnero mayor solía ser un obispo) que gastan pompa, tiempo y papel para una caridad burocrática y mezquina, genialmente resaltada por el temple heroico del Soldado, que dedica a mensaje de verdadero amor el envés de la incobrada y humillante limosna.

¡Y a Miguel de Cervantes el Rey de España no le dio ni limosna!

FOLKLORE SACRISTANESCO

El precioso entremés nos deja ver, sobre todo, el armónico funcionamiento de lo más tradicional en inextricable aleación con lo más moderno. Según se ha señalado en repetidas ocasiones, no se precisa demasiada perspicacia para ver en el dilema amoroso de Cristinica el último eco del debate medieval sobre el amor del clérigo o el amor del caballero. La fregoncita elige conforme a los cánones del legendario y goliardesco concilio de Remiremont, que excomulgó formalmente el amor de los hombres de armas [8].

E. Asensio ha relacionado esta versión cervantina de la contienda literaria entre «espada y sotana, el rojo y el negro»

---

[7] Respecto a fray Juan de Pineda, observa su editor, J. Meseguer: «Felipe II es alabado nominalmente porque celaba la pureza de la fe católica en sus dominios, es criticado porque dejaba condenados a su suerte a los soldados inválidos»; *Diálogos de la agricultura cristiana,* I, pág. LXXXI.

[8] Helen Waddell, *The Wandering Scholars,* Seventh Edition, Londres, 1934, pág. 136.

con el tipo de pieza teatral llamado *bruscello* en Siena y en otras ciudades italianas; rivalizan en el *bruscello* dos pretendientes a la mano de una muchacha, adjudicada por un tercer personaje tras escuchar los respectivos alegatos, frecuentemente centrados en los méritos y deméritos de alguna profesión [9]. Mayor es, sin embargo, la cercanía de *La guarda cuidadosa* a una farsa picarda anterior al año 1500, pero que aún se imprimía en 1612. Titulada *Le procès d'un jeune moyne et d'ung viel gendarme devant Cupido,* nos presenta a una jovencita que se dirige al tribunal de Cupido para pedirle un amante; en seguida comparecen como candidatos un fraile mozo y un viejo escuderón o *gendarme.* Tras haberse insultado éstos a placer, Cupido decide a favor del fraile basándose, muy de acuerdo con las preferencias de la niña, en la mayor capacidad sexual del fraile mozo [10]. La pieza en cuestión responde a un tipo de pleito escenificado muy del gusto también de Cervantes *(Juez de los divorcios, El rufián viudo,* en parte la misma *Guarda cuidadosa)* y a la nota de insaciable lujuria que caracteriza a la mujer en las farsas francesas [11] —y en alguna también de Cervantes.

A. Cotarelo señaló cómo la preferencia de criadas y fregonas por los sacristanes constituye una de las situaciones más repetidas en la literatura entremesil española [12]. *La guarda cuidadosa* es la primera sólo en sacar de ella un partido máximo, objeto de múltiples imitaciones posteriores. Más de una vez se ha señalado que el sacristán no viene a ser en esta tradición sino el heredero del clérigo galante y del fraile

---

[9] *Itinerario del entremés,* Madrid, 1965, págs. 106-107.

[10] E. Droz y H. Lewicka, *Le recueil Trepperel,* Genève, 1961, II, páginas 41-54.

[11] Barbara C. Bowen, *Les caractéristiques essentielles de la farce française et leur survivance dans les années 1550-1620,* Urbana, 1964, páginas 29 y 31.

[12] *El teatro de Cervantes,* pág. 637.

enamorado, como si dijéramos un eufemismo erótico vuelto indispensable por el espíritu tridentino a partir de la segunda mitad del siglo XVI [13]. Pero la fama del donjuanismo sacristanesco se remonta por lo menos hasta la *Danza de la muerte* [14] y constituía de por sí un lugar común del carácter más popular, algo así como el tópico actual de las afinidades entre niñeras y reclutas. Lo encontramos también fuera del género dramático, y así queda recogido por el *Sermón de amores* de Cristóbal de Castillejo:

Veis un pobre sacristán
de una miserable aldea,
que todo el año vocea
por seis varas que le dan
de palmilla:
vive ledo a maravilla,
porque amor le da consuelo
e pone el grito en el cielo
cuando llega Marinilla [15].

Un viejo pliego suelto, sin fecha, «en que recuenta las tachas que tenía una dama», le achaca a su imperfecto dechado el vicio de que «no descansa una hora / engañando a sacristanes», lo mismo que a los molineros, otro oficio con buena prensa galante en la poesía popular [16]. Casi sesenta años antes de *La guarda cuidadosa* damos ya en la *Comedia llamada Selvagia* una imitación de *La Celestina* por Alonso de Villegas Selvago (Toledo, 1554), con un chusco galanteo de una cria-

---

13 W. S. Hendrix, *Some Native Comic Types in the Early Spanish Drama*, Columbus, 1925, pág. 8. Humberto López Morales, *Tradición y creación en los orígenes del teatro castellano*, Madrid, 1968, pág. 201.

14 E. Asensio, *Itinerario del entremés*, pág. 23.

15 *Obras*, ed. J. Domínguez Bordona, Clásicos Castellanos, Madrid, 1926, I, pág. 70.

16 «Una colección de pliegos sueltos», *Revista de Archivos, Bibliotecas y Museos*, año XXI, 1927, págs. 115 y 117.

dita ventanera por parte del simpático enano Risdeño, que es rechazado por la moza en estos términos: «... que de verdad os digo que estotro día me traían al sacristán de mi lugar, y aun por bien poco se dexó de efectuar, que no fue sino que él ni sus padres ni los míos quisieron» [17].

La sujeción de Cervantes a materia folklórica muy familiar para público de su época puede que haya llegado al punto de hacer cantar a Cristinica una seguidilla de moda que resume en sí el tópico de la galantería sacristanesca. La copla que canta la muchacha mientras friega la loza:

> Sacristán de mi vida,
> tenme por tuya,
> y, fiado en mi fe,
> canta alleluya,

no parece sino variante de otra que se halla en una colección manuscrita de seguidillas que, según Foulché-Delbosc, debían cantarse a fines del siglo XVI y en los primeros años del XVII. El texto no puede ser más parecido:

> Al entrar en la iglesia
> dixe: «aleluia,
> sacristán de mi alma,
> toda soy tuya» [18].

En cuanto a la situación cómica del soldado veterano que bebe los vientos por una niña, la encontramos esbozada también en una de *Las seiscientas apotegmas* de Juan Rufo, obra bien conocida por Cervantes. La muchacha se llama allí Esperanza, tiene sólo once años y, lo mismo que Cristinica, es «bonita como un oro» [19].

---

17 Ed. marqués de la Fuensanta del Valle y José Sancho Rayón, Colección de libros españoles raros o curiosos, Madrid, 1873, pág. 44.

18 «Seguédilles anciennes», *Revue Hispanique*, VIII, 1901, pág. 313.

19 *Las seiscientas apotegmas y otras obras en verso*, ed. Agustín González de Amezúa, Madrid, 1923, pág. 85.

El Sacristán y el Soldado, ecos del más manido debate medieval. Cruce el primero de tradición erudita con otra popular, relacionado el segundo con el tipo del mílite fanfarrón, el más traído y llevado por el teatro del XVI dentro y fuera de España[20]. Todo ello presente, utilizado, puesto a contribución. Y a la vez equivaliendo a nada, en cuanto seres que llevan dentro de sí el manantial de su propia vida: el arte cervantino como brecha entre el Renacimiento y el Barroco, lindante con uno y otro, pero abierto a una nueva luz que la literatura europea aún tardaría siglos en aprender a gozar.

CONTRA LOPE

El entremés contiene un pasaje muy notable que a menudo ha sido mal interpretado por la crítica. El fragmento en cuestión se encuentra en el diálogo entre el Soldado y el zapatero Juan Juncos, que trae unas chinelas para calzar a Cristina. El zapatero se ha negado a aceptar las ridículas prendas que a cambio de ellas le ofrece el indigente galán, deslumbrado ahora por la mención de los cinco puntos escasos que calza el pie de la fregoncita:

> SOL. Más escaso soy yo, chinelas de mis entrañas, pues no tengo seis reales para pagaros, chinelas de mis entrañas. Escuche vuesa merced, señor çapatero, que quiero glossar aquí de repente este verso, que me ha salido medido:
>
> «Chinelas de mis entrañas».
>
> ZAP. ¿Es poeta vuessa merced?
>
> SOL. Famoso, y agora lo verá; estéme atento:
>
> «Chinelas de mis entrañas».

---

20 J. P. Wickersham Crawford, «The Braggart Soldier and the Rufián in Spanish Religious Drama of the Sixteenth Century», *Romanic Review*, II, 1911, págs. 186-208. María Rosa Lida de Malkiel, «El fanfarrón en el teatro del Renacimiento», *Estudios de literatura española y comparada*, Buenos Aires, 1966, págs. 173-202.

Glossa

Es amor tan gran tirano,
que, olvidado de la fe
que le guardo siempre en vano,
oy, con la funda de un pie
da a mi esperança de mano.
Estas son vuestras hazañas,
fundas pequeñas y hurañas,
que ya mi alma imagina
que soys, por ser de Cristina,
chinelas de mis entrañas.

ZAP. A mí poco se me entiende de trovas, pero éstas me han sonado tan bien, que me parecen de Lope, como lo son todas las cosas que son o parecen buenas.

Semejante diálogo ha sido interpretado con frecuencia a tenor de lo que superficialmente parece dar a entender, es decir, como un claro elogio en que Cervantes se suma a la aclamación universal de Lope de Vega[21]. Y, sin embargo, a poco que se reflexione, resulta evidente que el propósito de Cervantes se orienta en el sentido más opuesto. El comentario zapateril de que llaman *de Lope* a las cosas que son *o parecen* buenas envuelve una ironía cargada de veneno y de eficacia redoblada por su aspecto de homenaje. Más aún, el análisis más somero de los versos del Soldado permite ad-

21 No captó el sentido del pasaje José María Asensio cuando lo adujo al hacer la historia de las desavenencias y altibajos en las relaciones entre Cervantes y Lope; *Cervantes y sus obras*, Barcelona, 1902, pág. 289. La anotación de Bonilla sólo aduce la explicación de Correas, como elogio popular de Lope; *Entremeses*, pág. 214. El mismo sentido tiene la nota de la edición Schevill-Bonilla; *Comedias y entremeses*, Madrid, 1918, IV, pág. 210. Según Miguel Herrero García se trataba aquí del testimonio cervantino sobre la popularidad del imperio literario de Lope; *Estimaciones literarias del siglo XVII*, Madrid, 1928, pág. 54. Américo Castro veía también allí un testimonio de «lopofilia» cervantina; *El pensamiento de Cervantes*, Madrid, 1925, página 54.

vertir que son deliberadamente ridículos y malos, en consonancia con cuanto su desastrado autor hace y dice en escena. Cervantes, que le hace recitar pie de tan mala y absurda factura como aquel de «fundas pequeñas y hurañas», deseaba colgarle al Soldado, además de la mala banda y el antojo, una patente de poeta chirle.

Pero la alusión a Lope es todavía más afilada y profunda de lo que a primera vista parece. La idea de celebrar con una composición tan alambicada como la glosa el incidente trivial de las chinelas es de por sí tan estrafalaria y cómica, que el actor puede suscitar la risa con sólo pronunciar la palabra *glosa* aislada y con cierto énfasis, según parece indicar el texto, antes de la recitación de la doble quintilla. Es probable que la ocurrencia de Cervantes apuntara también a la manera como las comedias de Lope fuerzan a menudo la circunstancia dramática para introducir fragmentos líricos más o menos traídos por los cabellos.

Por otra parte, hay que prestar atención al hecho de que el zapatero Juncos relacione en seguida con Lope la trova del Soldado. Y, en efecto, es muy notable la coincidencia temática de aquellos versos de poetastro con el romance de Lope «Unas doradas chinelas...», incluido en *La Dorotea* (I, V). Dicho romance constituye una pieza idealmente adecuada, por su galantería conceptuosa y rebuscadísima, para ser objeto de una parodia como la sugerida por el entremés cervantino. El excesivo alambicamiento del romance de Lope ha sido señalado ya por Alda Croce [22], quien aduce, para ilustrar la forma como alguna vez se acerca a la exageración pasada de rosca, los versos:

Tus zapatillos un día
han de pensar, y es razón,

---

[22] *La Dorotea di Lope de Vega*, Bari, 1940, pág. 115.

que se te han ido los pies,
o que son un pie los dos.

La misma obra nos encarece las amorosas locuras de don Fernando-Lope al enterarnos de su veneración fetichista de una zapatilla de Dorotea (IV, I). La confidencia da origen a una pirotecnia de conceptos, salomónicamente retorcidos y ya medio jocosos, no muy discordes en espíritu ni letra de los ridículos extremos de nuestro Soldado:

> IUL. — Pues no sólo traía essa prenda este cauallero, pero, entre otras deuociones, una çapatilla de ámbar sobre el coraçón, como madeja de seda carmesí para alegrarle.
>
> FER. — Iulio, ¿para qué dizes de ámbar, siendo del pie de Dorotea? Escusado pudiera estar lo que ya estaua entendido.
>
> IUL. — Dirás que es redundancia o amplificación, como figura retórica. Pero todavía ayudaría el ámbar a confortar el coraçón. Y era donaire que le dexaua en la camisa al lado izquierdo señalada la suela, y llamáuale yo el Comendador Zapata, que, según los puntos, pienso que pudiera ser treze de su Orden.
>
> FEL. — Diréislo porque sería pequeña.
>
> IUL. — Bien cubría todo el coraçón.
>
> FEL. — ¿Tan gran coraçón tiene este cauallero?
>
> IUL. — No, porque es muy valiente, y los que lo son tienen el coraçón pequeño, como se ve en los leones, que le tienen menor que los demás animales.
>
> FEL. — Mal hazía si le traía por remedio para sossegar el coraçón, porque los pies están enseñados a andar, y las çapatillas con ellos, y se le traerían más inquieto [23].

Aunque no cabe alegar una certeza absoluta, el extraño encadenamiento de coincidencias autoriza por lo menos a tomar en cuenta, en uno y otro caso, la posibilidad de una intención paródica por parte de Cervantes. Y en cuyo caso

---

[23] Ed. E. S. Morby, 2.ª edición, University of California Press, Berkeley, 1968, pág. 309.

se abre ante nosotros el abanico de perplejidades que constituye la problemática interna de *La Dorotea.*

¿Ha conocido Cervantes el texto de una *Dorotea* primitiva cuya existencia parece hoy demostrada? [24]. Tan interesante perspectiva parece quedar eliminada por el hecho de celebrar el romance de Lope un episodio de sus amores con doña Marta de Nevares, que se consideran iniciados en 1616. Y, sin embargo, tampoco es posible una negativa absoluta fundada en la cronología, después de todo imprecisa, del romance de las chinelas, pues González de Amezúa pudo precisar que el enamoramiento y cortejo de Lope comenzó en 1608, aunque no lograra consumación hasta el otoño de 1616 [25]. Por otra parte, aún hay que tomar en cuenta que Lope hacía casi un hábito del dirigir, tras un hábil retoque, la misma poesía a diferentes amadas [26]. ¿Conocería Cervantes alguna versión anterior del romance de las chinelas, incorporado al texto tardío de *La Dorotea* tras años de peregrinar por codiciadas alcobas? ¿Habría visto quizás un texto de la primera versión que contuviera los discreteos zapatillescos del acto cuarto, pero no todavía el artificioso romance del primero? Carecemos de respuesta para tales interrogantes, que a nuestro juicio merecen, sin embargo, no ser perdidos de vista en futuras investigaciones. En uno u otro caso, *La guarda cuidadosa* parece presentarnos al nada manco Cervantes en acto de devolver las despiadadas pullas difundidas por el Monstruo de la Naturaleza desde antes de la publicación del *Quijote.*

---

[24] Alan S. Trueblood, «The Case for an Early *Dorotea:* a Reexamination», *Publications of the Modern Language Association of America,* LXXI, 1956, págs. 775-798.

[25] *Lope de Vega en sus cartas,* Madrid, 1940, II, págs. 416, 419, 424.

[26] Enrique Lafuente Ferrari, «Un curioso autógrafo de Lope de Vega», *Revista de Bibliografía Nacional,* V, 1944, págs. 43-62.

DON LUIS ZAPATA O EL SENTIDO DE UNA FUENTE CERVANTINA

UN AUTOR SECUNDARIO

Cuenta don Luis Zapata (1526-1595) entre los autores del período clásico cuya valoración crítica ha sido hasta ahora insuficiente, además de muy perjudicada por la coetaneidad con figuras geniales que lanzan sobre las demás una sombra de eclipse. Permanece, por ello, en el desván donde nuestra historia literaria arrumba, medio olvidados, a tantos creadores de talla normal. Y, sin embargo, pocas tareas hay más necesarias que la de sacar a esos autores y sus libros a una plena luz en que puedan ser estudiados con la afición y escrúpulo que se pondrían en la investigación de los grandes temas. Y esto aunque sólo fuese porque esta clase de autores más modestos son los que mejor pueden servir, en ocasiones, de laboratorio en que estudiar ciertos problemas de gran envergadura a escala humana y cómoda.

Nos dan estos olvidos una medida relativa de cuánto distamos de poseer una visión coherente de aspectos fundamentales de nuestro pasado literario, y sin duda cada estudioso podría presentar su serie particular de ejemplos. Pero en el caso de Zapata dichas insuficiencias resaltan aún más por tratarse de autor que realiza un experimento de interés en el proceso de génesis de la novela moderna. Un terreno donde la literatura española se cruza de lleno con la *Weltliteratur* y que, por paradoja, apenas si ha suscitado otros esfuerzos críticos que el de Menéndez Pelayo con sus *Orígenes de la novela,* de levantadas miras pero lastrado con tanta inevitable limitación, y algunos estudios recientes de Dámaso Alonso [1].

Dentro de la obra de Zapata, el poema épico *Carlo famoso,* un enorme esfuerzo estéril, como en mayor o menor grado fueron entre nosotros todos los de su género, apenas si ha merecido alguna que otra mención en fugitiva en diversos trabajos eruditos [2]. La falta de un interés profundo en rastrear las motivaciones internas del autor impide ver en él algo más que un tupido matorral de octavas reales, y teniendo esto en cuenta cabría decir del *Carlo* que aún no ha sido *leído* en la rigurosa acepción del término. En cuanto a un texto tan atrayente como la *Miscelánea,* no le han faltado editores de un siglo a esta parte [3], aunque no los sufi-

---

1 «The Spanish Contribution to the Modern European Novel», *Cahiers d'Histoire Mondiale,* VI, 1961, págs. 878-897. «*Tirant lo Blanc,* novela moderna», *Primavera temprana de la literatura europea,* Madrid, 1961, págs. 201-253. Ambos estudios son fundamentales para la mejor comprensión del presente trabajo.

2 El estudio más valioso y reciente ha sido realizado por Frank Pierce en diversos capítulos de su libro *La poesía épica del Siglo de Oro,* Madrid, 1961.

3 El manuscrito de la Biblioteca Nacional permaneció inédito hasta su publicación por Gayangos en 1859 *(Memorial Histórico Español,* XI). En 1935 se reimprime en Amsterdam bajo el título *Varia historia (Miscelánea)* en edición precedida de un estudio preliminar de G. C. Horsman; por desgracia, esta edición quedó incompleta, pues según nuestras noticias el segundo y último tomo no llegó a publicarse. Bajo el mismo título se imprime en Madrid (1949) en dos tomitos de «Ediciones Castilla», con notas y estudio introductorio de Isidoro Montiel, que en su mayor parte plagia (más que utiliza) el discurso de Juan Menéndez Pidal que citamos más adelante. De ediciones antológicas tenemos una de 1926 publicada en la colección «Letras Es-

cientes para hacer de ella una obra conocida ni apreciada fuera del reducido medio erudito y profesional. Señaladas desde el siglo XVIII sus relaciones con la obra de Cervantes, no se ha intentado ningún estudio detenido de dicho aspecto, ni mucho menos se ha preguntado nadie por el íntimo sentido de tales afinidades.

Como hemos de ver, la abundante presencia de Zapata en la obra cervantina, así como la certeza humana de haber

pañolas» (t. XI) y otra al cuidado de Antonio Rodríguez-Moñino (n. 94, sin fecha, de la serie «Las cien mejores obras de la literatura española»). El primer estudio atento de la *Miscelánea,* descontando el rudimentario prologuillo de la edición de Gayangos, es el breve pero sabroso que le dedica Menéndez Pelayo en *Orígenes de la novela,* Madrid, 1961, III, págs. 58-63. La pieza fundamental de la información disponible sobre Zapata sigue siendo el utilísimo discurso académico de Juan Menéndez Pidal, *Discursos leídos en la Real Academia Española en la recepción pública de don Juan Menéndez Pidal el día 24 de enero de 1915,* Madrid, 1915. Algunas aclaraciones biográficas acerca de sus últimos años, en A. Carrasco, «Documentos de 1584 a 1595, relativos a don Luis Zapata de Chaves, existentes en el archivo municipal de Llerena», *Revista de Estudios Extremeños,* XXV (1969), n. 11, págs. 333-371. Contiene aclaraciones genealógicas el artículo del licenciado Pero Pérez, «El licenciado Zapata», *Revista del Centro de Estudios Extremeños,* XVII, 1943, págs. 11-28 y 163-185. Recapitulaciones de diverso valor sobre la *Miscelánea* se encuentran en los trabajos de Marga Zielinski, «Algunas observaciones sobre la *Miscelánea* de Zapata», *Revista de Estudios Extremeños,* IV, 1948, páginas 392-397, y de Enrique Segura Covarsí, «La *Miscelánea* de don Luis Zapata», *ibid.,* X, 1954, págs. 413-466. Hemos de advertir además que el texto de la *Miscelánea* es uno de los más deficientes y maltrechos que de esa época conservamos; Zapata fue componiéndolo sin orden ni concierto, si bien nos proporciona indicios firmes de que pensaba ordenar su obra conforme a un plan cuidadoso. Es evidente que la muerte impidió al autor una tarea concienzuda de lima, tijera y refundición. Esta desdichada circunstancia ha de tenerse muy en cuenta en la lectura de la obra, pues es causa de la gran disparidad de sus páginas, donde abundan fragmentos bien terminados frente a otros que no son más que apuntes a desarrollar o que tal vez hubieran sido eliminados de un manuscrito listo para la imprenta. Viéndonos, pues, obligados a manejar la edición de Gayangos, corregimos en los textos citados puntuación y lapsus evidentes.

sido hojeado por el alcalaíno en fecha previa a la creación del *Quijote* y de las mejores *Novelas ejemplares*, distan de ser hechos fortuitos ni carentes de un profundo sentido. Responden al interés de Cervantes hacia cuanto su época le brindara de experiencias aprovechables para el perfeccionamiento de su propio arte novelístico, hacia los esfuerzos de quienes, aun remotamente, se debatían con los mismos problemas que a él le afectaban. Y, a su vez, la importancia que revisten toda suerte de elementos dispersos, llamados a fundirse y a superarse en el crisol cervantino, da nuevo y oportuno realce a la meditación sobre la obra de Zapata.

GÉNERO Y PECULIARIDAD DE LA «MISCELÁNEA»

Ninguna tarea más difícil que el intento de clasificar de algún modo el material contenido en la *Miscelánea* de Zapata, a la que, por cierto, no puso su autor título ninguno, seguramente por dejar para más tarde la perplejidad de elegir nombre adecuado para un libro tan heterogéneo [4]. Zapata fue acumulando allí sus recuerdos y experiencias personales,

[4] El título de *Miscelánea* es clara invención de bibliotecarios muy posteriores. El manuscrito conservado presenta múltiples indicios de hallarse incompleto y falto de revisión y, en rigor, no lleva título propio alguno. Cierto que el propio Zapata se refiere a su obra en algunas ocasiones, como la dedicatoria a Isabel Clara Eugenia, llamándola «esta mi varia historia», pero no cabe seguridad de que ese fuera el título definitivo. Hubo ya otros libros misceláneos titulados *Varia historia*, por ejemplo los *Discursos de varia historia* de fray Diego de Yepes, Toledo, 1592, de modo que dicho encabezamiento vino a ser casi un apelativo genérico de esta clase de obras (véase Antonio de Torquemada, *Jardín de flores curiosas*, Bibliófilos Españoles [Madrid, 1943], pág. 33). En la duda, preferimos no alterar un título que posee, además de su exactitud y brevedad, cierta vetustez y derecho de primer ocupante.

opiniones literarias, historias curiosas, despojos de lecturas, chascarrillos, curiosidades naturales y digresiones varias sobre todo lo imaginable. Cuanto le fue pareciendo materia peregrina, ejemplar o por las buenas divertida, le sirvió para armar con ella una especie de baratillo literario cuya rebusca nunca defrauda.

Este tipo de libro responde a uno de los géneros más leídos durante el siglo XVI, a la vez que más netamente perfilados dentro de su tradición literaria. El que lo ignore casi por completo la visión libresca y convencional de la literatura de aquel período no disminuye en nada la realidad de este hecho. Las colecciones de cuentos, apotegmas y variopintas curiosidades venían publicándose y leyéndose con avidez desde finales del primer cuarto del siglo [5]. Los sevillanos Pero Mexía y Juan de Mal Lara representan la mayor madurez del género; la *Silva de varia lección* (1540) del primero fue uno de los mayores éxitos de librería del siglo y llegó a alcanzar una gran difusión europea.

El libro misceláneo constituye un producto típico del espíritu humanista, como forma idealmente apropiada para enfocarse sobre cualquier aspecto de la realidad cosmológica o humana de un modo objetivo y adogmático, aunque no desprovisto de seria preocupación intelectual. El género misceláneo abría el portillo por donde, insensiblemente, entraban las formas embrionarias del ensayo en la fortaleza literaria de la época. Los libros misceláneos españoles son la fuente más inmediata y visible del ensayismo francés. No hay

---

5 Sobre la frondosidad del género misceláneo, muy distante de ser hoy bien conocido, véase el estudio de Agustín González de Amezúa preliminar a su edición de *Las seiscientas apotegmas* de Juan Rufo, Bibliófilos españoles, Madrid, 1923. Sobre los orígenes y desarrollo del género de facecias y apotegmas, G. Fabris, «Per la storia della facezia», *Raccolta di studi di storia e critica letteraria dedicata a Francesco Flamini,* Pisa, 1918, págs. 95-138.

que perder de vista que Montaigne crea su obra estimulado por el éxito de la *Silva* de Pero Mexía [6] y sustituyendo por crítica libre y personal lo que en ésta era mero fárrago erudito, si bien deliciosamente contado. En España destacan entre los autores de libros de esta clase los erasmistas conspicuos; el mismo Arcediano del Alcor, admirable intérprete del *Enquiridión,* fue uno de los primeros en escribir una miscelánea de temas históricos, la hoy olvidadísima *Silva palentina* [7]. Con entera lógica la literatura miscelánea llegó incluso a pactar entre nosotros con la forma dialogada (medio favorito de la propaganda erasmista), como vemos, por ejemplo, en el disparatado *Jardín de flores curiosas* (1570) de Antonio de Torquemada [8], libro puesto también en solfa con ocasión del escrutinio de la biblioteca de don Quijote. Los modelos del género eran claros: Aulo Gelio le confería el espaldarazo de la Antigüedad (juntamente con algunos otros nombres de menor relieve), mientras que los *Adagia* y *Apophthegmata* de Erasmo daban el ejemplo vivo de sus posibilidades modernas.

---

6 Véanse los artículos de F. Pues, «La *Silva de varia lección* de Pero Mexía», *Les Lettres Romanes,* XII, 1959, págs. 119-143; «Les sources et la fortune de la *Silva,* de Mexía», *ibid.,* XII, 1959, págs. 272-292; «Claude Gruget et ses *Diverses leçons de Pierre Messie*», *ibid.,* XIII, 1959, págs. 371-383; «Du Verdier et Guyon, les deux imitateurs français de Mexía», *ibid.,* XIV, 1960, págs. 15-40. La influencia de Mexía sobre Montaigne es comentada (aun contra las claras simpatías del autor) por Pierre Villey en múltiples lugares de su obra *Les sources et l'évolution des Essais de Montaigne,* París, 1908, 2 vols. Un resumen útil de la influencia del libro misceláneo español sobre *essayistes* y *conteurs* del XVI en G. L. Michaud, «The Spanish Sources of Certain Sixteenth Century French Writers», *Modern Language Notes,* XLIII, 1928, páginas 157-163.

7 Ed. Matías Silva Ramos, Palencia, 1932-1942, 3 vols.

8 Las aficiones erasmistas de Torquemada se habían manifestado previamente en sus *Colloquios satíricos,* Mondoñedo, 1553, reeditados por Menéndez Pelayo en *Orígenes de la novela,* Madrid, 1907, II.

No deja de haber un profundo sentido en la enorme boga de los libros misceláneos durante nuestro siglo XVI, pues es obvio que en realidad venían a constituir una especie de estupefaciente destinado a distraer el afán propio de los nuevos tiempos por el conocimiento directo y objetivo del hombre y de la naturaleza. El libro misceláneo brotaba de la misma curiosidad desvelada que, donde pudo apoyarse en una especulación vigorosa, contribuyó al desarrollo de la ciencia moderna o permitió el florecimiento de la actitud crítica de un Montaigne: dos posibilidades rigurosamente inconcebibles en el ámbito intelectual español de la segunda mitad del siglo XVI, tan dominado por la suspicacia y la represión. J. A. Maravall acierta al señalar cómo existió por este camino incluso un proceso de trivialización que netamente circunscribe a nuestro don Luis, «tan estupendo y sorprendente escritor» [9].

La *Miscelánea* de Zapata, obra tardía, presenta varias notas que hacen de ella un caso tan especial, dentro del género, que casi viene a representar ya una superación de éste. Escrita al comienzo de la novena década del siglo, empieza por mostrar una curiosa conciencia y susceptibilidad ante el problema de su propia justificación literaria. Zapata encubre cierto desasosiego a través de la frecuencia con que se refiere a los supuestos teóricos que, según él, le guían. Nos dice que sólo le interesa ofrecer a sus lectores «cosas que les den gusto» (p. 177). Pondrá todo su cuidado en *deleitar* y *avisar* a sus oyentes, pero quede en claro que ello será sólo «a gloria de nuestro Señor y honra de mi rey y mi patria, y de los famosos varones de España» (p. 279). El propósito moralizante lo había remachado ya en las primeras páginas: escribía para que los buenos espíritus guardasen

---

9 «La estimación de lo nuevo en la cultura española», *Cuadernos Hispanoamericanos,* núm. 170, febrero 1964, pág. 225.

las enseñanzas en la recámara de la memoria (p. 2). Con todo ello no hacía Zapata sino repetir lo que acababa de expresar también en su desdichada traducción del *Arte poética* de Horacio:

> Todo loor merece aquel que mezcla
> en quantas cosas ay útil y dulce,
> al lector deleytando y juntamente
> dándole avisos sabios y consejos [10].

El mismo origen teórico tiene su insistencia en que no relata nada inventado, sino sólo verdades comprobadas por él o que le han sido relatadas por personas de veracidad indiscutible, citadas a menudo por sus nombres. En su propio caso, Zapata se autoexigía comprobaciones adicionales; sabía que bastaba decirlo él, un caballero sin tacha, para que todo pasase ante el mundo como verdad acreditada, pero, modestamente, no quería abusar del privilegio: «... y que diga verdad yo, siendo quien soy, no hay que agradecerme; mas esto certifico: que ninguna cosa escribo sin haber antes averiguádola que es cierta» (p. 416). Zapata interpreta, pues, del modo más rígido el precepto aristotélico-horaciano de la verosimilitud, entendiéndolo como una pretensión de veracidad poco menos que científica, pues por asombroso que sea cualquier relato, de no ser cierto, «mayores mentiras y más de admiración se pudieran poner» (p. 277). Para que le interese algún asunto han de darse ciertas condiciones: su pluma encuentra «su natural pasto y vianda» sólo «cuando se juntan dos cosas, que es una estrañeza grande y ser grandísima verdad» (p. 3). Todo ello revela una aguda conciencia del principio poético de *admiratio* y de su compaginación con el de *verosimilitud,* uno de los más escurridizos conflictos in-

10 *El arte poética de Horacio traducido por D. Luis Zapata,* Lisboa, 1592, f. 16-17, ed. facsímil, Real Academia Española, Madrid, 1954.

ternos de la teoría literaria derivada de Aristóteles, ampliamente discutido por los preceptistas italianos (Robortelli, sobre todo) y por el Pinciano en España [11].

Menéndez Pelayo puso ya de relieve el desparpajo con que Zapata criticaba a los clásicos, tanto grecolatinos como modernos [12]. Cicerón, Virgilio, Lucano, Dante, Petrarca, Ariosto son objeto de juicios poco menos que brutales, como el que le merecieron Plauto y Terencio, que sólo escribieron «frialdades» (p. 352). Lo que Zapata reprende en todos ellos es siempre un defecto del mismo género: la impropiedad de algún verso, metáfora o giro expresivo y, sobre todo, pequeñas inconsistencias en la caracterización de personajes, que es lo que él llama «indecoros», de acuerdo con la consabida poética horaciana que también había inspirado los famosos juicios literarios de Juan de Valdés. El caballero extremeño acertó a expresar en frases lapidarias, no exentas de cierto sabor hodierno, toda la rigidez del principio literario del *decoro*, según el cual «las mentiras se han de decir con la decencia que si fueran verdad» (p. 343), y cuando haya que mentir «miéntase como hace el diablo, padre de mentiras, que dice muchas verdades para que se le crea una cosa falsísima» (p. 345).

El interés de estas confesiones de Zapata es grande. No se puede reprimir cierta sorpresa al verle preocupado con tanta lucidez en la justificación estética de la literatura imaginada, el gran problema teórico de fines del siglo XVI. ¿Por qué había de saltar por ahí un autor de misceláneas? Pero para nosotros resultan muy útiles estos datos, como rumbos

---

[11] Véanse los trabajos de E. C. Riley, *Cervantes's Theory of the Novel*, Oxford, 1964, págs. 88-94; «Aspectos del concepto de *admiratio* en la teoría literaria del Siglo de Oro», *Studia Philologica. Homenaje a Dámaso Alonso*, Madrid, 1963, III, págs. 173-183.

[12] *Orígenes de la novela*, III, pág. 61.

ideales que nos permitan apreciar en qué medida se acercan o se separan de ellos las líneas de fuerza de la labor creadora de Zapata.

La *Miscelánea,* con su aire destartalado de obra a medio terminar, está llena de confidencias interesantes, relatadas con una gran naturalidad que toca a menudo en simpática candidez. Cuando trabajaba en su obra no tenía conciencia don Luis Zapata de hallarse entregado a una reposada labor de gabinete, ni de estarse dirigiendo a un puñado de sabios lectores. Él se imagina muy vivamente hallarse en presencia de un público que cuelga de sus palabras; no piensa en términos de *lectores,* sino de *oyentes* constituidos en auditorio (p. 245) y con los que tiene establecido el convenio, ya mencionado, de entretenerlos con historias verdaderas y curiosas a cambio de que le presten atención y crédito. Esta actitud de por sí algo histriónica se refuerza, como ya observó Horsman [13], mediante la presencia de giros como «entre en el teatro...», «entre tras su general en la historia un forzado...» que nos dan a entender la gran medida en que Zapata se consideraba no tanto un escritor, sino como trujamán de un retablo de maravillas. De esta forma, el libro no es para él más que un sustituto obligado de la simple presencia personal, con lo cual dejan los lectores de ser meras abstracciones incorpóreas para convertirse en un corro de conocidos y contertulios que se divierten escuchándole sus historias y ocurrencias. Precisamente hallamos aquí la clave para entender la curiosa fisonomía estilística de muchas páginas de la *Miscelánea,* enraizadas en un concepto tan peculiar de la relación entre público y autor y donde el carácter de libro *conversado* [14] se impone lo mismo en los detalles que en su impresión de conjunto.

---

13 *Varia historia,* I, pág. XXIX.

14 El libro ha sido evidentemente dictado a diversas personas (fa-

DON LUIS ZAPATA, NARRADOR

Aun por encima de la forzada imperfección del texto y de la extraña mezcla de aciertos y desaliños, ningún lector atento dejará de advertir la habilidad de Zapata en el arte de narrar. Se da en este pintoresco don Luis cierta destreza ingenua o cierta inocencia muy sabia que recuerda aquella cualidad, envidiada por Flaubert, con que grandes escritores como Rabelais y Cervantes «arrivent aisément à l'effet en dehors de l'art même» [15].

Frente a la manera en que los libros misceláneos suelen contar sus historias, oscilantes entre una atildada pero fría gravedad humanista y un seco estilo de resúmenes, de apuntes que agotan en unas líneas la noticia escueta, Zapata borda a menudo su cañamazo narrativo: ambienta, acumula detalles, prepara los efectos y logra infundir una naturalidad y calor vital que el género desconocía. Entre estas dotes de Zapata hay algunas que alcanzan a rayar en excelencia, como su gracia para definir un personaje en poquísimas palabras, por lo común a través de una adjetivación desusada y feliz:

miliares o servidores), como atestigua la gran diversidad de letras en el manuscrito original. Por otra parte, el mismo Zapata nos dice en cierta ocasión que, en la duda, se decide a contar determinada historia, «costándome tan poco trabajo como mandarlo escribir a un criado» (pág. 279). El libro abunda por eso en giros delatores del pensamiento en voz alta: «El señor Antonio *(no sé cómo se me olvidaba)*...» (pág. 239). En otros casos advertimos la transcripción cuasi taquigráfica del lenguaje conversacional: los micos, «que estos son otro linage de gente que las monas, como hidalgos y nobles entre pecheros», son muy aficionados a la caña dulce; «*¿Y qué hacen?* Envían delante tres o cuatro corredores que vienen a atalayar la tierra» (página 414).

15 Carta a Louise Colet, marzo de 1853; *Correspondance*, ed. René Descharmes, París, 1928, III, pág. 371.

aquella manera de retratar al joven fray García de Loaysa como «travieso y sarnosillo» (p. 305), o a cierto embajador «muy apodencado y muy grueso» (p. 380). Su habilidad para relatar historias «a vuelapié y cojeando» (p. 36) y de servirse del «braço seglar de la prosa» (p. 368) para referirse a hazañas dignas de más altas musas arrastran consigo un aire de complejo anticipo.

Todo lo anterior es causa de que la lectura de Zapata nos cause una decidida impresión de hallarnos frente a algo muy cercano a una especie de novela en estado nativo. Y es al darnos cuenta de ello cuando comprendemos también lo muy justificado de esa preocupación del autor respecto a la teoría de la literatura imaginada. La prefiguración de Cervantes es, a veces, intensa. Tal vez nadie entre sus contemporáneos se acercara tanto como Zapata al descubrimiento cervantino del valor del diálogo como instrumento de narración, ni tuvo una intuición tan lúcida del arte dificilísimo con que éste funciona en la novela moderna, realizando el milagro de una plenitud de significado a través de una fidelidad inviolable a la naturalidad conversacional. No estamos en momento adecuado para la tarea de un estudio exhaustivo del uso del diálogo por Zapata, pero tampoco podemos pasar de largo ante algunos ejemplos típicos, como este animado relato de unas oposiciones memorables:

> Estaba el órgano de Granada por proveer, y mandó poner sus cartas de edicto D. Pedro Guerrero, arzobispo. Júntanse de acá y de allá opositores infinitos. Iban todos [los] famosos una mañana a la música de oposición. Estuvo Silvestre con una capa parda a oírlos, arrimado a un pilar de la iglesia: este no, y este otro no, y este otro tampoco, y este otro menos a su parecer. Bajábanse ya el arzobispo y la eclesiástica milicia alabando mucho a algunos y procurando escoger a uno entre dos o tres. Llega con su capa parda Silvestre y dijo que él quería tañer también, que le oyesen.

—No hay que oír, que lo que estos han tañido basta ya, dijo el arzobispo. La Iglesia os agradece el buen deseo.

—Señores, yo vengo de muchas leguas, dijo él, y por llegar a tiempo he andado hoy diez leguas, y ahora me apeo. Ya me mande (n) oír, pues me han hecho venir sus cartas de edicto, que se han puesto por todo el reino.

—Dejadnos, dijeron los canónigos, que ya estamos hartos de música en ayunas, que nos vamos a comer.

—Señor, dijo él al arzobispo, suplico a vuestra señoría no se me haga tan gran agravio, y yo protesto cuanto se puede protestar para no perder mi derecho.

Díjole un cantor: —Señor, ¿sabéis hacer tal y tal diferencia? Porque los que su señoría ha oído han hecho todas estas.

—Lo que yo hiciere ahí se verá, justicia que se me oiga pido solamente.

—Oiga vuestra señoría a este importuno, dijo una dignidad, que poco se aventura en ello.

Vuelven, siéntanse, comienza a tañer, hace tantos monstruos y diferencias que todos dijeron «el órgano es suyo», sin discrepar uno de ellos. Y el que vino con su capa parda, sin pelo, bajó la escalera con ciento y cincuenta mil maravedís de renta cada un año (págs. 457-458).

Zapata ha planteado el breve relato a partir del contraste básico entre modestia y triunfo de Silvestre, para cuyo realce inventa pintorescos y bien elegidos detalles, como el tema de la capa raída. Pero hay, sobre todo, un diálogo animado, natural y múltiple, a través del cual se crea el tono de la situación y se perfila sin necesidad de recurrir a otros medios el esbozo sicológico de los interlocutores: el músico Silvestre, firme y respetuoso dentro de su gran modestia, el ilustre arzobispo, acostumbrado a ejercer su autoridad mediante pulidas fórmulas cancillerescas, el entrometido cantor, oficioso y sutilmente despectivo, los canónigos, retratados con maliciosa intención en la prisa en trocar la música por el almuerzo.

La medida literaria de Zapata nos viene dada, sobre todo, por los múltiples casos en que, pudiendo limitarse a términos de la simple noticia, imagina una situación concreta y la resume en diálogos que concentren el aspecto humano del tema. Cuando refiere la plaga de desafíos que en tiempos fue endémica en Valencia, el énfasis se desplaza hacia la entereza y callados sufrimientos de las desdichadas esposas:

> ... y acaescía no hallar el caballero en casa y tomar la carta de desafío su muger, y leerla y decir al page: —Anda hijo, que luego irá. Y venido el marido dársela y decirle: —Señor, id norabuena; haced como quien sois. Y llorando darle a las veces el postrer abrazo, y con todo secreto quedar aparejando paños y meterse en su oratorio, suplicando a nuestro Señor y teniendo con todo secreto prevenido en casa al cirujano (pág. 468).

Es de esta forma como don Luis Zapata traspasa netamente los horizontes habituales del género misceláneo y deja de ser un gacetillero, un centonista o un simple erudito, para acercarse a los umbrales de la novela moderna.

INTEGRACIÓN DE LA PERSONALIDAD

Queda todavía por señalar otro aspecto importante en que Zapata deja muy atrás a los libros misceláneos, ninguno de los cuales nos recuerda gran cosa a su obra. La mayoría de aquéllos se limitan a desplegar sus muestrarios de curiosidades o facecias sin que sus autores acostumbren añadir mucho de la propia Minerva, sin esos continuos engarces personales que son, en cambio, uno de los atractivos de la *Miscelánea*. Las amplias fronteras del género invitaban, sin embargo, al tratamiento personal de la materia de por sí heterogénea, a los *excursus* y digresiones de todo orden que, en cuanto epidesarrollos del *yo* uniforme del autor, ceñían y daban al conjunto un aire compacto. Resultan por ello afines a la *Miscelánea* la *Silva* de Mexía, la *Palentina* del Arcediano del Alcor y hasta los calenturientos diálogos del *Jardín* de Torquemada, pues el caudal informativo de estas obras va encuadrado en un continuo comentario o en cierto plan de desarrollo previamente establecido por sus autores, si bien presentan todavía una gran diferencia con lo que es habitual en Zapata. El caso de mayor semejanza se da, desde luego, con la *Philosophia vulgar* (1568) del sevillano Juan de Mal Lara, muy amigo de hablar en primera persona en pasajes de particular encanto. Pero tanto Mexía como el Arcediano y Mal Lara hablaban como lo que eran: humanistas, hombres de literatura, conscientes de la dignidad de sus saberes y del compromiso de estar siempre a la altura de ellos. La diferencia con Zapata es que éste no apostilla ni comenta a la manera de un docto humanista; lo hace siempre, aunque dicho así parezca simpleza, *como Zapata,* es decir, como una irreductible entidad personal. De ahí que su apostilla salga muchas veces por lo desconcertante, lo infantil y lo arbitrario, lo mismo que por lo agudo, lo socarrón o la crítica fina e intencionada.

Reside ahí el origen de esa resonancia autobiográfica que se impone aun cuando no relate experiencias propias y que ya fue captada por la despierta sensibilidad de Menéndez Pelayo, quien se inclina a considerar la *Miscelánea* como unas memorias algo *sui generis*[16]. En aquel divagar espontáneo de un hombre que expresa sin cautela ni sujeción a previos módulos literarios toda su latitud personal, subyace la frescura y el atractivo de un libro que se presta como pocos a una de las más delicadas operaciones críticas: el aislamiento del nervio sutilísimo que liga obra y autor.

---

16 *Orígenes de la novela,* III, pág. 61.

Zapata vino a crear así, en su retiro extremeño, un libro muy personal donde la técnica del relato producía miniaturas novelísticas curiosamente entretejidas con su más profunda intimidad y experiencia. La *Miscelánea* deleita sobremanera con su espontánea revelación de la más nuda personalidad de su autor: aquel buen caballero pero mal poeta, como le llamaba Hernando de Acuña [17], que no era ningún genio, sino un hombre de temple intelectual fino, aunque algo desquiciado y estrafalario.

La continua interposición de la personalidad de Zapata da así a la *Miscelánea* un carácter fuertemente unitario, que casi equivale a la presencia de un hilo argumental. Con ello se supera aún más el género misceláneo y se refuerza la impresión de hallarnos ante algo que de nada está tan cerca como de la novela. Cuenta mucho, además, en este resultado la contradictoria personalidad del propio Zapata; Dámaso Alonso señala cómo no ha podido existir la novela moderna sino desde el momento en que la literatura se ha decidido a prescindir de los caracteres de una pieza (totalmente buenos o malos, odiosos o simpáticos) para sustituirlos por

---

17 *Varias poesías*, ed. Antonio Vilanova, Barcelona, 1954, pág. 225. La alusión a Zapata quedó ya dilucidada por J. Menéndez Pidal, *Discursos*, pág. 38. Aún más despectivo es el juicio del condestable don Juan Fernández de Velasco (Prete Jacopín) en su controversia con Herrera. Éste, acusa, hizo mal en dedicar sus *Anotaciones* a tan buen caballero como el marqués de Ayamonte: «Más razonable fuera dirigirlas a Johan del Enzina, o a Johan de Timoneda o a su *Patrañuelo*, o a Lomas de Cantoral, a Padilla y sus thesoros, o a alguno de esos Babios y Nebios que tanto lugar hallaron en vuestro libro; y si no a la ánima de Don Luis Zapata, o a la de vuestro amigo Burguillos, y si os parecía ynconveniente ser éstos muertos, también lo era el Marqués de Ayamonte, y quando no lo fuera, tengo por cierto que lo matara vuestro libro»; Fernando de Herrera, *Controversia sobre sus anotaciones a las obras de Garcilaso de la Vega*, Bibliófilos Andaluces, Sevilla, 1870, observación III, pág. 5. La errónea inclusión de Zapata en el catálogo de poetastros ya fallecidos se debe, sin duda, a su dilatada prisión en Extremadura.

caracteres mixtos, complejos, enigmáticos incluso, que permitan abrir paso al arte inagotable de la matización sicológica [18]. Y en este aspecto Zapata, con su personalidad al mismo tiempo ingenua y retorcida, diríase ya de por sí un producto de la imaginación.

Don Luis, que nos legó una obra llena de datos y juicios de primera mano sobre ambientes y personajes contemporáneos, se tenía a sí mismo, y con justicia, como historiador, aunque en sentido algo especial, pues según él «los historiadores somos pescadores de caña que ponemos al lector en la mesa los peces que en la red de la memoria nos caen» (p. 259). Y semejante metáfora del historiador como pescador de caña, con su matiz casero, es bien característica de la extraña axiología privada de Zapata, para quien la tarea de puro carácter intelectual distaba de constituir un valor supremo ni bien entendido. El ejercicio integrador del pensamiento le resultaba noción insospechada, con la inmediata consecuencia de que el saber humano se transformase para él en algo similar a una gran colección de rarezas para exponer en una barraca de feria, que es, en cierto modo, lo que más pretende ser la *Miscelánea.* Carente de un pensamiento disciplinado, su ávida curiosidad no podía elevarle, como es lógico, a mejor categoría que la de pescador de caña en los riachuelos más perdidos de la historia y de la filosofía natural. Por eso, a pesar de su finura de espíritu y de su amplia cultura, todo lo relativo al puro intelecto venía también a quedar rebajado ante su mirada. Cuando habla del sentido de la vista, califica de necios, sin paliativos, a los filósofos antiguos que se cegaron voluntariamente «por quedar más hábiles *para las escusadas especulaciones altas*» (p. 120). Al enfrentarse con el tema humanista de las

[18] «Cervantes, the Creator of Mixed Personalities», *The Spanish Contribution to the Modern European Novel*, pág. 893.

Armas y las Letras resuelve a favor de las primeras con un simplismo del todo chabacano: «Esté un orador haciendo miles de sutiles argumentos, llegará un soldadillo y darle ha de palos, y hará burla de él» (p. 139).

Hay, sin embargo, unas páginas donde, como ya observó Menéndez Pelayo, su falta de perspectiva axiológica se despeña de la manera más ridícula. Al proponerse uno de los temas favoritos del humanismo, la viejísima disputa sobre el mayor valor de los antiguos o de los modernos (pp. 350 y ss.), Zapata se planta con decisión del lado de los modernos. Para demostrarlo emplea los argumentos habituales en pro de la ventaja de éstos en materia de arte y saberes. Pero el elogio de Miguel Ángel y de Durero o de los adelantos cosmográficos se revuelve allí no sólo con el invento del reloj despertador, sino con los del avance, para él concluyente, en la domesticación de monos y otras diversas sabandijas, llegando a tal nivel de simpleza (si no es ironía) como traer a discusión los progresos debidos al caletre de Felipe II, y entre los cuales se cuenta «el encerrar los toros en jaula porque no hagan daño» (p. 360).

De la misma forma, en la mentalidad de Zapata no existían sombras ni matices al razonar en ciertos terrenos y sobre ciertas cosas que para él son sólo buenas o malas, blancas o negras, desconocidas y misteriosas o fácilmente explicables y al alcance de cualquiera. Cuando menciona los terremotos añade que es tan sabido cómo se producen, que no merece la pena hablar de ello, a pesar de lo cual pasa a explicarlo en una docena de líneas (p. 225). Al discutir la existencia de trasgos y fantasmas, que Zapata mantiene con energía, no es su credulidad, normal en la época, lo que nos induce a risa, sino el desaforado calibre de las patrañas que aduce como ejemplo, y más aún el entusiasmo ingenuo con que se lanza a enriquecerlas con detalles que las vuelven acentuadamente chuscas, en contraste con su propósito de darles así una verosimilitud adicional.

Los ejemplos de esta naturaleza no los mencionamos como ilustración del sabroso pintoresquismo de época que impregna toda la *Miscelánea.* Estas consecuencias algo espectaculares de las caprichosas ideas de Zapata nos sirven para advertir mejor hasta dónde llega en su manera de proyectarse integralmente sobre su propia obra. Y más aún para comprobar cómo es tal integración de su personalidad, con todo su lastre temperamental, lo que hace de sus páginas un experimento literario interesante, anulando o reduciendo a muy poco la eficacia práctica de una pregonada adopción de la poética aristotélico-horaciana. Porque, en último término, el ser verdadero clasicista, como el ser verdadero romántico, depende menos de un propósito confesado que de una simple cuestión de personalidad: el clasicista es siempre un ingenio en quien la capacidad reflexiva empieza por imponerse y disciplinar sin esfuerzo el acto de creación literaria. Pero Zapata es el mejor ejemplo de lo contrario, con su abstención de la facultad crítica en amplias zonas donde sólo rigen para él prejuicios, ideas recibidas y, sobre todo, valoraciones de irreductible raíz temperamental que su obra refleja en forma directa y cruda, sin que apenas medie un proceso consciente de elaboración.

DON LUIS ZAPATA, «DANDY»

Al efectuar un somero recuento temático en la *Miscelánea* se observa el elevado número de ocasiones en que el autor narra casos estupendos de justas y torneos, caza mayor o de cetrería y corridas de toros. Es en estos terrenos donde más abundan las experiencias autobiográficas y al relatar dichos lances suele Zapata entusiasmarse, rebosar de las emociones de aquellos momentos intensamente vividos o del arrobo con que escuchó referir las admirables aventuras. Todo lector queda pronto seducido por las páginas felices tituladas *Del justador* (p. 211-218), encabezadas por el postulado de que nada hay más hermoso que «un caballero a caballo armado», y donde nos hace partícipes don Luis de todos los secretillos técnicos de la «fiesta real» por antonomasia, mencionada siempre en tono de seria veneración. Él había sido «de los más ejercitados y venturosos» entre los justadores de España, nos confiesa con orgullosa candidez, y cuando corría la tela, cubierto de acero, los buenos aficionados le reconocían al instante sólo por su alta escuela en la simple forma de enristrar la lanza (p. 50). No exageraba, porque se le menciona siempre entre los caballeros más destacados, tanto en habilidades de armas como en elegancia indumentaria, en la crónica que el humanista Juan Cristóbal Calvete de Estrella escribió del gran viaje europeo iniciado en 1548 por el futuro Felipe II para ser jurado heredero de los Países Bajos. Y conviene prestar atención a las prolijas descripciones de este libro para comprender cómo el torneo, que debió tener en aquella ocasión memorable uno de sus postreros resplandores, no era ni un ballet, ni un deporte, ni una mascarada (que todo eso, junto, nos parece hoy), sino una liturgia, una inconsciente idolatría de la conciencia social de la nobleza, adorándose a sí misma en un acto de culto absurdamente bello, expresión suprema del vivir caballeresco.

Justas, desafíos, cetrería, no eran para Zapata actividades humanas como las demás. Eran, como él las llamó en alguna ocasión, «excelencias»[19], cifras y emblemas de la vida

---

[19] «Est'arte de justar, esta excelencia, / en España agora es muy floresciente, / como qu'es de toda arte y toda sciencia / por la bondad

aristocrática y que por ello se le presentaban revestidos de un prestigio casi religioso. Deslumbrado por las mismas, pasaba don Luis a considerarlas como únicas actividades dignas de constituir un fin en sí mismo y de rematar su propia íntima pirámide axiológica, lo cual explica la inflación de tales temas a lo largo de su obra. Lo más respetable del mundo, después de un caballero armado, sería quizás un magnífico halcón, por ser «raza tan noble y tan estimable» (p. 324).

Consecuente con un rasgo típico de la mentalidad feudal de la Baja Edad Media [20], ninguna hazaña ni acto virtuoso reviste para él auténtico mérito si no la realiza una persona de alcurnia nobiliaria. La hazaña taurina ejecutada por un barbero toledano ante el Emperador «... como cosa de hombre bajo no se tuvo en nada, y decían que como buen barbero les acertaba la vena, como con lanceta, con la lança. El buen linaje es como luz que alumbra las buenas cosas que los generosos hacen, y por eso se llama oscuro el de la gente baja» (p. 271).

En el *Carlo famoso* se excusa Zapata siempre que ha de relatar algún hecho heroico realizado por plebeyos. Y así lo hace por referir la conducta esforzada de una griega durante el sitio de Rodas:

> Allí pues acaesció una estraña cosa,
> que por ser de amor vario exemplo nuevo
> aunque sea en gente baxa, en tan famosa
> hystoria entremeterlo aquí me atrevo.
>
> (XVI, f. 85 r.)

Lo mismo viene a repetir cuando cuenta, más adelante, otro caso de amor firme (XLV, f. 247 v.). Sin embargo, las haza-

---

de Dios hoy día la fuente.» *Carlo famoso*, Valencia, Ioan Mey, 1566, canto XXXII, f. 180 r. Suplimos acentuación y puntuación moderna.

20 J. Huizinga, *El otoño de la Edad Media*, Buenos Aires, 1947, página 145.

ñas de cuantos no fueron nobles capitanes en las guerras de Italia no le merecieron la misma condescendencia:

> De los quales mi hystoria aquí no cuenta
> por no ser gente de arte, ni de cuenta.
>
> (XX, f. 106 v.)

El castigo de los villanos que defendían la torre en cuyo asalto murió el poeta Garcilaso le arranca un terrible borbotón de saña nobiliaria:

> Que una vida gentil de un cavallero,
> de quien una república es honrrada,
> con mil del vulgo inútil y grossero
> como aquestos que digo, no es pagada.
> Los que de sal el ánima en el cuero
> les sirve, no otra muestra dellos dada,
> ni a su rey, ni a su patria y juntamente
> a Dios, no creo que sirve esta ruyn gente.
>
> (XLI, f. 221 r.)

Zapata no introducía proporción alguna en su concepto de las exigencias y compromisos vitales impuestos por la idea nobiliaria, pues todo cuanto a ella pudiera atañer de cerca o de lejos reviste a sus ojos la misma importancia desmesurada. La *Miscelánea* recoge muchos cuentecillos de caballeros caídos en ridículo por prevaricar contra las complicadas etiquetas del ceremonial palaciego o de las costumbres cortesanas, como aquel embajador («sin título», claro está) que cometió la «gran indecencia» de andar a pie por las calles de la corte, a riesgo de toparse con algún aguador o ganapán (p. 383). Nunca podría murmurarse de don Luis en estos terrenos, en los que nunca regateó sacrificios, ni aun las increíbles mortificaciones que nos cuenta haberse impuesto para conservar, frente a una tendencia a engordar, la buena figura que se necesitaba para danzar con las damas en los saraos cortesanos (p. 65). Mucha gentileza es para un caballero sabérselas haber con un toro, pero excesivo peligro no por el implícito riesgo físico, sino por el de «desautorizarse» en algún desdichado revolcón (p. 270). El entusiasmo de Zapata por la domesticación de animales sufrió sin duda las peores tentaciones en las calles de Milán, pues dejó de admirar el arte de los domadores de pulgas sólo por considerar que no era curiosidad digna de un gran señor español:

> En Milán hay charlatanes que traen culebras mansas y pulgas atadas en una cadena; las mismas que víamos estar mostrando en las plazas y en las calles, y dejamos de verlas como cosa çierta, y porque no quisimos que nos dijesen que hacíamos caso de esto los bisoños venidos de España (pág. 246).

Todo cuanto no tuviera que ver con aquellos valores supremos era para Zapata asunto de poca monta, materia de frívolo entretenimiento, curiosidad para pasar el rato. Y no otro es el resorte de esa coquetería con que Zapata se pasea por la historia, la literatura y las ciencias naturales, encontrándolo todo sencillo y sin asidero para más que unos cuantos renglones, reduciendo el conocimiento a una vacua actitud de coleccionismo. Y hasta el mismo principio sagrado de la verosimilitud aristotélica quedaba maltrecho en ocasiones por la facilidad con que Zapata da crédito a cualquier hidalgo de solar conocido de quien, por el hecho de serlo, fuera pecado sospechar alguna afición a mentir.

Si repasamos los datos biográficos de Zapata encontraremos una conspicua y, a primera vista, sorprendente ausencia de actividades más serias. Nunca desempeñó ningún cargo de gobierno ni participó para nada en la continua empresa bélica que España mantuvo a lo largo de aquel siglo. Es casi seguro que este gran justador nunca supiera del polvo, la sangre y el humo de una verdadera acción de guerra, inesperada peculiaridad que basta por sí sola para interponer un foso entre don Luis Zapata y el común de los nobles españoles de su tiempo. Pero en el fondo no hay nada anómalo en este aspecto de su vida, puesto que él mismo puso todo su empeño en no ser un caballero como los demás, sino algo así como una edición de gran lujo y de ejemplar *unicum*. Su misma afición a las letras procedía originalmente de su deseo de encarnar la figura renacentista del cortesano ideal: «Yo en la juvenil edad... deseé otras tres: ser gran cortesano y gran poeta y gran justador: lo que desto alcancé, que cierto fue poco, a los juicios agenos que son los jueces lo remito», declaraba Zapata en el prólogo de su *Libro de cetrería* [21]. Si después carecía de ímpetu heroico es porque en el fondo no era sino un *dandy* a quien bastaba sobresalir en unas excelencias de puro carácter suntuario y de máximo prestigio social, para justificar ante sí mismo un derecho a afirmar su personalidad hasta el límite mismo de la impertinencia. La verdad es que sus críticas a los clásicos no están basadas, a fin de cuentas, en verdaderas razones estéticas, sino en la persuasión de que cuando se es un dechado de caballeros, dueño de habilidades paseadas en triunfo por media Europa, y nieto, además, del Rey Chiquito [22], se tiene conquistado el derecho a enjuiciarlo todo desde un plano de

21 J. Menéndez Pidal, *Discursos*, pág. 16, nota.

22 Por ese nombre era conocido en los ambientes cortesanos, debido a su escasa estatura y gran influencia política, su abuelo Luis Zapata, el «licenciado Zapata» de crónicas y documentos de finales del reinado de los Reyes Católicos y regencia de Cisneros; Manuel Giménez Fernández, *Bartolomé de las Casas*, Sevilla, 1953, I, pág. 116, nota. Para decirlo todo, será preciso hacer constar el origen oscuro de este personaje; diversos indicios, además de la coincidencia de apellido y actividades, hacen probable su parentesco con el secretario de Isabel la Católica Fernán Álvarez de Toledo Zapata. Don Luis pretendía remontar su ascendencia nada menos que al rey Sancho Abarca de Navarra, cuyas imaginarias armas reprodujo a toda plana en los preliminares de *El arte poética*.

superioridad y a ver motas en los soles de la literatura antigua y moderna. Un dandismo vital tendía a emanar, con entera lógica, un dandismo literario.

Las consecuencias de orden ideológico tampoco dejaban de ser importantes. La idea misma de la guerra le parecía una noción carente de sentido y le empujaba a declaraciones de tajante pacifismo. La facilidad de los hombres para dejarse arrastrar a los campos de batalla por motivos que no les atañen personalmente era uno de los argumentos de más peso para convencerle de que los humanos suelen portarse con menos sensatez que las bestias, según desarrolla en diversos lugares de sus obras con acritud que no desmerece de las más violentas diatribas de Erasmo. Cuando finaliza una pintura desgarrada de los excesos de crueldad cometidos en el asalto de Túnez por la soldadesca imperial, habla bien claro de su pobre opinión acerca de las guerras:

> Yo creo que lo más malo de la guerra
> semeja algo a lo bueno del infierno.
>
> (XL, f. 213 r.)

Otra condenación de las guerras, incluso bajo su forma, la más noble, de ofensiva contra infieles, sobreviene al relatar la furia de construcciones navales que precedió a la infortunada expedición de don Carlos contra Argel; la sinceridad ayudó entonces a Zapata a moldear uno de los fragmentos más graciosos y felices de su árido poema, con la mención elegíaca de los árboles, incluso olivos y frutales, ferozmente talados para arder en aras de la guerra (canto XLIV).

Como hemos de ver, el pacifismo de Zapata entronca directamente con el de Erasmo, pero su intensidad casi obsesiva, acorde con su escasa inclinación a comprometerse personalmente en guerras, permite deducir que su raíz más profunda era de simple orden temperamental. A don Luis sólo le interesaba coger las flores de la vida señorial y caballeresca. Para lucir el esfuerzo y la bravura estaban aquellos torneos en los que él combatía bajo el romántico nombre de Gavarte de Valtemeroso, y en comparación con cuyos esplendores, copiados del *Amadís*, libro que es «honra de la nación y lengua española, que en ninguna lengua hay tal poesía ni tan loable» (p. 304), no era la guerra sino una broma antiestética, completamente indigna de caballeros refinados y cortesanos.

EL ERASMISMO DE ZAPATA

Todo lo anterior era compatible en Zapata con una personalidad intelectual de las más refinadas de su tiempo y enriquecida, en ciertos terrenos y momentos, con una clarividencia y agudeza de juicio que no parecen de su época. Su aprecio por cuanto fueran letras, artes y cuanto hoy llamamos cultura era profundo y serio. La *Miscelánea* cuenta entre sus personajes a Garcilaso, Boscán, Garci Sánchez de Badajoz, Diego de San Pedro, el Comendador Griego, el doctor Villalobos, Jorge de Montemayor, Feliciano de Silva y los músicos Narváez, Cabezón, Silvestre y Fuenllana. De que Zapata fue mecenas inteligente tenemos prueba en el hecho de habérsele dedicado una de las obras maestras de nuestra música renacentista, los *Tres libros de música en cifra para vihuela* (Sevilla, 1546) de Alonso de Mudarra [23]. Su preparación de humanista era sólida y, por lo menos hasta la época de sus prisiones, se mantuvo muy al tanto de las letras de su tiempo, especialmente de cuanto venía marcado con sello italiano, como bastaría para comprobarlo una enumeración de ingenios modernos contenida en el *Carlo famoso:*

---

[23] J. Menéndez Pidal, *Discursos*, pág. 21.

Fracastorio, Luys Vivas y Pontano,
Dante, Petrarcha, Ariosto y Sanazaro,
Castellón, Pietro Bembo, el Peregrino [24],
Paulo Jovio, Tansilo y Aretino.
(XLVII, f. 255 v.)

No debe causar sorpresa, por tanto, que sea preciso añadir el nombre de Zapata al catálogo de los tardíos conocedores de Erasmo. Quede bien claro que no hay que entender esto en el sentido de que fuera un *erasmista* en la acepción doctrinaria del término, sino que, en estricto paralelo con el caso de Cervantes [25], nos hallamos ante una personalidad intelectual marcada por la huella que en el siglo XVI producía la lectura asidua del Roterodamo: el gusto por cierto estilo de pensamiento radical que bastaba para producir consecuencias de gran valor literario, como son el desarrollo del don de ironía y de la afición a una crítica libre de las realidades humanas. El fermento erasmista contribuyó a moldear

---

24 No es fácil la identificación de este autor. No creemos que se haya aludido al poeta de Capua Camillo Pellegrino (1527-1603), pues, aunque coetáneo de Zapata, no adquiriría mayor reputación hasta muchos años después (alrededor de 1585) en las escaramuzas críticas suscitadas por la obra de Torcuato Tasso. Más verosímil parece la alusión a Peregrino degli Agli (1440-1468?), latinizado Allio, humanista florentino amigo de Marsilio Ficino y que legó una obra no muy extensa de poesía latina; Francesco Flamini, *Peregrino Allio umanista, poeta e confilosofo del Ficino,* Pisa, 1893. En uno u otro caso queda Zapata a muy buena altura, bien como indicio de hallarse al día en novedades literarias o bien de una óptima erudición retrospectiva.

25 Quede bien claro que consideramos ociosa toda negación de la importancia de Erasmo como influjo decisivo sobre el pensamiento de Cervantes, insoslayable para todo análisis sereno tras el brillante estudio de Antonio Vilanova, *Erasmo y Cervantes,* Barcelona, 1949, cuyas líneas fundamentales respaldamos por entero. Es preciso hacer esta advertencia pensando, sobre todo, en el retroceso crítico supuesto por el planteamiento de esta cuestión en la obra póstuma de Agustín G. de Amezúa y Mayo, *Cervantes, creador de la novela corta española,* Madrid, 1956, I, págs. 185 y sigs.

el conjunto de la fisonomía intelectual de Zapata, en la que acentuó la tendencia crítica, la travesura del pensamiento y hasta cierto relativismo latente que vino a aliarse muy bien con su innata socarronería de buen extremeño.

En el caso de Zapata no supone ningún problema grave la justificación de su conocimiento de Erasmo. Sabemos sin asomo de duda que estuvo en contacto con ideas erasmistas desde los días de su niñez, pues la corte del Emperador seguía difusamente penetrada por ellas aun después de que la dura mano inquisitorial desarticulase el movimiento doctrinario, aunque no en toda la medida que suele creerse [26]. Como paje de la Emperatriz, debió Zapata de ser iniciado en las humanidades por el doctor Bernabé Busto, erasmista tan convencido como para traducir en 1533 la *Institución del príncipe cristiano,* «obra sin duda mayor que toda alabança», con ánimo de que sirviera para la mejor educación del

---

[26] Contra la idea aceptada del pronto declinar del influjo erasmista, una valiosa serie de investigaciones coincide en atestiguar cómo, aun calladamente, no se dejó de leer a Erasmo durante la segunda mitad del siglo XVI y aun mucho después. Véase Otis H. Green, «Erasmus in Spain, 1589-1624», *Hispanic Review,* XVII, 1949, págs. 331-332, y «Additional Data on Erasmus in Spain», *Modern Language Quarterly,* Seattle, X, 1949, págs. 47-48. A principios del siglo XVII los predicadores deseosos de acreditar su erudición solían documentarse, sin mayor reparo, en ciertas obras de Erasmo; Alejandro Ramírez, «Los *Adagia* de Erasmo en los sermones de Fr. Alonso de Cabrera», *Hispanófila,* n. 11, 1961, págs. 29-38. Otras menciones de fecha más avanzada han sido recogidas por Antonio Domínguez Ortiz, «Citas tardías de Erasmo», *Revista de Filología Española,* XXXIX, 1953, págs. 344-350. Asiduo citador de Erasmo es también fray Juan de Pineda en sus *Diálogos familiares de la agricultura cristiana* (1589). Con todo, la lectura de Erasmo fue sin duda más extensa de lo que sus citas dejan entender. Todas estas consideraciones son fundamentales para comprender el problema de Erasmo en Cervantes, que tiende a reducirse a una escala de normalidad cultural relativa y a perder el carácter sensacional que pareció revestir en un principio.

príncipe don Felipe [27]. Años más tarde, cuando el viaje de éste por los Países Bajos, la corte entera fue recibida en Rotterdam con monumentos triunfales en honor de Erasmo, y Calvete de Estrella, humanista que también había puesto mano a la penosa tarea de enseñar un poco de latín a don Felipe [28], cuenta cómo a la mañana siguiente «los principales señores y caballeros de la corte» corrieron a visitar aquella casita humilde, con una parra ante el portal, donde naciera el gran humanista cristiano [29]. Por el mismo Calvete, gran amigo de Zapata, sabemos que durante la cuaresma de 1550 los cortesanos que descansaban en Bruselas de los ajetreos del largo viaje solían asistir a los sermones de los predicadores oficiales, venidos también de España, que eran nada menos que la extrema vanguardia del cristianismo interior, los doctores Constantino y Agustín Cazalla, destinados a sufrir poco después los más duros rigores inquisitoriales [30].

---

27 José M. March, *Niñez y juventud de Felipe II. Documentos inéditos sobre su educación civil, literaria y religiosa y su iniciación al gobierno (1527-1547)*, Madrid, 1941, I, pág. 69, nota.

28 Solía encargarse de las lecciones de latín durante las ausencias forzadas de Silíceo, el preceptor oficial; March, *Niñez y juventud de Felipe II*, I, pág. 296. El mismo March reconoce lo limitado de la educación de don Felipe, reducida a leer y escribir y un poco de «latín de sacristía», que, con no ser gran cosa, se le atragantó notablemente. El propio Emperador estaba descontento del escaso progreso de la educación del Príncipe y lo atribuía a blandura de interesadas miras por parte de Silíceo; March, *ibid.*, I, págs. 221-222 y II, pág. 31. No dejó de observarse durante el viaje europeo de don Felipe su fisonomía poco inteligente; véase la relación del burgomaestre Bartolomé Sastrow en el prólogo de Antonio M. Fabié al libro de Diego Núñez Alba, *Diálogos de la vida del soldado*, Madrid, 1890, pág. LV.

29 Juan Cristóbal Calvete de Estrella, *El felicísimo viaje del muy poderoso príncipe D. Felipe*, Bibliófilos Españoles, Madrid, 1930, II, página 275. En el recibimiento de don Felipe en la ciudad de Rotterdam fue el mismo Erasmo, representado en estatua «sacada al natural» y provista de un mecanismo, quien le entregó unos versos latinos de bienvenida; *ibid.*, II, pág. 273.

30 Ambos son elogiadísimos por Calvete de Estrella. El doctor

Harto significativo es que con ocasión del viaje por los Países Bajos, realizado bajo tan claro signo erasmista, tanto Zapata como muchos otros españoles acusasen por primera vez una sensación de inferioridad ante el bienestar, las incipientes realizaciones de la técnica y el aire de laboriosidad y buen gobierno de las provincias de Holanda, destinadas a chocar en forma inevitable, a vuelta de pocos años, con el estilo de vida español [31]. Zapata quedó tan admirado como

---

Constantino, como «muy gran filósofo y profundo teólogo, y de los más señalados hombres en el púlpito y elocuencia que ha habido de grandes tiempos acá, como lo demuestran bien claramente las obras que ha escrito dignas de su ingenio»; I, pág. 20. A Cazalla se le califica de «excelentísimo teólogo y hombre de gran doctrina y elocuencia» cuando se mencionan sus sermones a la corte de Bruselas; II, página 400.

[31] Calvete menciona siempre como cosas notables los desconocidos artificios mecánicos que veían por doquier: las «cranas» o ingenios con que descargan las naves en el puerto de Amberes (II, pág. 109), la compleja maquinaria que abastece de agua a Brujas (I, pág. 341), las vigas versátiles con que abren y cierran los caminos en Brabante (II, pág. 193), los diques y canales de la región de Brujas (I, pág. 338). La palma de su admiración se la llevan, sin embargo, los sistemas de puentes levadizos, canales y diversos ingenios con que se regula a voluntad el caudal de agua en los diversos sectores del puerto de Amsterdam (II, págs. 296-297). Por todas partes advierte el buen orden con que funcionan los gobiernos autónomos locales, la actividad comercial y la limpieza de las ciudades. Calvete captaba con finura la idea de progreso: toda aquella maravilla de ingenio y actividad de Amsterdam tuvo su principio, no muy lejano, en unas viles chozas; Delft se había quemado hacía sólo catorce años «por un caso fortuito, sin que quedase casa ni cosa alguna, y después acá le han reedificado, que es cosa extraña de ver todas las casas nuevas y la gran policía dellas» (II, pág. 277). Holanda era para Calvete una rara colección de primores rematada en haber sido patria de Erasmo: «Es también abundante de muchos y perpetuos prados, que todo el año continúa la hierba dellos, y en las muchas lagunas y bosques que hay se crían muchas y diversas aves, tanto, que de tan poco espacio de tierra no hay provincia tan poblada de villas y de lugares, que aunque son de mediana grandeza, son de extraña e increíble policía, que en el mundo no tienen par en la hermosura y limpieza de los pueblos, así por de fuera dellos como por dentro de las calles.

todos por el derroche de ingenio con que los holandeses levantaban sus diques y triunfaban de las furias del océano, pero añoró más claramente que nadie una imposible España en que cupiera darse un ejemplo tal de solidaridad cívica. Los diques, nos refiere, son frágiles defensas de ramaje y tierra,

> donde si un mal cristiano quisiese abrir con una açada un dique y dar por allí entrada se anegarían todos, como les tienen cercados como enemigos las aguas. ¡Qué cosa para en los bandos de España y su cólera! Que se ahogarían a sí mismos por ahogar a sus contrarios (pág. 447).

Por lo demás, la muerte de Erasmo queda honorífica y puntualmente recogida entre los grandes acontecimientos del año 1536:

> El buen Delphín Enrrique murió en Francia,
> con gran llanto, y Erasmo en Basilea.
> (XLII, f. 223 v.)

La penetración de las ideas erasmistas se aprecia bien en varios sectores del pensamiento de Zapata, pero en ninguno alcanza la intensidad y transparencia que presentan sus alegatos pacifistas. En el caso de la tirada antibélica de la *Miscelánea,* anteriormente aludida, parece como si se hubiera imitado, además, la andadura retórica de la prosa latina de Erasmo [32]. Más importante, sin embargo, es la vio-

---

Hacen ventaja a cuantas naciones hay en la hermosura, abundancia, limpieza de las casas, alhajas dellas y gran riqueza, sotileza y primor en el trato de la lencería... Hay hombres muy doctos en ella, aunque no hubiera salido della otro hombre de letras, sino el doctísimo varón Desiderio Erasmo Roterodamo, bastaba para darle perpetuo nombre y fama» (II, pág. 256).

32 La argumentación mediante preguntas retóricas y ejemplos antiguos lleva un sello inconfundible: «Y por concluir con todas sus sinrazones, si un pasagero viera en Pharsalia cuarenta mil hombres a una parte de Pompeyo y veinte y dos mil a la otra de César, para

lenta diatriba versificada en el *Carlo famoso*, pues el apretado discurrir de la octava real permite identificar los pasajes de Erasmo[33] que sirvieron de fuentes a Zapata:

---

pelear con las armas en la mano, y preguntara: —¿Qué quieren? ¿Qué pretenden tantos hombres, tantas banderas, tantas máchinas? Y le respondieran que matarse unos a otros, padres a hijos, y hijos a padres, y hermanos contra hermanos, todos de un pueblo, tornara a preguntar: —¿Es sobre salvar las almas? —No, que esa verdad aún no la saben. —¿Es a dicha sobre la salud? —No, que esa Dios la quita y Dios la da. —Pues ¿es sobre comer el pan o beber el agua, sin lo que no se pueden pasar? —No, que de comer tienen para muchos años. —Pues ¿sobre qué? preguntaría aquél. Respondería el otro: —No, sino sobre quién ha de mandar más en una ciudad. —Y ¿han de mandar todos en venciendo? —No, sino uno. —Y el mandar ¿ha de ser para siempre? —No, sino por un poco de tiempo, y el que ha de mandar mañana se morirá, que es ya viejo, u le matarán los mismos por lo que agora unos y otros se matan. A esto volvería el pasagero diciendo: —¿Pues a ésos llamáis racionales? Dígolos yo más fieras y más sin raçón que las bestias bravas» (pág. 23). Sobre el mismo tema de la disposición del hombre a matarse por motivos que no le atañen directamente véanse pasajes de Erasmo como el adagio *Dulce bellum inexpertis*, en *Opera omnia*, Leyden, 1703, II, 954 AB y 960 E para el argumento de que las fieras sólo luchan por exigencias de la naturaleza («nisi quod dictet natura»). También *Querela Pacis*, *ibid.*, IV, 634-B. Todas las citas de Erasmo se entienden referidas a la misma edición.

33 «Leonum inter ipsos feritas non dimicat. Aper in aprum non vibrat dentem fulmineum, lynci cum lynce pax est, draco non saevit in draconem, luporum concordiam etiam proverbiam nobilitarunt» *(Querela Pacis*, 627 A). Por tratarse del argumento que permite a Erasmo establecer el carácter antinatural de la guerra, no deja de aparecer en su obra cada vez que se toca el tema pacifista, por lo cual la misma *Querela Pacis* lo presenta bajo diversas formas: contra lo que sería normal, por hallarse el hombre dotado de razón, la paz halla mayor cabida entre las bestias que entre los humanos (626 ABC); aun entre las fieras, no todas viven de devorar a otros animales y aun entonces jamás se devoran entre sí, «at hominis nulla fera perniciosior quam homo» *(Dulce bellum inexpertis*, 954 A). En cuanto al argumento del hombre, indefenso por naturaleza para que tenga que vivir en paz, véase *Dulce bellum inexpertis*, 954 F, y *Querela Pacis*, 627 D. Se equivoca Isidoro Montiel al señalar como fuente de estos pasajes una octava del canto V del *Orlando furioso* donde, para iniciar una

¡Qué plaga grande es ésta de la gente,
no dada a otro animal de otra ralea!
Un león no anda con otro differente,
el osso con el osso no pelea,
no muerde una culebra a otra serpiente
ni una bívora a otra adentellea.
Al solo hombre, el hombre como estraños
le vemos proceder mortales daños.
Y no sólo en aquesto aventajados
los animales son al hombre indinos,
vestidos todos nascen y abrigados
de conchas, pelos, pluma y vellocinos.
Y aun los árboles nascen adornados
de corteza desde álamos a espinos.
Desnudo nasce el hombre y sin guarida
y el lloro es el origen de su vida.

(XX, f. 103 r.)

La participación de soldados mercenarios en guerras ajenas queda moralmente condenada por Zapata con razones que resumen en forma obvia las expuestas por Erasmo en su coloquio *Militis et Carthusiani:*

No creo que cosa hay más simple y perdida
que la simpleza grande de un soldado
quando a la guerra yr no le combida
ser a su patria o príncipe obligado.
Ponerse en aventura de la vida
por un sueldo tan poco y mal pagado,
su casa y su muger dexando en calma,
y Dios sab'el peligro a que trae el alma.

(XX, f. 105 r.)

En el plano religioso no faltan tampoco los indicios de una actitud algo reticente y zumbona frente a ciertos deta-

---

diatriba contra la falta de concordia en los matrimonios, se contrasta la buena armonía que se observa en las parejas de animales fieros (*ed. cit.*, I, pág. 259).

lles característicos. La narración de las exequias del Emperador encarece pintorescamente el excesivo número de tonsurados indignos:

> Los clérigos en número abundantes
> más qu'en otoño tordos prosiguieron,
> en los que havía personas entre tantas
> religiosas, doctíssimas y santas. (L, f. 288 r.)

Cuando relata el saco de Roma se acoge en el *Carlo famoso,* aunque muy sobre ascuas, al habitual argumento erasmista (Alfonso de Valdés) de que el verdadero responsable fue el pontífice Clemente VII (XXX, f. 165 r), a quien, por cierto, dedicó Zapata el mayor sarcasmo nunca escrito por su pluma, pues nos cuenta que en 1534 se recibieron despachos

> con nuevas de que ydo era a la gloria,
> (si allá fue) el papa séptimo Clemente.
> (XXXVI, f. 198 r.)

En la *Miscelánea* se recuerdan con afilada ironía tiempos de mayor reciedumbre moral en los que ser obispo «era trabajo y martirio y no ninguna renta» (pág. 292), y tras narrar una milagrería absurda se añade con malicia, similar a la de ciertos pasajes de Cervantes [34], que *casi* se podía dar por cierta, puesto que circulaba bajo aprobación de prelados (pág. 327). Tampoco salen muy bien parados los frailes, pues relata la historia de cierto religioso tahúr e impúdico (página 391) y otra muy contraria al excesivo celo proselitista del famoso franciscano Lobo (pág. 395). Se dedican muchas páginas a contar con cierta fruición ejemplos sonados de hi-

[34] Don Quijote respondía al Canónigo si cabe imaginar que los libros de caballerías, que andan impresos con aprobación del Rey, no sean enteramente verídicos (1, 50). Poco más o menos lo mismo respondía el Ventero a idéntica objeción del Cura (1, 32).

pocresías y santidades fingidas *(De invenciones engañosas,* página 69 y ss.). Incluso su padre, el piadoso comendador de Hornachos don Francisco Zapata de Chaves, llamaba «diablos» a los frailes cuando andaban fuera de sus conventos (pág. 382). Si con todo esto aún andaba Zapata lejos del *monachatus non est pietas,* no tenía tampoco reparo en afirmar que «cortesanía y religión son muy contrarias» (página 116), como descargo del pescozón que con gracioso artificio dio un caballero de Santiago a un prior de Uclés que lo merecía por tacaño y malcriado.

Todos estos detalles no son suficientes, sin embargo, para definir a Zapata como un completo erasmista en materia religiosa, aunque son valiosos para comprobar que la familiaridad con Erasmo produjo en él algunos de sus acostumbrados efectos. Pero, por otra parte, nada o casi nada encontramos en él que acredite una penetración decisiva de las ideas del cristianismo interior. Por el contrario, la sensibilidad religiosa de Zapata funcionaba en conjunto dentro del formalismo tradicional. Lo apreciamos claramente en su concepto del valor absoluto de las prácticas devotas: éstas eran para él actos llamados a ser retribuidos y contabilizados con el automatismo de una cuenta bancaria, y quien lo entendió fue aquel mercader sevillano que nunca aseguró sus navíos, pues le traía más ventaja pagar las pólizas a lo divino, en limosnas a pobres y a monasterios con los que andaba «a regla de tres» (pág. 241). Por otra parte, su aplauso a la política de intransigencia con la heterodoxia parece sincero, lo mismo que sus frecuentes elogios del Santo Oficio, si bien en este punto no dejaba de experimentar sus cautelas, según advirtió ya Rodríguez-Moñino [35].

---

35 Cuando elogiaba a Ovidio por encima de todos los poetas latinos tenía buen cuidado de advertir que no extendía la alabanza al *Ars amandi* (ed. cit., pág. 161).

La sensibilidad religiosa de Zapata permaneció al menos más inmune que otros sectores puramente ideológicos a la influencia de Erasmo. La explicación más probable de este hecho radica en que una ortodoxia simplista entraba como ingrediente básico en la fórmula aceptada como garantía de la honra de un español de su tiempo, y no estaba Zapata preparado, allá en sus adentros, para correr ese tipo de riesgo. Debe de ser así porque un áspero inconformismo, tras el que se perfila también la sombra del Roterodamo, afecta precisamente a ciertas cuestiones políticas en las que, de antemano, cabría suponer una vidriosa sensibilidad por parte del caballero extremeño, cuyos prejuicios y motivaciones personales constituían un filtro selectivo de preocupaciones ideológicas.

DON LUIS ZAPATA Y LOS PRÍNCIPES

Zapata demuestra poseer una sensibilidad muy fina al enjuiciar la realidad político-social de sus días, cuyo sentido supo captar en términos de fría lucidez. Su capacidad para ver en los hechos el juego de las fuerzas históricas anticipa la intuición profesional de un historiador moderno y el hecho sorprende aún más en una inteligencia que en terrenos más fáciles se desenvolvía con tan grande y desmañada ingenuidad.

Su actitud en esto era la de un reaccionario del feudalismo, si bien con noción muy clara de que su sentir pertenece ya al pasado, de que se vive en un mundo distinto donde la nobleza carece de otro campo de maniobra que no sea el de una subordinación absoluta a la persona del Rey. Zapata discurrió con serenidad sobre estos temas en las páginas tituladas *Del mucho valor de los antiguos grandes de España* (pág. 331 y sigs.): hay quienes culpan a los grandes de ahora por no ser tan señores como los de tiempos aún no lejanos, pero no hay sino que los reyes han extendido tanto su poderío que vino a cumplirse aquello de *generatio unius, corruptio alterius.* Tal como suele hacerse con los gallos, los reyes los engordan en estos tiempos con rentas cuantiosas, pero a cambio de recortarles muy bien las alas. «Y las cosas de antes pasaban de otra manera», reflexiona Zapata con el tono de nostalgia en que nos va a contar anécdotas de cuando los reyes temblaban ante los nobles, cuando el duque del Infantado «se hizo malo de gota, de fantasía» por no salir a recibir al rey de Francia, o de cuando su bisabuela, condesa de Medellín, se desmandaba con Isabel la Católica. Ya se han aflojado casi del todo esos bríos, pero todavía no hace mucho que otro duque del Infantado

> hizo aquella cosa tan bien hecha, como fue al alguacil que se le desacató darle una cuchillada por la cara. Mandado por el Emperador ir preso, cuantos señores había en los tablados bajaron para acompañarle, no por vía de motín y escándalo, sino por hacer el oficio de acompañar a un compañero y amigo, e ir consolando a un enfadado (pág. 333)[36].

Si Zapata comprende bien la forzosa decadencia de la nobleza feudal bajo el estado moderno, no deja por ello de condenar moralmente el nuevo *statu quo.* Por el contrario, había en él un fondo de antipatía amargada que tomaba por los cabellos cualquier ocasión de aflorar en ceñudos ataques contra el endiosamiento y los abusos de poder de los príncipes. No es que falten en su obra los elogios de rigor a don

---

[36] Alude aquí Zapata al grave incidente ocurrido en Toledo el 12 de junio de 1539, durante la celebración de unas agitadas Cortes a las que, contra lo que era norma, se convocaron también representantes de la nobleza. Véase Hayward Keniston, *Francisco de los Cobos, Secretary of the Emperor Charles V,* Pittsburgh, 1959, pág. 219.

Carlos y a don Felipe, sino que tales expresiones pierden significación en presencia de tanto alfilerazo envenenado.

De esta forma el *Carlo famoso* abunda, por paradoja, en agresivo repudio del autoritarismo cesarista de los Austrias, cuyo aborrecimiento saca notables chispazos de la musa de sílex de Zapata. El canto VIII (f. 36 r.-v.) contiene una diatriba casi increíble:

> ¡O príncipes ingratos! La dureza
> de vuestra condición dura y sin freno
> no dexa dar buen fructo a alguna planta,
> qu'el favor las azeñas cría y levanta.

Zapata se queja después de la arbitrariedad con que los reyes se sirven de sus súbditos y declara que el descontento existente impide que se sigan realizando grandes hazañas:

> Y assí en las cosas ay tantas tormentas
> y sucede un caso hoy y otro siniestro,
> porqu'están las personas descontentas
> que harían los effectos que aquí muestro.
> Si por unas toma otras herramientas
> y las buenas estar dexa el maestro
> que orín las cubra y moho, y las no estima,
> ¿cómo hará gran obra o cosa prima?

El atrevimiento de Zapata sigue remachando que ésta es la situación actual y que don Felipe habrá de rectificar su modo de gobernar si es que desea hacerse digno de su glorioso padre:

> Y assí por estos casos tan dañosos
> de no ser muchos que hay agradescidos,
> los que lo podrían ser, o son famosos,
> quedan, sólo olvidando los perdidos.
> Esto no haréys vos, si mentirosos
> de los bienes que tienen prometidos
> de vos a estos que están por essos suelos,
> no hazéys, alto príncipe, a los cielos.

En cuyo tiempo tal verán las gentes
los siglos que hoy no son de oro dorados,
y los sabios, osados y valientes,
que muertos hoy día están, resucitados.
Y los hombres famosos y excelentes,
de vos digno[s] de honor, serán honrrados
y con ellos, rey alto, haréys cosas
como las del que al mundo os dio famosas [37].

No estamos ante el único caso en que Zapata parece desahogar una fuerte antipatía contra Felipe II. La *Miscelánea* recoge la noticia de haber caído un rayo en El Escorial durante una estancia del Rey, tras lo cual añade el satisfecho comentario de tratarse de un claro signo de la Providencia para recordar a los monarcas que «otros más poderosos hay quien les tire de la falda» (pág. 311). Lo mismo cabe decir de la inserción de la carta en que don Sancho Busto de Villegas protesta a Felipe II contra un proyecto de desamortización de bienes de la Iglesia de Toledo, y donde a vueltas de buenos, malos y pésimos argumentos discurre la actitud desplantada de advertir al Rey que no saldrá con la suya sin un escandaloso recurso a la fuerza bruta (pág. 158 y sigs.).

[37] Merece la pena advertir el peculiar carácter de cada una de estas octavas. La primera, donde se expresa el vaticinio de la futura felicidad bajo Felipe II, da la impresión de haberse escrito antes de la abdicación de Carlos V, cuando aquél era todavía príncipe, como se hace constar en el último verso y como corresponde a uno de los primeros cantos de un poema que sabemos empezó a escribirse varios años antes del retiro del Emperador. La segunda, en cambio, se dirige a don Felipe como ya reinante y es, además, la que sorprende por el atrevimiento y dureza de sus alusiones, como si pretendiera destacar cuánto distaban aún de cumplirse aquellas risueñas esperanzas. Es posible que nos encontremos, pues, con una interpolación realizada con posterioridad a 1556, como vehículo de una crítica sinuosa y deliberada. Un detalle así, que para nosotros resulta ser una trivialidad erudita, no podía pasar desapercibido por los contemporáneos, ni dejaría de ser maliciosamente comentado en los ambientes partidistas de la corte.

Es evidente que la aureola de heroísmo caballeresco que rodeaba al Emperador, así como sus altas dotes humanas, ahogaron en esto la antipatía de Zapata. Pero el rigor frío y retraído de la personalidad de don Felipe le hacía parecer como encarnación del autoritarismo regio sin ningún contrapeso de prestigios románticos. Aun así, el *Carlo famoso* es durísimo en su crítica de la política de imperialismo europeo, pues Zapata sentía una viva repugnancia contra todo aquel desgaste injustamente arrojado sobre las espaldas de España. Con semejante actitud damos pie, una vez más, en un pacifismo antiimperialista muy lógico en una mentalidad influida por Erasmo, si bien no conviene olvidar tampoco su carácter de profunda reacción nacional, compartida tanto por personas como por sectores sociales muy diversos, equivalentes a cuanto pudiéramos llamar conciencia española de la época [38]. Zapata dio libre cauce a este disgusto inmediatamente después de narrar con gran gala retórica la ceremonia de la coronación imperial en Bolonia, al iniciar el canto siguiente con el jarro de agua fría de estas reflexiones tan inesperadas:

> Assí España herró, que consultada
> por el Emperador si aceptaría
> de dársele el Imperio la embaxada,

---

[38] Recordemos a Hernán Cortés y su idea de un imperio español volcado hacia las Indias y desentendido de luchas europeas, las peticiones y exigencias aireadas cuando la contienda de las Comunidades y en las Cortes que las precedieron, el antiimperialismo de Las Casas, Vitoria y fray Antonio de Guevara, cada uno dentro de su propio matiz. La nobleza reunida en las tempestuosas Cortes de Toledo en 1538-1539, aconsejaba oficialmente al Emperador «la paz universal» y la residencia en el reino «para que S. M. descanse y todos los que están con él»; F. de Laiglesia, «Una crisis parlamentaria en 1538», *Estudios históricos (1515-1555)*, Madrid, 1908, pág 378. Incluso Cobos, el más fiel colaborador de don Carlos, tampoco veía con buenos ojos su política europea; Keniston, *Francisco de los Cobos*, pág. 333.

ella que lo hiciesse le pedía.
Porque si estar con quien lo era aliada
siempre por buena dicha lo tenía,
le sería esta ventura más extraña
que fuesse Emperador su Rey d'España.
Quánto ella se engañó verlo ha quienquiera
nuestros anales de aora rebolviendo,
que passar bien sin esto se pudiera,
la provincia mejor del mundo siendo.
Y España en sostener la carga fiera
del Imperio, ya andándose cayendo,
hundirá por aquesta Scilla ardiente
tantos cavallos, y oro, y tanta gente.
Se coronó pues Carlo, que si daño
para España será sola lo hecho,
para el Imperio mismo y todo el paño
del mundo esto será de gran provecho.
Con tal pastor tendrá todo el rebaño,
de mil lobos que havrá, seguro el pecho.
Lo que al hígado alegra, al baço daña,
por todo el orbe, pues, padezca España.

(XXXIII, f. 177 r.)

Tampoco calla Zapata ninguna de las pretendidas ingratitudes del Emperador hacia algunos de sus mejores servidores, como el marqués del Gasto (Canto XLIX) y el de Pescara (XXVII). La *Miscelánea* tampoco olvida insertar un ensayito sobre el mismo tema y donde el catálogo de víctimas ilustres añade los nombres de don Antonio de Padilla, Francisco de Eraso y el conde de Barajas *(Del disfavor,* pág. 466 y sigs.). La caída en desgracia de don Álvaro de Bazán le da pie para describir el disfavor como una especie de enfermedad mortal:

Nunca yo enfermo vea a quien bien quiero:
este mal es peor que pestilencia,
se pega al criado, al deudo, al compañero

y como ética es su calentura,
que consume, y deshaze, y tanto dura.
(XLIII, f. 223 v.)

A lo largo de la obra de Zapata encontramos tantos ataques a la conducta injusta de los príncipes que su enumeración exhaustiva llegaría a ser una serie monótona [39]. Las páginas finales del *Carlo famoso* contienen una súplica al favor de Felipe II, pero aun allí se entremezclan agrias ironías:

Y si antes invocar los dioses suelo
que sean en aspirar al son presente,
de vos, Rey (cuya fama llega al cielo)
vuestro favor invoco solamente.
No sé a ti, dios favor, por qu'en el suelo
levantado no te ha templo la gente,
pues más que a Apollo y Marte honrra hoy día
y tú hazes milagros cada día.
(XLIX, f. 271 v.)

La inquina contra el poder real se ensaña con aún mayor aspereza en las personas de los ministros y privados que lo detentan por delegación. La mala fe con que malsinan de los buenos es crimen merecedor de muerte, pues los reyes cometen por causa de ellos las mayores injusticias (XXXIV, f. 184 v.). A don Carlos se le reconoce el mérito de haber tenido a raya el poder de su privado Cobos:

---

[39] Merece la pena recordar, sin embargo, la acusación de perfidia en sus maneras de proceder con los consejeros, pues si las empresas salen mal descargan luego su ira sobre quien dio la traza, y si terminan bien no se acuerdan de él para nada (XVI, f. 86 v.). Los reyes cobran odio a los que muestran saber más que ellos, pues quisieran dominar no sólo a las personas, sino también sus entendimientos *(Miscelánea,* pág. 374). El capricho regio es el que fija el valor de la moneda, «Qu'en lo que la estima él es estimada» (XVIII, f. 94 v.). No hay límite alguno para sus arbitrariedades, pues los reyes «pueden hacer en sus reinos cuadrado de lo redondo y de lo redondo cuadrado» *(Miscelánea,* pág. 423).

... privado
del alto Emperador, pero no tanto
que pudiesse dél nadie ser dañado.
(XXX, f. 194 r.)

La muerte de un privado francés le causa evidente y maligno regocijo:

Entre los del Delphín muy más amados
a esta sazón aquí murió Andovino.
Le passó un arcabuz por los costados,
con toda su privança aquí mohíno.
Esto sólo les falta a los privados,
que pudiesse uno ser de sí adevino
o que fuesse entre tanta buena andança
a prueba de arcabuz tanta privança.
(XLVIII, f. 263 v.)

Su odio al absolutismo cesarista le conduce al atrevimiento de afirmar sin rastro de vacilación la licitud del tiranicidio:

Matar es caso illícito y nefario,
tal vez es cosa justa dar la muerte.
Para un malo, un ladrón o un cruel tyrano
las leyes dan las armas en la mano.
(XVIII, f. 95 v.)

La *Miscelánea* a su vez cuenta con regusto el asesinato de Enrique III de Francia, por haberse vuelto tirano con su inclinación a favorecer a los herejes (pág. 40). Y no menor audacia subyace en el concepto de no ser la dignidad real sino un cargo de servicio público, en nada diverso del que desempeñan los más despreciables oficiales del común estatal:

Se engaña el que ser rey por beneficio
lo toma: no lo es más qu'el pregonero [40],
sino un público cargo, un triste officio
d'estar de todo el mundo al miradero.

(XXXIV, f. 182 v.)

Al interés intrínseco de todo este radicalismo de Zapata se une el valor adicional de situarnos nuevamente sobre las huellas de lecturas de Erasmo. Apenas si hay obra de éste donde no se establezca, en todos los tonos y desde todos los puntos de vista, la negación del poder absoluto de los príncipes, estrechamente ligada además a un pobre concepto de la integridad personal de los de su época. Dicha doctrina se expone en obras que, como hemos visto, hubieron de ser manejadas por Zapata [41]. Sin embargo, el repudio del poder irresponsable y el pleno desarrollo de la idea contraria del príncipe como servidor de su reino constituye el espinazo teórico de la *Institutio principis christiani* [42], libro cuyo co-

---

[40] La dureza y agresividad de semejante crítica alcanza su cumbre de violencia en esta mención del pregonero, cargo considerado en aquella época como el más ínfimo y vil de la república, situado al mismo nivel que el verdugo. Recuérdese el sarcasmo del *Lazarillo* cuando éste confiesa hallarse en la cumbre de su buena fortuna ejerciendo tan despreciable menester.

[41] Así en *Stultitiae laus*: locura de los que desean ser príncipes sabiendo la obligación que tienen de servir y desvivirse por el beneficio del pueblo (IV, 479 BC); el príncipe al uso, en contraste con su deber primordial, resulta «publicorum commodorum pene hostem» (480 A). La *Querela Pacis* formula varias veces conceptos muy similares, y así el buen príncipe recapacita en sus soliloquios: «Princeps sum, negotium publicum, velim nolim, ago» (640 C); Dios «praecipit ut qui in suo populo sit Princeps, is ministrum agat, nec alia re praecellat aliis, nisi quod melior sit, et pluribus prosit» (631 D).

[42] Seleccionamos algunos puntos significativos: «Est mutuum inter Principem ac populum commercium. Tibi populum censum debet, debet obsequium, debet honorem. Esto, sed tu vicissim populo debes bonum ac vigilantem Principem. Cum exigis vectigal, a tuis veluti debitum, fac prius excutias temet ipsum, num illis officii tui vectigal

nocimiento por parte de Zapata parece también probable. Es allí, por ejemplo, donde pudo hallar una durísima condenación de las alteraciones arbitrarias del valor de la moneda, equiparadas sin paliativo al robo común y puestas años más tarde de tan triste actualidad por la endémica bancarrota de los Austrias[43]. En el caso del príncipe arbitrario y perjudicial al bien común, Erasmo se inclinaba, igual que Zapata, a la licitud del tiranicidio[44]. Por eso cuando éste enuncia en términos de tan cerril casticismo el concepto del Rey como servidor público, no hace sino terminar de identificarse con la más típica argumentación erasmista contra el cesarismo regio.

Se impone advertir, sin embargo, la parcialidad con que Zapata aprovecha a Erasmo, sin prestar la misma atención a la parte positiva de su teoría política, partidaria de una especie de pactismo de acento republicano e inspirado de hecho en las autonomías urbanas de los Países Bajos[45]. Cierto que cuando Zapata estuvo en Venecia, con otros caballeros del séquito de don Felipe, no tuvo sino admiración para

persolveris» (IV, 579 D). La misión del buen príncipe será «consulendum alienis commodis, propria negligenda» (580 B). El príncipe que recapacite sobre sus deberes se dirá: «At istud servire est, non regnare. Imo hoc pulcerrimum regnandi genus» (587 CD). «Omnia bonus Princeps publicis metitur commoditatibus, alioqui ne Princeps quidem fuerit» (609 B).

43 «In cudenda moneta bonus Princeps praestabit eam fidem, quam et Deo debet et populo, neque sibi permittet quod atrocissimis suppliciis punit in aliis. Hac in re quatuor ferme modis expilari populus solet... Primum ubi nomismatis materia mixtura quapiam vitiatur, deinde cum ponderi detrahitur, praeterea cum circumcisione minuitur, postremo cum aestimatione nunc intenditur, nunc remittitur, utcumque visum est Principis fisco conducere» (594 EF).

44 A. Renaudet, *Études érasmiennes (1521-1529)*, París, 1939, páginas 73 y 68.

45 Renaudet, *Études érasmiennes*, págs. 75 y 107-108. «Bona pars imperii, consensus est populi, ea res primo reges peperit» *(Institutio*, 609 B).

sus instituciones de gobierno oligárquico, donde todos se vigilan y contrapesan mutuamente para que ninguno concentre demasiado poder en sus manos. Sobre todo, como era de esperar, le encantó la solemnidad con que se reunía el Senado para elegir, con perfecto orden y escrúpulo, los oficiales públicos, aquella sala donde se reunían los tres mil patricios encanecidos que eran el auténtico tesoro de Venecia, por lamentable contraste con España, donde a tales personas «echan al muladar» (pág. 191), como nos dice con su habitual respirar por la herida de su rencor nobiliario.

Y, sin embargo, el movimiento de las Comunidades, de inspiración no muy distinta a la de la ideología política que tanto admiraba en un plano teórico, queda personificado en el *Carlo famoso* como un monstruo feroz llamado *Plebe,* como una revuelta demagógica repugnante a su criterio feudal en la misma medida que el cesarismo regio. Igual que su postura antibelicista, más enraizada en irreductibles cualidades temperamentales que en puro humanismo cristiano, su anacrónico sentimiento seleccionaba en Erasmo sólo aquello que hacía a su propósito.

ORDEN DE PRISIÓN

Cuanto hasta ahora llevamos observado puede ayudarnos a comprender un aspecto muy oscuro de la biografía de don Luis Zapata.

Felipe II ordena su prisión en junio de 1566. En septiembre de ese mismo año se le despoja simbólicamente de la insignia de la orden de Santiago en la fortaleza de Segura de la Sierra, donde queda preso bajo condiciones de increíble severidad que no se atenúan hasta pasados un par de años. Y en prisión, aunque relativamente cómoda, vivió durante más de veinte, casi hasta el final de su vida.

Todo este incidente biográfico de Zapata aparece lleno de aspectos confusos y detalles anómalos, como la concesión por el mismo Rey de una regiduría en Mérida al ordenar su libertad en 1592 [46]. Los documentos dan como causa del riguroso castigo, aunque no sin ciertas oscuridades [47], la vida disoluta que Zapata llevaba desde hacía años en Sevilla, donde juntamente con su amigote el conde de Gelves [48], esposo de la pobre amada del poeta Herrera, capitaneaba una pandilla de señoritos aristócratas dedicados a los placeres y a las diversiones escandalosas.

Pero el examen atento del *Carlo famoso* y un poco de atención a la cronología nos dan una perspectiva nueva sobre tan lamentable incidente. Con toda probabilidad, las órdenes de prisión debieron ser firmadas poco después de la aparición impresa del poema [49]. Y cuando ya conocemos sus

46 Juan Menéndez Pidal, *Discursos*, pág. 73. Los documentos hallados por A. Carrasco le muestran, sin embargo, en libertad desde el año 1590. Don Luis se encontraba agobiado de deudas, seguramente arrastradas desde sus alegres años sevillanos y «no pagaba a nadie». Desesperaba de alcanzar el premio de sus servicios y su «rencor» a Felipe II había sido amortiguado por el paso del tiempo; «Documentos de 1584 a 1595, relativos a don Luis Zapata de Chaves», págs. 334-335.

47 El primer documento sobre su prisión (20 de junio de 1566) la justifica en cierto juramento de don Luis ante un alguacil de casa y corte que motivó una investigación, como resultado de la cual se toma la extremosa medida. Sin embargo, otra cédula de 30 de agosto del mismo año le acusa de haber violado los estatutos de la orden de Santiago y haber cometido «grabes delitos y ecesos e perseverado en ellos muchos años con gran deservicio de Dios e perjuicio e desonor de su orden»; J. Menéndez Pidal, *Discursos*, pág. 62.

48 J. Menéndez Pidal comenta así la amistad de los dos aristócratas: «Semejaban estar cortados por el mismo patrón en ser manirrotos y desaforados, espadachines singulares y medianos poetas» *(Discursos*, pág. 50). Por Calvete de Estrella sabemos que, en cierto festejo cortesano celebrado en Bruselas, participaron ambos amigos disfrazados ¡de ninfas! *(El felicísimo viaje*, II, pág. 395).

49 La dedicatoria a Felipe II aparece firmada en Madrid el 1 de febrero de 1565. El 8 de marzo recibía el poema la aprobación de fray

muchas indiscreciones y soltura de lengua, se hace muy difícil no establecer una relación de causa a efecto entre ambos hechos. No es que haya, desde luego, el más leve motivo para dudar de que la vida privada de Zapata distara de ser un modelo, pero sabemos que esto era público desde hacía ya mucho tiempo. Por otra parte, cabe que nos preguntemos si tan riguroso era siempre don Felipe con todos los caballeros juerguistas de su tiempo. Y por lo que hace a don Luis: si fue capaz de escribir lo que escribió en octavas reales, ¿qué no diría en castiza prosa y en la confiada intimidad de sus francachelas sevillanas?

Nadie ha observado el interés que reviste la dedicatoria del poema a Felipe II, donde declara Zapata que varios años antes fue apartado, en contra de su voluntad, del servicio de éste y deja transparentar, además, que la obra ha sido escrita con la ilusión de recobrar el favor perdido[50]. En la misma dedicatoria nos da Zapata una valiosa indicación cronológica de su caída en desgracia. Nos asegura que permaneció durante veintiún años al servicio de don Felipe, y como sabemos con certeza que ingresó en la corte en 1535, a la edad de nueve años, podemos deducir que su despido se

Juan de Robles. En estas condiciones quedan más de quince meses hasta la fecha de la primera orden contra Zapata, tiempo más que suficiente para la impresión y puesta a la venta del poema.

50 «Y assí, después que la necesidad de servicio de tantos años me puso forçosamente en mi casa y mudé el agradable trabajo en un trabajoso descanso, lo que antes tenía por pasatiempo tomé por principal exercicio: y casi como atadas las manos por mis deudas para servir a V. M. en otra cosa (desseando servirle en todo) prov
é de servirle en algo». Más adelante insiste en que dedica su libro «al mejor que sé, a quien he dedicado mis años, mis servicios, mis trabajos y mis gastos (como quien desde su niñez no sabe otro viaje)». Pide luego al Rey que acepte la obra «por el desseo con que se hizo de servirle, acordándose que quien por no tener más possibilidad le dexó de servir, puede dezir que nunca salió de su servicio quanto en esto se ha ocupado».

produjo en 1556 [51]. Nos encontramos, por tanto, con que uno de los primeros actos de gobierno de Felipe II fue alejar de sí aquella personalidad humana que, tratada a fondo y soportada en la niñez y en la juventud, diríase hecha a propósito para contrastar con la suya.

Todo esto justifica perfectamente la obsesiva recurrencia del tema de la ingratitud y el disfavor de los príncipes, además del tono agresivo y sarcástico en que Zapata suele presentarlo [52]. Lo que sí nos sorprende es la enorme ingenuidad de éste, esperando volver a gracia después de aquellas alusiones que, por más que se contrapesaran con elogios retóricos, debieron de colmar el vaso del disfavor regio. Al final de su vida bromeaba don Luis acerca de su parecido con Ariosto hasta en lo mal pagados que ambos fueron por parte de quienes recibieron sus dedicatorias. La *Miscelánea* incluye además unos versos, contrahechos según otros de Sannazaro, donde se queja, bromeando, al Emperador y a Felipe II de cómo el único premio de sus desvelos poéticos fue el verse hecho *labrador* muy contra su voluntad [53]. Pero también otra obra de vejez, el inédito *Libro de cetrería,* se

---

[51] Zapata ingresó en la corte como paje de la Emperatriz y en julio de 1539 pasó a serlo del Príncipe, al ponérsele a éste casa; J. Menéndez Pidal, *Discursos,* pág. 14, nota. No hay en esto la menor contradicción con lo declarado por Zapata, pues estamos seguros de que al principio no se asignaron pajes al servicio de don Felipe y le servían, por turnos, los de su madre; March, *Niñez y juventud de Felipe II,* II, pág. 226.

[52] El canto L del *Carlo famoso* refiere una visita de Maximiliano de Austria al castillo del Desengaño, donde contempla las torturas que, como en un infierno alegórico, sufren los cortesanos y donde una de las peores resulta ser, naturalmente, el disfavor. El obligado acompañante comenta: «Señor, ¿no es gran locura destas greyes / querer más que a sí mismos a sus reyes?» (f. 281 v.).

[53] «Hízome vuestro valor / poeta e historiador, / tan gran materia a mí dada, / mas no lo teniendo en nada, / me habéis hecho labrador» (página 127).

apresuraba a declarar, con prudencia, que la lealtad a la real persona es ya suficiente premio de sí misma [54].

ZAPATA EN LA OBRA DE CERVANTES

Son frecuentes las ocasiones en que la obra de Cervantes parece acusar huellas bastante claras de una atenta lectura de Zapata. Semejante observación dista de constituir ninguna novedad, pues aparece ya insinuada por Juan Antonio Pellicer, en los albores mismos de la crítica cervantina. Tanto Rodríguez Marín como Schevill, Menéndez Pelayo, A. Cotarelo y A. González de Amezúa relacionan a Zapata con diversos pasajes del *Quijote* y las *Novelas ejemplares*. El estudio de tales relaciones dista, a pesar de ello, de haberse planteado nunca a fondo.

El conocimiento de Zapata por parte de Cervantes queda suficientemente atestiguado por el hecho de aparecer su *Carlo famoso* en la biblioteca de don Quijote, si bien es cierto que Cervantes padeció en aquel pasaje un doble *lapsus* de memoria al citarlo bajo un título aproximado («los hechos del Emperador») y atribuirlo al semihomónimo don Luis de Ávila, autor de un libro histórico sobre la guerra de Alemania [55]. A pesar de los que don Juan Menéndez Pidal califica-

54 Zapata se titula allí «criado del rey D. Phelipe segundo nuestro señor, mayor título que conde ni marqués, ni señor de grandes títulos»; J. Menéndez Pidal, *Discursos*, pág. 16, nota.

55 Luis de Ávila y Zúñiga, *Comentario de la guerra de Alemania*, Salamanca, 1549. Es evidente que la homonimia de los autores facilitó la confusión de Cervantes. Todos los comentaristas, incluso Rodríguez Marín en su primera edición, están de acuerdo, sin embargo, en reconocer que se pretendía aludir al *Carlo famoso*. Rodríguez Marín cambió de parecer años más tarde en la edición de 1947 (I, pág. 230), alegando su convicción personal de que Cervantes quiso realmente mencionar la obra de Ávila y Zúñiga y, sobre todo, que ese debía ser

ba de «tartajosos versos» de aquel poema, lamentó Cervantes que fuesen quemados por la excesiva diligencia del brazo seglar del ama, como si mostrara simpatía y deseo de salvarlo. Porque incluso en aquella obra fracasada surgen de vez en cuando la frase briosa y de buen corte, el dicho ingenioso y aun, cuando se deja de pretensiones de historiador irreprochable, algún fragmento excelente, como aquella batalla entre ratones y gatos (Canto XXIII) que debe incluirse entre los precursores de *La Gatomaquia.*

Es curioso que Cervantes parezca haber conocido, incluso, la versión de *El arte poética de Horacio,* impresa por Zapata en Lisboa en 1592, de donde casi textualmente procede el juicio sobre las traducciones expresado por don Quijote en la imprenta de Barcelona [56]. En cuanto a la *Miscelánea,* el hecho de haber permanecido inédita hasta 1859 indujo en el joven Rodríguez-Moñino cierta duda sobre la posibilidad de su conocimiento por Cervantes [57]. Ahora bien, es

también el criterio de Menéndez Pelayo, pues en la exposición de la Biblioteca Nacional para conmemorar el tercer centenario del *Quijote,* se incluyó el *Comentario* y no el *Carlo famoso.* Conserva, sin embargo, toda su validez lo observado en las anotaciones de Schevill (I, págs. 457-458) sobre mencionar allí Cervantes, sin la menor duda, un libro en verso y no una obra histórica en prosa, género que cae fuera de todo propósito del donoso y grande escrutinio. También J. Antonio Pellicer, en su edición del *Quijote* de Madrid, 1797, había razonado en sus notas la certeza virtual de una alusión al poema de Zapata (I, págs. 72-73).

56 Según don Quijote, «el traducir de una lengua en otra, como no sea de las reinas de las lenguas griega y latina, es como quien mira los tapices flamencos por el revés; que aunque se veen las figuras, son llenas de hilos que las escurecen, y no se veen con la lisura y tez de la haz» (2, 62). Zapata había opinado «que son los libros traduzidos tapicería del revés, que está allí la trama, la materia y las formas, colores y figuras como madera, y piedras por labrar faltas, y del lustre y de pulimento» *(El arte poética,* f. 2 r.).

57 Al comentar la burla del lavatorio de barbas: «¿Conocería el ingenio manchego la obra del extremeño? Seguramente no, y, sin embargo, ya se ve cómo coinciden» *(ed. cit.,* pág. 161).

precisamente esta obra la que ha suscitado la atención de los críticos como probable fuente cervantina, según la frecuencia y calidad de los paralelismos que ofrece. Por otra parte, la circulación de copias manuscritas seguía siendo intensa en el mundillo literario de aquella época, y hay buenos indicios de que era bastante activa en lo que se refiere a este género de libros. A. Cotarelo incluye entre las fuentes seguras de Cervantes esta *Miscelánea* «que corría manuscrita como otros libros curiosos y de donde parece haber sacado nuestro autor la mención del Escotillo y la idea del lavatorio de don Quijote» [58].

La vecindad de ciertos pasajes cervantinos a historias relatadas en la *Miscelánea* es tan clara que parece atestiguar una lectura muy cuidadosa. Tal es el caso de la broma de la enjabonadura de barbas gastada a Don Quijote por la servidumbre del castillo de los Duques, que reproduce con exactitud la que Zapata refiere como hecha a un embajador de Portugal en casa del conde de Benavente (págs. 114-115), quien lo mismo que el huésped de Don Quijote, en estricto paralelismo que a nuestro parecer dificulta una fuente oral, tiene también la delicadeza de atenuar la burla requiriendo para sí otro lavatorio (2, XXXII). La palmaria semejanza fue denunciada por Pellicer [59], a quien siguen en esto casi todos los comentaristas [60].

---

58 *Cervantes lector*, Madrid, 1943, pág. 108.

59 La burla relatada por Zapata es «casi idéntica con la de D. Quixote» y muy bien «pudo servir de original a Cervantes»; IV, pág. 379.

60 La única objeción al texto de Zapata como fuente inmediata de la broma de la jabonadura de barbas, ha sido formulada por Francisco Ayala en su estudio «Experiencia viva y creación poética (un problema del *Quijote*)», en *Experiencia e invención*, Madrid, 1960, páginas 79-103. Según el ilustre crítico, tanto Zapata como Cervantes elaboraban en este caso una materia oral preexistente, lo cual reduciría a simple coincidencia la innegada semejanza de ambos textos. En relación con dicha tesis es preciso observar, sin embargo, el ca-

Otro caso de semejanza evidente es un pasaje de la *Miscelánea* acerca de la rara asociación gremial de los ladrones de Sevilla, página que por muchas razones merece ser íntegramente transcrita:

> En Sevilla dicen que hay cofradía de ladrones, con su prior y cónsules como mercaderes. Hay depositario entre ellos en cuya casa se recojen los hurtos, y arca de tres llaves donde se echa lo que se hurta y lo que se vende, y sacan de allí para el gasto y para cohechar lo que pueden para su remedio cuando se ven en aprieto. Son muy recatados en reçibir que sean hombres esforçados y ligeros, cristianos viejos. No acogen sino a criados de hombres poderosos y favoreçidos en la ciudad [y] ministros de justicia. Y lo primero que juran es esto: que aunque los hagan cuartos pasarán su trabajo, más no descubrirán los compañeros. Y ansí cuando entre gente de una casa falta algo, que dicen que el diablo lo llevó, levántanselo al diablo, que no lo llevó sino alguno de estos. Y de haber la cofradía es cierto, y durará mucho más que la señoría de Veneçia, porque aunque la justicia entresaca algunos desdichados nunca ha llegado al cabo de la hebra (págs. 49-50).

La extraordinaria importancia del texto fue también señalada por Pellicer, y recientemente ha insistido González de Amezúa en su valor de «antecedente histórico y real» del *Rinconete*[61]. Para nosotros el pasaje no es una nota ambiental, ilustradora de la inspiración del *Rinconete* en la realidad sevillana, sino un paradigma exacto de la línea de caracterización seguida por Cervantes al ocuparse de la virtuosa cofradía de Monipodio, según veremos más adelante.

---

rácter postulado de la posible tradición oral, así como la escasa fuerza del argumento básico, según el cual si Cervantes se hubiera basado en Zapata no hubiera dejado de reconocer la deuda de una manera más o menos explícita (pág. 83).

[61] *Cervantes, creador de la novela corta española,* II, pág. 87.

Las obras de Zapata constituyen también eslabones no despreciables en la transmisión de ciertos temas reelaborados en el *Quijote*. Aunque desmedrado y ramplón, contiene la *Miscelánea* un discursillo de las armas y las letras (página 139) que, si bien no constituye una auténtica fuente[62], sí pudo avivar en Cervantes, ya en vísperas de escribir la primera parte del *Quijote*, la idea de servirse del tema y refrescar viejas lecturas. La reflexión sobre el tema de la Edad de Oro tiene también un destello en la *Miscelánea* (pág. 292), pero en el *Carlo famoso* había sido tratada a fondo, en octavas bien trazadas y que ofrecen parentesco no lejano con el discurso a los cabreros:

> Dichosos fueron bien los que nacieron
> en aquella hermosa edad dorada,
> quando aunque en abundancia lo tuvieron
> la plata no tenían ni el oro en nada.
> La tierra más les dio que le pidieron,
> no por fuerza como hoy, sino rogada,
> y sin tantas astucias tan malinas
> sudavan miel y leche las enzinas.
> Ni se havía suertes hecho y dividido,
> de todos y de nadie era la tierra,
> ni havía pena ni ley, ni el cruel sonido
> de aquesta bestia fiera de la guerra,
> que sobr'este mío y tuyo, un apellido
> que el hombre los sentidos tapa y cierra,
> a se despedaçar tan diligentes,
> lo que leones no hazen, van las gentes.
>
> (XXII, f. 116 r.)

---

62 Zapata trata el tema someramente. Lo mismo que en el caso de la Edad de Oro, había sido objeto de tal manejo tópico en la literatura humanista que se hace muy difícil la identificación de fuentes concretas. Y en este caso el peso de Zapata es leve frente al de una larga tradición en la que no cabía pequeña parte a fray Antonio de Guevara; Américo Castro, *El pensamiento de Cervantes*, Madrid, 1925, págs. 214 y sigs.

En general, los recuerdos del *Carlo* se transparentan también claramente a todo lo largo del *Quijote,* como se advierte, por ejemplo, en la desgracia sufrida por Sancho en la montería de los duques (2, 34). Asustado por la llegada de un jabalí, Sancho se encarama en una encina cuyas ramas se desgajan con su peso y le dejan suspendido por los faldones del sayo verde que le habían dado para asistir a la cacería. En el *Carlo famoso* (XLI, f. 218 r.) es el poeta Garcilaso de la Vega quien encuentra a un escudero suyo en el mismo apurado e inglorioso trance, después de haber desbaratado él solo a unos bandidos que les asaltaron en un camino. Exactamente igual, tanto Garcilaso como don Quijote descuelgan a sus medrosos escuderos y éstos obtienen, como consolación por el susto, un regalo de vestidos: Sancho, el sayo verde de los duques, y el de Garcilaso, las ropas de uno de los salteadores vencidos.

Aunque el catálogo de los ejércitos de la aventura de los rebaños (1, 18) tiene indudables relaciones con un pasaje de la *Eneida* y con reminiscencias de Juan de Mena [63], es, sin embargo, posible que coadyuvaran en la memoria de Cervantes unas octavas del *Carlo* en que, por orden del Emperador, se explican al duque de Saboya las divisas y banderas del vasto ejército con que va a iniciarse la invasión de Francia en 1536 (XLI, f. 218 v. y sigs.). El recuerdo del *Carlo famoso* cuadraría muy bien con las intenciones irónicas hacia la ampulosidad de las epopeyas renacentistas que la acertada intuición de María Rosa Lida había anticipado en su comentario de este pasaje [64].

---

[63] Véase A. Marasso, *Cervantes,* Buenos Aires, 1947, págs. 21 y sigs. También María Rosa Lida, *Juan de Mena, poeta del prerrenacimiento español,* México, 1950, págs. 520-521.

[64] Los epítetos pomposos «a través del recuerdo más o menos impreciso del Prohemio, lanzan también sus tiros, tanto como a los libros de caballerías, a las epopeyas renacentistas, 'libros mentirosos'

En el *Carlo* encontramos también la historia del viaje aéreo del mágico Torralba para presenciar, con auxilio diabólico, el saco de Roma (XXX, f. 165 v. y sigs.), según lo recuerda don Quijote para esforzar a Sancho durante el imaginario vuelo sobre las duras espaldas de Clavileño (2, 41)[65].

El repaso atento de Zapata va sugiriendo de continuo una gran diversidad de motivos familiares en la obra cervantina. Y así damos en el *Carlo* con un buen ejemplo de escudero que, tras la aventura victoriosa de su señor, se ve espléndidamente recompensado con el señorío de un castillo (XVIII, f. 93 r.). En la *Miscelánea* (pág. 395) se nos denuncia también, en una graciosa historia, aquella costumbre de descontar las libreas del salario de los criados, muy parecida a la que don Quijote calificó de «notable espilorchería» cuando supo de ella por boca del paje cuya necesidad empujaba a la guerra (2, 24). La *Miscelánea* nos brinda igualmente cuentecillos de padrinos de duelos que deciden luchar al mismo tiempo que los desafiados (págs. 175 y 469), según proponía el escudero del de los Espejos (2, 14). Cuentos de chuscas bromas gastadas a la ronda nocturna, como alguna de las aventuras de Sancho en la vigilancia de su ínsula[66]. La noticia sobre

---

de forma más elaborada aunque de pensamiento inmóvilmente tradicional»; *Juan de Mena*, págs. 521-522. También A. H. Krappe, «La fuente clásica de Miguel de Cervantes *Don Quijote*, primera parte, capítulo XVIII», *The Romanic Review*, XX, 1929, págs. 42-43. Téngase en cuenta, además, que el pasaje citado de Zapata no deja de ser, a su vez, sino otro eco de la *Eneida*, modelo supremo del *Carlo* según confesión de su autor.

65 Véase R. Schevill, «El episodio de Clavileño», *Estudios eruditos in memoriam de Adolfo Bonilla y San Martín*, Madrid, 1927, I, páginas 115-125. También Joseph E. Gillet, «Clavileño: su fuente directa y sus orígenes primitivos», *Anales Cervantinos*, VI, 1957, págs. 251-255.

66 *Miscelánea*, págs. 264 y 390. Ambas tienen cierto parecido con las divertidas incidencias de la ronda nocturna de Sancho (2, 49). La primera de ellas, hábilmente contada por Zapata, bien podría ser un recuerdo autobiográfico de su traviesa vida sevillana.

aquel caballero cortesano que enloqueció repentinamente y dio en imitar la locura de Orlando (pág. 91), texto cuya importancia no pasó desapercibida para Menéndez Pelayo[67]. Una anécdota de tahúres que se juegan un caballo pedazo a pedazo, hasta perder incluso la cola (pág. 264), queda hasta el momento como fuente la más probable del lance similar de que es protagonista el Carriazo de *La ilustre fregona*[68].

Una de estas coincidencias temáticas de la *Miscelánea* resulta de excepcional relieve por explicar a la perfección un divertido pormenor de *La tía fingida.* Se trata de los lamentos de la falsa doña Claudia cuando, en su comedia de respetabilidad, invoca el desamparo de las honradas viudas y cuán distintas serían las cosas si le viviera su buen marido don Juan de Bracamonte. Según Zapata *(De cosas notables de un caballero,* pág. 313 y sigs.) fue este don Juan de Bracamonte un caballero rico y de alto estado desaforadamente forzudo y valentón, bien conocido por tal en Salamanca y de tan malas pulgas «que a un criado suyo que le enojó una vez, le dio tan gran bofetón, que le dejó sordo por toda su vida, que nunca oyó más». Las dudas de A. Bonilla para identificar a este personaje entre varios homónimos carecen por completo de peso[69], pues únicamente este Bracamonte bestial y de pelo en pecho da plenitud de significación cómica a los aspavientos de la famosa alcahueta.

La crítica sobre *El celoso extremeño* deberá tomar en cuenta en lo sucesivo una noticia de aspecto trivial conteni-

---

67 *Miscelánea,* pág. 91. Comentario de Cervantes en «Cultura literaria de Miguel de Cervantes y elaboración del *Quijote*», en *Estudios y discursos de crítica histórica y literaria,* Santander, 1941, I, pág. 351.

68 *Miscelánea,* pág. 264. González de Amezúa rechaza, correctamente a nuestro entender, el intento de Gallardo de relacionar el cuento de la cola del asno con otro bastante distinto contenido en *El Patrañuelo* de Timoneda; *Cervantes, creador de la novela corta española,* II, página 314.

69 *Cervantes y su obra,* Madrid, 1916, pág. 190.

da también en la *Miscelánea.* A. Castro notó ya la escasa simpatía de Cervantes hacia Felipe II y señaló con perspicacia cómo la figura del triste Carrizales parece recoger algunos de los rasgos de carácter y rumores negativos que atribuían al Rey las habladurías de la época[70]. Resulta, por tanto, curioso que, cuando Zapata redacta el catálogo de las beneméritas invenciones debidas al caletre de don Felipe, anote cuidadosamente que éste ha introducido la precaución de tener «llaves maestras con que sobrecierra y abre todas las puertas de sus reales casas» (pág. 359). Dicho rasgo de desconfianza suma verosimilitud a la tesis de Castro, sobre todo por proceder de obra que ofrece tan larga serie de contactos con la de Cervantes. Y más aún si se recuerda el papel que en la estructura de la novela asume precisamente la llave maestra del «harén monógamo», pormenor de los más importantes

70 «*El Celoso extremeño* de Cervantes», *Hacia Cervantes,* Madrid, 1960, pág. 329. A los datos allí recogidos por Américo Castro sobre habladurías contemporáneas ligadas, con razón o sin ella, al triste fin del príncipe don Carlos, cabe allegar alguno más sacado, precisamente, de estos libros misceláneos que con tanto desenfado reflejaban el ambiente de opinión. En uno de ellos titulado *Floreto,* y cuyo autor también estaba familiarizado con Erasmo, se cuenta que poco después de haber sido sepultado don Carlos en Santo Domingo de Madrid se encontraron sobre su tumba estos versos: «Aquí yaze la verdad / a quien el mundo cruel / mató sin enfermedad / porque no reinase en él / sino mentira y maldad»; *Floreto de anécdotas y noticias diversas que recopiló un fraile dominico residente en Sevilla a mediados del siglo XVI,* ed. F. J. Sánchez Cantón, Real Academia de la Historia, Memorial Histórico Español, Madrid, 1948, pág. 220. Merece la pena destacar que la obra de Zapata se agrupa, juntamente con la *Silva Palentina* del Arcediano del Alcor y este anónimo *Floreto,* en una tríada de libros misceláneos escritos bajo el signo de una gran libertad intelectual y que han permanecido inéditos hasta fechas recientes. Buen indicio de que todos estos libros circulaban bastante en copias manuscritas es que el mismo Zapata produzca la impresión, en ciertas repeticiones características, de que no ignoraba a estos dos antecesores. Se trata de un aspecto interesante que no podemos abordar aquí.

en el proceso de caracterización de los monstruosos celos de Carrizales.

CERVANTES ANTE EL GÉNERO MISCELÁNEO

El erudito franciscano fray Juan de Pineda[71] publicaba en Salamanca el año 1589 su extensa miscelánea titulada *Diálogos familiares de la agricultura cristiana.* Se discute en ella *de omni re scibili,* en el íntimo frescor de una casa sevillana, bajo la reconocida autoridad de Filaletes, sapientísimo filósofo y sacerdote en los umbrales de su senectud. Hácenle tertulia el joven Pánfilo, virtuoso estudiante y caballero; el viejo soldado Policronio, hombre sin muchas letras pero de gran sensatez y experiencia, y el gárrulo Filótimo, médico de escasa clientela que a menudo da que reír a los amigos con sus salidas de tono y la presuntuosa vanidad que expresa su nombre. Este atolondrado personaje relata en uno de los primeros diálogos la donosa historia de sus estudios y de cómo vino a dejar la teología por la medicina:

> Yo cursé primero bien en teología, y, oponiéndome a beneficios, nunca me dieron alguno y me moría de hambre; y por remediarme cursé otros tres años en medicina hasta graduarme de bachiller, y, por no tener caudal para la costa del licenciamiento, quiso Dios que topé con un conde palatino, tan ham-

---

71 Había nacido sobre 1521, sin que se conozca bien su oriundez y nada de su linaje, y falleció en 1599. Se distinguió como predicador y fue guardián en Salamanca. Autor de varias obras de gran erudición histórica en las que menudean las citas de Erasmo, Vives, Vatablo y el doctor Laguna. No le faltaron sinsabores dentro de su Orden, y la Inquisición (a la que veladamente alude con sarcasmos) parece que le molestó en varias ocasiones y llegó a quemar algunas de sus obras; véase el estudio preliminar de J. Meseguer Fernández, O. F. M., a su edición de los *Diálogos familiares de la agricultura cristiana,* Nueva Biblioteca de Autores Españoles, 5 vols., Madrid, 1963-1964.

> briento como yo, en la venta de la Palomera, y convidéle a un lomo costil y a una bota de vino de Robleda de Chavela, y allí me graduó de licenciado delante de los venteros y de dos recueros, y tocaron la campana que tienen en la chimenea para llamar con ella a los descarriados en tiempo de nieves; y después he ganado bien de comer [72].

La graciosa manera que tuvo este Filótimo de investirse licenciado es buen ejemplo, con su gracia y buenos detalles, de las animadas viñetas o miniaturas de acento novelístico que suelen presentarse en los libros misceláneos. Cosas así no pasaban desapercibidas ante el ojo avezado de Cervantes, que capta un mundo de posibilidades en esa apertura de la narración a un reflejo de la compleja realidad humana exento de ningún dogmatismo literario. Pasarán los años y la chusca confidencia de Filótimo será maravillosamente reelaborada en la escena de la armazón de caballería (una de las que hasta ahora carecen de fuente definida). El apicarado ventero administra el sacramental caballeresco igual que el famélico y sediento conde palatino la investidura del grado universitario: en ambos casos queda por los suelos del humor el prestigio de ambas pomposas ceremonias. Las mozas del partido sustituyen a los arrieros en su misión de testigos, aunque, como sabemos, tampoco se hallan éstos sino a unos pasos de don Quijote, con sus cabezas mal lañadas. La solemnidad de repicar la esquila normalmente dedicada a menesteres harto más prosaicos desarrollará en Cervantes el delicioso tratamiento verista de otras circunstancias de función similar: el libro de asentar el pienso de las bestias, el cabo de vela, el rezo entre dientes. A primera vista sólo se trata de un consciente tratamiento de ampliación ejercido con la más consumada destreza. Pero, aun así, la verda-

---

72 *Diálogos familiares*, I, pág. 19.

dera medida del esfuerzo creador cervantino es de orden muy superior y totalmente insospechado para los autores de misceláneas. Su arte no es el de mejorar y sacar brillo al material anecdótico, sino el de incorporarlo, con toda su verdad y frescura, a un proceso literario de infinita complejidad. La empresa titánica de encender una hoguera con lo que antes sólo alcanzaba a producir efímeros chispazos: centenares de páginas en el espíritu que antes se agotaba en un puñado de líneas. La diferencia entre un modo de obtención industrial y uno de laboratorio.

Nada disminuye con ello el valor de los libros misceláneos en cuanto subsuelo ideológico y literario de la novelística cervantina. El afán por conocer el hombre como naturaleza y como historia constituía allí por primera vez un fin en sí mismo y por eso ofrecían a Cervantes tanto un asidero como un estímulo a la superación. En el caso particular de España representaban además aquellos libros casi la única ventana abierta a los vientos del espíritu investigador, esa fiebre agridulce de la curiosidad exacerbada y fáustica que el humanista Francisco de Thámara acertó a expresar en su prólogo a la traducción de Polidoro Virgilio (Amberes, 1550), otro de los libros misceláneos sin duda conocidos por Cervantes [73]:

> Nuestro ánimo y entendimiento nunca se satisface de cosa deste mundo, nunca se harta, nunca se contenta, siempre está hambriento, siempre dessabrido, siempre descontento, continuamente desea más, espera más, procura más. Y de aquí proviene que nunca haze sino inquirir, investigar, ymaginar y pensar cosas nuevas, inauditas y nunca vistas, y en la ynquisición, in-

[73] Nada menos que un *Suplemento* a este libro planeaba escribir el Primo acompañante en el viaje a la cueva de Montesinos (2, 22). Aunque la idea del estudiantón no puede ser más ridícula, la burla no apunta tanto a una crítica del género como a la vana y frívola erudición de acarreo, uno de los motivos favoritos del *Quijote*.

vención y conoscimiento dellas se macera y aflige, hasta que al fin, acertando o errando, cayendo o tropezando, o como mejor puede, halla y alcança lo que quiere [74].

¿Cómo no había, pues, Cervantes de interesarse en este género de las misceláneas? Ya sabemos el tributo que le rindió en su *Licenciado Vidriera,* pero el *Persiles* nos hace además la confidencia de que entre los propósitos inconclusos de su vejez quedó también el de un libro misceláneo que dudaba en bautizar bajo los sonoros títulos de *Flor de aforismos peregrinos* o *Historia peregrina sacada de diversos autores* (Libro IV, cc. I y II), y del que, buen conocedor del mercado, esperaba segura ganancia. Se ha tardado mucho en comprender la importancia que los ideales de libertad y universalidad literaria, tan propios y exclusivos del género misceláneo, tenían que revestir para la novelística cervantina. Pero ahí tenemos ese elogio de la literatura de ficción en que, a pesar de su rigidez mental, tiene que desembocar el Canónigo, reconociendo el «largo y espacioso campo» que ésta ofrece precisamente para que «un buen entendimiento» entre y salga por todas las provincias de la experiencia y saber humanos: «Ya puede mostrarse astrólogo, ya cosmógrafo excelente, ya músico, ya inteligente en las materias de estado, y tal vez le vendrá ocasión de mostrarse nigromante, si quisiere» (1, 47). Hasta un ingenio no muy despejado, aunque tampoco vulgar, como don Luis Zapata, había escrito un libro del más deleitoso mariposeo por la cosmografía, la música, la política y otras mil zarandajas, con única excepción, tal vez, de la nigromancia, y ese era el único sentido en que Cervantes podía reflejar la idea aristotélica, conser-

---

[74] Citado por J. A. Maravall, «La estimación de lo nuevo en la cultura española», *Cuadernos Hispanoamericanos,* núm. 170, febrero 1964, página 220. La obra de Polidoro Virgilio figuraba en los índices de la Inquisición.

vadora, del poeta como sabio enciclopédico. «Mi intento ha sido poner en la plaça de nuestra república una mesa de trucos, donde cada uno pueda llegar a entretenerse, sin daño de barras», pero estas juguetonas palabras no proceden de la *Miscelánea,* sino del prólogo de las *Novelas ejemplares.* Estamos, en uno y otro caso, ante diversos grados de la expansión de un mundo intelectual en sus correlatos literarios. Vemos y palpamos en todo ello la misma revolución que produjo el desarrollo de la ciencia experimental y físico-matemática; la única, claro está, con que pucde hermanar el fenómeno de conjunto de la novela moderna. Si hay algún título ampliamente merecido por Miguel de Cervantes, es el de haber sido también el Galileo de la literatura occidental.

LA COHERENCIA HISTÓRICO-LITERARIA

Las semejanzas que acercan a los dos escritores no son únicamente coincidencias temáticas o el aprovechamiento de materiales extraídos de Zapata. Los paralelismos estudiados hasta el momento no dan pie, por sí solos, para ninguna consideración más sustanciosa que la prueba, si bien fundamental, de la atención prestada por Cervantes a la obra del caballero extremeño. Pero tales afinidades han de entenderse además como efecto de un sentido literario más profundo.

Debemos reparar también, para pisar terreno más firme, en otras semejanzas de carácter conceptual que se multiplican a medida que zahondamos en ambas obras. A esta categoría pertenecen, por ejemplo, el aborrecimiento que uno y otro profesan a las armas de fuego [75] y la común actitud

---

75 Recuérdese la dura condenación en el discurso de las armas y las letras: «Bien hayan aquellos benditos siglos que carecieron de la espantable furia de aquestos endemoniados instrumentos de la arti-

de interés por el estado de locura, enmarcado por ambos ingenios en un enfoque bastante similar[76]. No creemos que en estos casos, ni en otros por el estilo, haya por qué hablar de una *influencia* de Zapata sobre Cervantes, pues la coincidencia es harto explicable en razón del compartido enraizar en una típica ideología erasmista[77]. Y este tipo de confluen-

llería, a cuyo inventor tengo para mí que en el infierno se le está dando el premio a su diabólica invención, con la cual dio causa que un infame y cobarde brazo quite la vida a un valeroso caballero, y que, sin saber cómo o por dónde, en la mitad del coraje y brío que enciende y anima a los valientes pechos, llega una desmandada bala (disparada de quien quizá huyó y se espantó del resplandor que hizo el fuego al disparar de la maldita máquina), y corta y acaba en un instante los pensamientos y vida de quien la merecía gozar luengos siglos» (1, 38). En la misma ocasión se lamentaba también don Quijote de cuánto resfriaba su ánimo caballeresco el pensar que vivía en una época tan detestable en que «la pólvora y el estaño» podían impedirle en cualquier momento hacerse famoso por el valor de su brazo. Zapata se lamenta en el *Carlo* de que «no mira la espantable artillería / al linage, a valor ni a hermosura» (XLVIII, f. 265 v.). La muerte de Bayarte por un soldado español, escondido tras un vallado y cojo por más señas, le arranca una imprecación similar a las de Cervantes: «¡O mísero exercicio de la guerra, / a cuánta desventura has ya venido! / ¡Que una onça de pelota, otra de tierra, / que assí llamar la pólvora he querido, / todo el ser y el valor ponga por tierra / con que un gran caballero haya nacido, / ni haya tan fuerte pecho o braço como / assí un poco de pólvora y de plomo!» (XX, f. 106 v.).

76 La *Miscelánea* se ocupa en varias ocasiones de la locura fingida (págs. 246 y 116). Mayor importancia tiene, sin embargo, su neta precisión de los conceptos de necedad y locura (págs. 92 y 343) por su afinidad con las mismas ideas en Cervantes, derivadas a su vez de Erasmo en ciertos aspectos decisivos (Vilanova, *Erasmo y Cervantes*, páginas 42 y sigs.).

77 El aborrecimiento de las armas de fuego, que han llevado a las guerras de su tiempo al extremo de crueldad más incompatible con la dignidad humana, es una de las razones que Erasmo expone cada vez que roza el tema pacifista. Así, en *Dulce bellum inexpertis*, 954 D, y *Querela Pacis*, 634 A (es increíble que los hombres hayan sido capaces de inventar arma tan malvada como el cañón y que los cristianos lo usen en sus guerras) y 640 F (repite la misma idea y se in-

cias sí que nos resulta valioso, en cuanto nos proporciona prueba sólida y tangible de la afinidad intelectual de ambos, hermanándolos en el mismo momento evolutivo de una tradición humanista complicada por el activo fermento de un cristianismo renovador. Algo que en aquellos días implicaba

---

digna de quc las piezas de artillería se bauticen con nombres de apóstoles). Su forma habitual de mencionar lo que Cervantes llama «diabólica invención» y «maldita máquina», es mediante el epíteto «tartareas machinas». El matemático Tartaglia manifestaba ya en 1537 los escrúpulos de conciencia que le asaltaban al aplicar sus conocimientos al estudio de la balística. Es curioso que tanto J. A. Maravall en *Humanismo de las armas en don Quijote,* Madrid, 1948, páginas 109 y sigs., como J. E. Gillet en *Propalladia and Other Works of Bartolomé de Torres Naharro,* Bryn Mawr, 1961, IV, págs. 310 y sigs., que estudian los detalles de la fobia artillera entre nuestros humanistas, no hayan advertido la fundamental ligazón de este tema con el pacifismo de Erasmo. Añadamos, de paso, que no hay motivo alguno para suponer ninguna oposición de Cervantes a las ideas del *Dulce bellum inexpertis,* según llega a insinuar Ramírez («Los *Adagia* de Erasmo en los sermones de Fr. Alonso de Cabrera», pág. 35). La defensa de las armas frente a las letras no equivalía para Cervantes a un menosprecio de paz y alabanza de guerra, sino que implicaba más bien una evocación añorante del ya anacrónico ideal caballeresco, lo cual podía de hecho ir ligado (como ilustra el caso idéntico de Zapata) a simpatías pacifistas. No es sólo en *El licenciado Vidriera* donde Cervantes traza una pintura negativa de la guerra y la milicia de su tiempo, pues la misma actitud condenatoria es perceptible en la compasión e irónicos consuelos prodigados al mancebo empujado a las armas por el hambre y la miseria (2, 24). El mismo valor de repudio alcanzan las expresiones de aborrecimiento y desprecio hacia las armas de fuego, cuya inserción en el discurso de las armas y las letras parece traída allí como advertencia expresa contra cualquier interpretación en el sentido de alguna simpatía belicista. Téngase en cuenta que el tema pacifista es uno de los más constantes en la obra cervantina, pues aparece ya perfectamente configurado en la diatriba de Aurelio en *El trato de Argel* (jornada segunda), que califica a la «hambrienta, despiadada guerra» como el mayor de los males que han puesto fin a la Edad de Oro. Dicho fragmento constituye excelente prueba virtual de cómo Cervantes se halla familiarizado con el pensamiento erasmista desde los comienzos mismos de su carrera literaria.

en España no sólo una fisonomía intelectual peculiar, sino que ofrecía, además, ciertos visos de lo que hoy llamaríamos *engagement* de notables consecuencias en el plano literario. Al llegar a este punto comenzamos a dar pie en una amplia coherencia que envuelve múltiples aspectos de ambas obras, desde los puramente técnicos hasta los de cimentación ideológica, y que nos da razón también de la significativa coincidencia en una teoría literaria compartida hasta el detalle.

No quiere decir todo esto, claro está, que la obra de Zapata sea comparable en valor artístico con la de Cervantes, sino que ambas proceden de una coyuntura histórico-literaria cuya significación merece ser meditada. Porque a través de esa coherencia advertimos la madurez que iba alcanzando a fines del siglo XVI la búsqueda de una literatura de imaginación marcada por la amplitud y por la libertad. La aparición en España de los primeros destellos de la novela moderna, así como de sus primeras obras maestras, constituye un fenómeno literario a cuya gran complejidad contribuyeron muchos factores. Pero una de las fuerzas que impulsaban en ese sentido, como ilustra bien el caso de Zapata, era la tradición o la novedad (según queramos apreciarla) del apotegma erasmista encarnada por el libro misceláneo.

El análisis y la crítica libre y objetiva del tema del hombre habían adquirido, en el curso de pocos años, ese acento complejo y sutil que, en lucha con lo indefinible, llamamos *modernidad* y cuya expresión literaria no se hallaba prevista, como era lógico, ni por la teoría ni por la práctica de los antiguos. Todos los conceptos literarios preexistentes resultaban irremediablemente rígidos y estrechos, pues ninguno ofrecía los moldes genéricos capaces de embalsar semejante marejada. De ahí el desarrollo de modalidades radicalmente nuevas dentro del campo de la literatura imaginada, en que casi todo estaba por hacer y en el que, por naturaleza, casi no había fronteras. Damos aquí, además, con la razón última de la profunda afinidad y aparición simultánea del ensayo y de la novela. Porque la alternativa literaria de ésta era el libre juego con las ideas, es decir, el ensayo. No era éste sino la otra gran posibilidad latente en el libro misceláneo, que los franceses supieron beneficiar a fondo [78], mientras que los españoles tuvieron que concentrarse en la tarea más sutilmente artística de crear la novela moderna, en que el mismo espíritu de libre encuesta intelectual se aplicaba al estudio del individuo, de la objetividad de ambientes y situaciones humanas, explosivos algo menos peligrosos al parecer. Para apreciar la vigencia de tales supuestos y el camino recorrido ya en la primera mitad del siglo XVI, no hay nada mejor que advertir cuánto distan todos los *novellieri* italianos de acercarse a la sutileza de la novela moderna: ver cómo el *novum organum* de la penetración sicológica permanece en aquéllos todavía lastrado por una crudeza medieval (demasiado resentida del *fabliau)* que los confina a las cuatro paredes de narradores de *furberie.* Por contraste, nos encontramos con que lo mismo los autores de libros misceláneos, el autor del *Lazarillo,* Rabelais y Cervantes eran espíritus firmemente asentados en la vanguardia intelectual de los nuevos tiempos.

---

78 En esto no hemos de ver sólo un juego de condicionantes externos (ambiente de represión intelectual en España, frente a otro de mayor liberalismo en Francia). En conjunto se imponían rumbos señalados por la peculiar brújula estética de ambas literaturas. Es evidente que la tendencia novelística no atrajo en Francia a las mejores plumas, lo mismo que el ensayo no llegó entre nosotros a constituir un foco decisivo de la inventiva literaria de la época. Lo más importante que Francia produjo en el campo de la literatura imaginada, la obra espléndida de Rabelais, dista de constituir un empuje en el sentido de la novela moderna tal como iba a moldearla Cervantes. El lado fuerte de Rabelais sigue siendo un arte maravilloso para el juego con ideas, para la propaganda intelectual.

Es ahora cuando estamos en condiciones de comprender bien la presencia de Zapata en la obra de Cervantes en cuanto, aun a nivel muy inferior, prefiguraba el *dandy* extremeño alguno de los aspectos íntimos de su propio arte. No conviene pasar adelante sin el estudio de un caso ilustrador, y para ello sirve bien el párrafo atrás citado (pág. 161) en relación con el tema de la cofradía de Monipodio. El breve fragmento permite observar la manera como una técnica hábil está a punto de transformar ya la noticia en un esbozo novelístico. Y así, el hincapié en el detalle de la burocratización de la maleante hermandad basta para sugerir una curiosidad humorística en la sicología, necesariamente estrafalaria, de semejantes personajes. La mención de los formularios cumplimientos con los requisitos de la honorabilidad acumula tras sí una intensa ironía; la exigencia de limpieza de sangre, detalle obviamente inventado y de claro propósito caricaturesco, acaba de servir a Zapata para dejar en el aire cierta sospecha sobre el valor real de unas conveniencias sociales que pueden ser compatibles con el ejercicio profesional del crimen. Se impone advertir, por último, el especial relieve con que se denuncia la connivencia de la justicia, hábil y risueñamente insinuada mediante el recuerdo solemne de la señoría de Venecia y, sobre todo, por la cargazón expresiva del verbo *entresacar*. Cabe advertir así no ya la profunda semejanza temática del *Rinconete,* sino la forma como este fragmento reúne en apretado haz todos los motivos fundamentales de la novela ejemplar. Era, pues, muy natural que despertara en Cervantes el gusanillo de usar como plan de novela una materia que sólo necesitaba para serlo el visualizarse a través de una sencilla trama [79]. Apenas si cabe

[79] Nos referimos aquí a un aspecto parcial, aunque importante, de su génesis en lo relativo al armazón temático ofrecido por la cofradía de Monipodio.

imaginar procedimiento creador más normal ni tampoco más indiferente a la pura *noticia* sobre el gremio de ladrones que Cervantes pudiera haber escuchado en cualquier plazuela o bodegón sevillano.

Podemos comprender también cómo Zapata, aunque escribiese demasiados versos malos, experimentaba a veces con su prosa dentro de terreno virgen, donde su despreocupación y limitado talento le impedían escalar las cumbres que el alcalaíno remontaba fácilmente con sus fuertes alas de genio. Si a partir de Cervantes la novela es más que nada reflejo libre de actitudes y sentimientos humanos, captación directa de sicologías y ambientes, sensibilidad para el eterno problema de la involucración de individuo y sociedad, también era eso o algo muy parecido lo que bordeaba Zapata en aquellas notas de su *Miscelánea*, deshilvanadas y literariamente inclasificables porque al mismo tiempo eran y no eran ni historia, ni autobiografía, ni erudición, ni mero almacén de apotegmas.

Lo más significativo de todo es que tanto Zapata como Cervantes nos hayan dejado similares profesiones de fe al exponer los pretendidos fundamentos de su quehacer literario: el logro de un arte simultáneamente deleitoso, moralizante y bien rebozado en verosimilitud, acorde con la poética de Aristóteles, con su recensión horaciana y con la glosa de ambas por los preceptistas españoles e italianos del Renacimiento. Salvaban estos teorizadores la literatura de imaginación, cada vez más amenazada por juicios de carácter moral, considerándola una subprovincia de la poesía épica, convirtiendo al poema épico y al relato imaginado en prosa en dobles vertientes de un mismo género literario [80]. Resulta

80 Véase Jean-François Canavaggio, «Alonso López Pinciano y la estética literaria de Cervantes en el *Quijote*», en *Anales Cervantinos*,

curioso comprobar cómo Zapata tiende a coincidir del todo con semejante planteamiento, luchando en ambos frentes y legándonos un *Carlo famoso* y una *Miscelánea*, mientras que Cervantes, más cauto, se concentra en la novela y se abstiene, por fortuna, de cultivar el poema épico, si bien no puede menos de mantener la vista muy atenta sobre dicho género. Estas consideraciones son las que explican los juicios sobre Ercilla, Virués, Rufo y el propio Zapata en el donoso escrutinio (inmediatamente después de haberse ocupado de los libros de imaginación), así como el interés puesto por Cervantes en la lectura del *Carlo famoso* y en la endeble traducción del *Arte poética*.

Con esto llegamos al punto donde la crítica cervantina se plantea uno de sus problemas fundamentales: el decidir si aquella postura teórica de clara orientación clasicista resultó de veras eficaz, si Cervantes está realmente penetrado por ella en el momento supremo de enfrentarse con los pliegos o si, por el contrario, la olvida o incluso la vulnera en esa difícil hora de la verdad. No pretendemos historiar ni resolver aquí tan espinosa cuestión, sino que nos limitaremos a poner de relieve el hecho de que también Zapata nos presenta un problema simétrico, puesto que ya en las páginas que anteceden hemos tenido que poner muy en tela de juicio la trascendencia real del planteamiento clasicista en que pretendía encuadrar su labor. Un propósito que, en su caso, perdía toda eficacia artística ante los empujes del principio, no declarado pero omnipresente, de puertas abiertas a la libre y exhaustiva integración literaria de la propia personalidad.

Sin necesidad de ir tan lejos, surge también ante nosotros un nuevo problema que es tal vez el más profundo y deci-

---

VII, 1958, pág. 69. También la sección «From the Epic to the Novel», en Riley, *Cervantes's Theory of the Novel*, págs. 49-57.

sivo de todos: el de la urgencia, tan fuertemente sentida por ambos ingenios, de sentirse a cubierto bajo una teoría literaria tajante y sin matices, a la que procuran acogerse de un modo ostentoso. Y aun sin entrar a discutir la trascendencia de dichos supuestos teóricos, cabría sorprenderse *a priori* de la paradoja de que con ellos hubiera tratado de respaldarse un arte joven en el que todo era precisamente ductilidad, fórmula personal, matización y reflejo de las más tornasoladas posibilidades del existir humano. Cierto que semejante proceder derivaba en parte de una necesidad absoluta de salvar la licitud de la literatura de placer e imaginación en un dificultoso ambiente postridentino que la había condenado formalmente. Pero, a nuestro entender, queda aún por explicar en esa toma de posiciones un sentimiento de íntima y personal zozobra, no atribuible a simples condicionantes externos, sino al libre juego de urgencias sicológicas moldeadas, a su vez, por la coyuntura histórico-intelectual.

Es esto lo que tal vez nos ayude también a comprender la estricta coincidencia con Cervantes, de quien, como Zapata, desarrollaba a escala casera y un poco a estilo de compadre una labor parecida a la suya, si bien realizada con reflexión, técnica y aspiraciones muy inferiores. Es de notar que aun así también hubo de tener el caballero extremeño momentos en que, considerando el extraño libro que crecía entre sus manos, comprobase con susto que no encajaba en ninguna categoría literaria previamente conocida. Hoy sabemos bien la medida en que se bordeaba allí la novela y el ensayo, las dos grandes formas literarias del futuro, pero que para don Luis no tenían ni siquiera un nombre que las reconociera ni legitimase dentro de la teoría literaria en que había echado los dientes. Hay que hacer un esfuerzo por situarnos en una tradición abrumada por el prestigio de los clásicos antiguos, convertida al dogma de la suprema guía y de la artística imitación, para que podamos compartir el desasosiego y la perplejidad que tal vislumbre había de suscitar lo mismo en Zapata que en Cervantes, hombres formados por entero en el seno de esa doctrina humanista. Sólo entonces podrá entenderse bien el sentido de una meditación alarmada sobre los propios fundamentos teóricos, los afanes de proyectarse ante sus contemporáneos como autores *normales*, sus esfuerzos algo exagerados por presentarse (con razón o sin ella, pero sinceramente) como ortodoxos discípulos y manieristas de la poética oficial en su tiempo. Y, sobre todo, si hasta Zapata pudo sentirse inquieto ante la perspectiva modesta de la *Miscelánea*, es fácil compartir la punzante urgencia y desasosiego de Cervantes al crear obras de mucha mayor envergadura.

Dicha tensión llegó probablemente a ser demasiado fuerte para Cervantes, quien al mismo tiempo que trataba de aprovechar el éxito de público del *Quijote*, decía adiós a las travesuras y pugnaba con la camisa de fuerza del *Persiles*[81], en la que veía un uniforme de gala para su ingreso en el Parnaso: un libro esencialmente *respetable*, de neta definición genérica, verdadera mimesis de modelos consagrados por la literatura antigua, henchido todo él de una moral de libro de texto y de una piedad dura y fría como un fruto seco. A pesar de sus bellezas de otro orden, nos apena verle andar allí errante y naufragar lo mismo que sus descoloridos personajes, a rastras de la erudición mentirosa de Zeno y de Olao Magno. Pero el bueno de Cervantes moría ilusionado

[81] Se comprende, especialmente, la tentación que para algunos críticos supone la inevitable idea de que el *Persiles* haya sido redactado, en todo o en parte, con anterioridad al *Quijote;* véase Rafael Osuna, «El olvido del Persiles», *Boletín de la Real Academia Española,* XLVIII, 1968, págs. 55-75.

y satisfecho: el ideal novelístico reclamado por el caletre del Canónigo, en cuanto epítome literario de las personas *de orden,* se había cubierto por fin.

Y no podía ser de otra forma, porque la alternativa de cualquier postura teórica que no fuese estrictamente aquella hubiera revestido un claro acento de revolución literaria, habría situado de golpe a estos autores españoles en una actitud histórica parecida a la de los primeros románticos. Pero es lo que ante todo procuraban evitar, pues vivían una época distinta (años postridentinos) en cuyo sistema axiológico la rebeldía y la ruptura formal de moldes eran un valor negativo, enteramente a la inversa de lo que iba a ser norma dos siglos después. Incluso Lope de Vega, cuyo repudio de la dramática aristotélica era imposible de paliar, no se atrevió a ir más lejos de eludir, tras la cortina de humo de unos chistes, el compromiso de exponer los verdaderos fundamentos del que con tanta razón podía llamar su *arte nuevo.* Había de ser así porque el motivo último de estas actitudes radicaba en la incapacidad de la estética renacentista, de donde todos estos hombres procedían, para saltar sobre sí misma y abrir camino a la reflexión teórica sobre un plano de objetividad analítica y no meramente normativa.

Por lo mismo, el aferrarse de Cervantes a la poética aristotélica no arguye en modo alguno la medida en que éste ignora ingenuamente la trascendencia de su propia labor creadora. Por el contrario, constituye el más seguro indicio de una firme conciencia de la originalidad radical de su arte, lo cual no era para la tradición literaria en que se había formado sino una perspectiva de las más inquietantes. La misma clarividencia que le impulsa a proclamarse «raro inventor» en las confidencias del *Viaje del Parnaso* le impide por ello una verdadera teorización de su arte y le lanza a extremar los tributos verbales a la doctrina oficial. En apología de su *Gerusalemme,* Torcuato Tasso mantenía también que «invención» e «imitación» eran una misma cosa [82], pero todo era transferir a la lógica del lenguaje su torturada confusión interior. Y es lo que llegamos a comprender mejor gracias a la coincidencia de estos problemas cervantinos con los del casi olvidado Zapata, un modesto autor secundario.

---

82 Riley, *Cervantes's Theory of the Novel,* pág. 58.

FRAY ANTONIO DE GUEVARA Y LA INVENCIÓN DE CIDE HAMETE

«AHÍ ESTÁ EL OBISPO DE MONDOÑEDO...»

El prólogo de la Primera Parte del *Quijote* glosa con el más regocijado acierto una de las experiencias más temidas de todo escritor: la de hallarse ante la página en blanco sin una sola idea en la cabeza, sintiendo paralizadas las facultades y sin noción de cómo la impoluta superficie llegará tal vez a cubrirse de signos capaces de expresar algo coherente. Trabajo le costó a Cervantes componer su peregrina historia, pero ninguno tan arrastrado como el de poner en pie aquella prefación:

> Muchas veces tomé la pluma para escribilla, y muchas la dejé, por no saber lo que escribiría; y estando una suspenso, con el papel delante, la pluma en la oreja, el codo en el bufete y la mano en la mejilla, pensando lo que diría, entró a deshora un amigo mío gracioso y bien entendido, el cual, viéndome tan imaginativo, me preguntó la causa...

La perplejidad cervantina estaba justificada. Tras muchos años de apartamiento de la profesión literaria, le preocupaba casi como a un novel la acogida de un público muy distinto al de veinte años atrás. Y más aún por la naturaleza de aquel tardío fruto de su ingenio, «una leyenda seca como un esparto, ajena de invención, menguada de estilo, pobre de concetos y falta de toda erudición y doctrina, sin acotaciones en las márgenes y sin anotaciones en el fin del libro...». El desenvuelto amigo, pura voz de su espíritu creador, como observó L. Spitzer [1], se encargará de disipar con malicia sus temores. El acarreo de lugares comunes y el vergonzante socorro de la erudición mostrenca están bien a la mano de cualquier poetastro, máxime cuando a nadie se le da ya nada de tales anotaciones y es moneda corriente empedrar de autoridades hasta los libros más «fabulosos y profanos». Y el implacable socarrón comienza a airear después un desastroso muestrario: maltrechos harapos de erudición humanista, histórica y bíblica, León Hebreo para cuando se hable de amor, fray Cristóbal de Fonseca para presumir de mística teología y «si de mujeres rameras, ahí está el Obispo de Mondoñedo, que os prestará a Lamia, Laida y Flora, cuya anotación os dará gran crédito».

Risueña página, digno pórtico del libro inmortal. Pero al mismo tiempo, mucho más que una broma. Tan despiadada burla de la erudición a contrapelo de una historia como la de don Quijote significaba un acto de suprema independencia [2], el repudio de toda una teoría literaria comúnmente aceptada en su tiempo. Una teoría y una práctica identificadas, además, con Lope de Vega, cuya solfa discurre por todo el prólogo con alusiones tan claras como la de los sonetos laudatorios que el Fénix colgaba a nombre de ilustres personajes para autorizar los preliminares de sus libros, o la

---

1 «Perspectivismo lingüístico en el *Quijote*», en *Lingüística e historia literaria*, 2.ª edición, Gredos, Madrid, 1968, págs. 179-180.

2 Idea brillantemente defendida por A. Sánchez Rivero en su intercambio de puntos de vista con Américo Castro; «Contestación», *Revista de Occidente*, XVII, 1927, págs. 291-316.

burla del público filisteo que tiene a los eruditos de pacotilla «por hombres leídos, eruditos y elocuentes».

Particular interés reviste, sin embargo, la inteligencia y oportunidad con que Cervantes ha ensartado en el hilo de sus intenciones el irónico recuerdo de fray Antonio de Guevara, obispo de Mondoñedo (1481?-1545), en concepto de autoridad inapelable sobre achaque de mujeres rameras. Se trasluce bien el regusto con que ha leído su «Letra para don Enrrique Enrríquez, en la cual el auctor cuenta la historia de tres enamoradas antiquísimas, y es letra muy sabrosa de leer, en especial para los enamorados» (ep. 63), la más famosa y celebrada tal vez de todas las *Epístolas familiares* (1539). También allí comenzaba su autor mostrando su perplejidad sobre cómo habría de responder a la consulta que le sometía su noble corresponsal: «A la hora en que quise responder a vuestra carta tuve en la mano suspensa la pluma más de media hora, debatiendo con mi gravedad y vuestra amistad si os respondería o disimularía...» [3]. Es el caso que don Enrique Enríquez había adquirido tres tablas que representaban a otras tantas gallardas mozas con rótulos que decían «Sancta Lamia», «Sancta Flora» y «Sancta Layda» y a las que, puestas en su oratorio, rezaba cada día algunas avemarías; sospechoso, sin embargo, por no encontrarlas en el santoral, recurría al admirado obispo y predicador regio para que le explicase sus vidas. El virtuoso autor finge enfurecerse escandalizado:

[3] *Libro primero de las Epístolas familiares* (en adelante, *Epístolas familiares)*, edición José María de Cossío, Real Academia Española, Madrid, 1950, I, pág. 435. Dado lo defectuoso de esta edición (única moderna y completa hasta la fecha), los textos citados en este trabajo han sido cotejados, para variaciones de importancia, con su fuente, la de Valladolid, Juan de Villaquirán, 1542 (segunda y no *princeps*, como afirma Cossío). Desechando variantes ortográficas, las correcciones al texto de Cossío se señalan aquí entre paréntesis cuadrados.

> Esta Lamia, esta Flora, esta Layda, que vos, señor, tenéis por sanctas, fueron las tres más hermosas y más famosas rameras que nascieron en Asia, se criaron en Europa, y aun de quienes más cosas los escriptores escribieron, y por quienes más príncipes se perdieron [4].

El tema, desde luego, no puede cuadrar peor con la gravedad de una persona tan respetable:

> En mi hábito, por ser de religioso; en mi sangre, por ser de caballero; en mi profesión, por ser de theólogo; en mi oficio, por ser de predicador, ni en mi dignidad, por ser de obispo, no se sufre semejantes vanidades preguntar, ni menos platicar, porque el hombre de bien, no sólo ha de mostrar su gravedad en las obras que hace, más aún en las palabras que dice y en las pláticas que oye [5].

Pero qué duda cabe que la triple tentación es disculpablemente invencible y que Guevara terminará por contarnos con todo detalle las vidas y no milagros de Lamia, Layda y Flora, y hasta se complacerá en la golosa evocación de sus codiciados encantos:

> Destas tres se dice y escribe que fueron dotadas de todas gracias: es a saber, hermosas de rostros, altas de cuerpos, anchas de frentes, gruesas de pechos, cortas de cinturas, largas de manos, diestras en el tañer, suaves en el cantar, polidas en el vestir, amorosas en el mirar, disimuladas en el amar y muy cautas en el pedir [6].

Cervantes recuerda al obispo Guevara y a sus tres cortesanas por tratarse, en primer lugar, de un fragmento antológico conocido de todo el mundo. Pero había para ello otras razones más sutiles: su mención se hacía inevitable por

---

[4] *Epístolas familiares,* I, pág. 438.

[5] *Ibid.,* I, pág. 437.

[6] *Ibid.,* I, págs. 438-439.

cuanto Guevara era precisamente el autor que con mayor desenfreno había abusado en sus libros de autoridades apócrifas y erudición fantaseada. Y a nivel más profundo aún, a vueltas ya con el doble problema de la licitud estética y moral de la literatura imaginada, Cervantes se curaba en salud con la oportuna invocación del célebre obispo de Mondoñedo. Si éste había hecho las delicias del mundo con su millón de historias mentirosas, que no se detenían ni a las puertas de las alcobas de las cortesanas, ¿qué habrá que oponer al casto relato de las aventuras de don Quijote y Sancho, historia documentada por los anales y archivos de la Mancha, los académicos de la Argamasilla y el manuscrito arábigo de Cide Hamete Benengeli? La misma cautela que vemos repetida, y confesada sin tanta finura, en el prólogo de Avellaneda: «Y permitiéndose tantas celestinas, que ya andan madre e hija por las plazas, bien se puede permitir por los campos un Don Quijote y un Sancho Panza a quienes jamás se les conoció vicio».

GUEVARA Y EL NACIMIENTO DE LA NOVELA

Cuando en 1529 se imprimió en Valladolid el *Libro llamado Relox de príncipes* de fray Antonio de Guevara, quedó oficialmente iniciada la más fantástica carrera y reputación literaria del siglo XVI, tanto dentro como fuera de España. Hay que decir «oficialmente» porque de hecho la obra se había lanzado años antes (probablemente, alrededor de 1524) en copias manuscritas y ediciones (como la de Sevilla, 1528) que en 1529 su autor desautorizaba como piratas y apócrifas. La crítica ha tenido que enfrentarse después con la nada fácil tarea de deshacer el tinglado de confusión construido por aquel autor que nunca dijo verdad si pudo echar un embuste. El libro de 1529 se dispone como un grueso texto doctrinal, llamado *Relox de príncipes,* que amplía, poda y subsume a la vez la mayor parte del que previamente había circulado bajo el título de *Marco Aurelio,* y no, por cierto, apócrifo ni a sombra de tejados, sino a plena satisfacción de su autor. El motivo principal de semejante arabesco era que el primitivo *Marco Aurelio* culminaba en una serie de cartas en que la vida privada del filósofo Emperador se recogía con trazos demasiado vivos: la correspondencia con sus viejas conocidas las «enamoradas» de Roma, el toma y daca de feroces insultos con su vieja querida Bohemia, sus cartas a Macrina, «donzella romana, de la qual se enamoró viéndola a una ventana» y a Libia, «hermosa dama romana, de la qual se enamoró viéndola en el templo de las vírgines vestales». La edición oficial de 1529 daba a fray Antonio la oportunidad de renegar de aquellos divertidos escándalos, ciertamente inesperados en un fraile «de los muy observantes de San Francisco». Las traviesas epístolas habían desaparecido, pero para no perder clientela la portada encarecía que en aquella edición «va encorporado el muy famoso libro de Marco Aurelio». Como las cartas eran, por supuesto, lo que todos deseaban leer, no dejaron de aparecer en ediciones posteriores, impresas como apéndices. Y aun el primitivo *Marco Aurelio* siguió publicándose sin obstáculo alguno, a pesar del supuesto repudio de su autor.

Así de complicado y así de embrollador era aquel fray Antonio de Guevara. Como es sabido, la base de su *Marco Aurelio* y su *Relox* consiste en una supercheria histórica, más o menos explicada por su fautor en los siguientes términos:

> Acaso passando un día una historia, hallé en ella esta historia acotada, y una epístola en ella inserta, y paresçióme tan buena, que puse todo lo que las fuerças humanas alcançan a buscarla. Después de rebueltos muchos libros, andadas muchas librerías,

> hablado con muchos sabios, pesquisado por muchos reynos, finalmente descobríle en Florençia entre los libros que dexó Cosme de Médicis, varón por çierto de buena memoria [7].

De creerle, siguió al hallazgo una tarea penosa y de muchos años para poner el manuscrito de griego en latín y de latín en romance. En cuanto a las fuentes verdaderas, según discierne el benemérito R. Costes, se reducen a poco más que Julio Capitolino y desaforadas dosis de imaginación guevariana [8]. La falsificación era, sin embargo, transparente, un secreto a voces pronto reído por ingenios tan dispares como Alfonso de Valdés y el bufón cortesano don Francesillo de Zúñiga [9]. Todo el mundo sabía que Guevara ignoraba el griego, no pisaba muy fuerte en latín [10] y apenas si había salido alguna vez de Castilla la Vieja. Por otra parte, tampoco tenía éste pretensión alguna de ser tomado en serio, pues, como observó Menéndez Pelayo, su «seudohistoria es una broma literaria» [11]. Sus obras rebosan así de contrapuntos irónicos acerca de su propia laboriosidad, erudición y crédito con los lectores, todo ello mentidas hinchazones para pavonear el orgullo con que mira sus páginas. Y no sin motivo, pues si el

---

7 *Libro áureo*, edición R. Foulché-Delbosc (en adelante, *Marco Aurelio)*, en *Revue Hispanique*, LXXVI, 1929, pág. 21. La presente edición reproduce un manuscrito del *Marco Aurelio* en la biblioteca escurialense. Lamentablemente, no existe edición moderna del *Relox de príncipes*.

8 *Antonio de Guevara*, París, 1926, II, pág. 44.

9 M. R. Lida, «Fray Antonio de Guevara. Edad Media y Siglo de Oro español», *Revista de Filología Hispánica*, VII, 1945, pág. 367.

10 Como dice M. R. Lida, Guevara «no iba más allá en su don de lenguas de aquel 'poco de latín' que, según el doctor Huarte de San Juan, hasta pueden alcanzar las mujeres»; «Fray Antonio de Guevara», página 350. Joseph R. Jones, editor de *Una década de césares* (University of North Carolina Press. Chapel Hill, 1966), ha de poner de relieve los risibles errores cometidos por Guevara al traducir sus nada recónditas fuentes latinas (págs. 20-25).

11 *Orígenes de la novela*, Santander, 1943, II, pág. 116.

llegar a buen erudito está casi al alcance de cualquiera, ser un espíritu creador es privilegio reservado a muy pocos elegidos. Los preliminares del *Relox de príncipes* aclaran este punto con primorosa gracia:

> Muchos se espantan en oír dotrina de Marco Aurelio, diziendo que cómo ha estado oculta hasta este tiempo, y que yo de mi cabeza la he inventado... Los que dizen que yo solo compuse esta dotrina, por cierto yo les agradezco lo que dizen, aunque no la intención con que lo dizen, porque a ser verdad que tantas y tan graves sentencias haya yo puesto de mi cabeza, una famosa estatua me pusieran los antiguos en Roma [12].

Una obra tan peculiar como la de Guevara había por fuerza de suscitar desasosiego en algunas mentalidades estrictas. Era inevitable que muchos humanistas vieran con alarma las libertades que el áulico predicador se tomaba con las Buenas Letras. Tras años de probables refunfuños en privado, uno de ellos, el gramático soriano Pedro de Rhúa [13], rompió en un fuego graneado de críticas expuestas con brillantez en unas *Epístolas censorias* (1540). Allí salió a relucir toda la colada de filósofos inexistentes, groseros errores de cronología y de pericia geográfica, textos deturpados o mal atribuidos. Todo ello en botones de muestra, pues la lista compilada por Rhúa ascendía a millares de correcciones y censuras. El humanista de Soria lució, además, su ingenio y soltura de péñola en divertidas insinuaciones acerca de la vanidad de Guevara, de su cortejo descarado de la lisonja y los dineros del público ignaro, de lo impropio de todo ello

---

12 *Ibid.*, pág. 113.

13 Sus escasos datos biográficos quedan recopilados por Florentino Zamora Lucas y Víctor Hijes Cuevas, *El bachiller Pedro de Rúa humanista y crítico. Sus cartas censorias al P. Guevara y amistad con Alvar Gómez de Castro*, Madrid, 1957. F. Zamora, «El bachiller Pedro de Rúa, censor de Guevara», *Archivo Ibero-Americano*, segunda época, VI, 1946, págs. 405-440.

en quien tanto presumía de noble, de religioso y de obispo.

Fray Antonio se negó a combatir con Rhúa en semejante campo: la ciencia humana era toda un puro mar de dudas en la que lo mismo da ocho que ochenta. En las letras divinas otro gallo canta, y en ellas sí que hay que proceder con el mayor escrúpulo. La que podemos llamar «fórmula *Marco Aurelio*» (aparato seudoerudito, carencia de fin doctrinal serio, deformación humorística), permaneció en vigor a lo largo de su extensa obra, aplicada a los sucesores de Marco Aurelio *(Década de Césares)*, al ambiente español y cortesano de su tiempo *(Epístolas familiares)*, en sus dos golpes al tema teórico-práctico de la corte *(Menosprecio de corte* y *Despertador de cortesanos)*, e incluso al escribir obras sacras basadas en la vida de Cristo *(Oratorio de religiosos, Monte Calvario, Siete Palabras)*. El caso de estas últimas es ciertamente notable, pues no se hallan menos plagadas de falsedades y coladuras, según ha demostrado el P. Fidèle de Ros [14]; en apariencia violan incluso lo lacónicamente respondido a Pedro de Rhúa acerca del respeto debido a las letras divinas. Pero lo que en el fondo ocurre es que Guevara tampoco las ha considerado más que como continuación de su obra anterior, adaptándose al telón de fondo sacro, pero sin buscar nada situado más allá del libro entretenido para el público, ese *gran* público que la imprenta acababa de regalar a los escritores que supieran beneficiar semejante filón [15].

La universal popularidad de Guevara no disminuyó un ápice con las razonadas críticas de Rhúa. No tenía imitadores ni competidores, pues su arte era un sello personal. Su

---

[14] «Guevara, auteur ascétique», *Archivo Ibero-Americano*, segunda época, VI, 1946, págs. 339-404.

[15] Francisco Márquez Villanueva, «Fray Antonio de Guevara o la ascética novelada», *Espiritualidad y literatura en el siglo XVI*, Madrid, 1968, págs. 62 y sigs.

éxito se cifraba en haber olfateado antes que nadie la viabilidad de una literatura condicionada por la existencia de una gran masa de lectores no profesionales de las letras y que por ello van sólo detrás del puro deleite y entretenimiento. Era un paso trascendental y que no podía ser dado sino por un autor vuelto de espaldas a las teorías literarias, irremisiblemente inactuales, que el Renacimiento pretendía restaurar: prendas de por sí estrechas, con las que no cupo vestir ni entender a fondo casi nada de cuanto auténticamente grande se hizo en aquella época. Guevara es el primer autor europeo que escribe de espaldas a toda teoría consagrada, libre de compromisos de cualquier clase o de requisitos que fuercen sobre la literatura ninguna ulterioridad ajena a sí misma. Pudo saltar ese Rubicón (que no es otro que la frontera de la modernidad) gracias precisamente al hecho de no ser verdadero teólogo ni humanista, sino un simple atrevido, un *parvenu* literario que justo por no tener nada que perder podía afrontar cualquier riesgo, incluso el de escribir para simple satisfacción suya y de los lectores. Todo ello, se entiende, en un terreno puramente práctico, pues lo que en modo alguno puede hacer Guevara es respaldar su proceder con una teoría, sacar el cuerpo ante Rhúa (pongamos por caso) y proclamar que su arte es puro juego del ingenio y de la imaginación, tarea desligada de compromisos eruditos y aun de auténticos fines morales. Pecador sí, pero nunca hereje, debía pensar fray Antonio para su coleto. Y por eso alcanza el colmo de sus geniales desfachateces cuando hace como que se indigna con la literatura de ficción y despotrica contra *Amadís, Celestina* y *Cárcel de amor*[16]. Su cautela llega en esto al extremo de cubrirse con los disfraces más opuestos y conservadores: didactismo moralizante y erudi-

[16] Véanse los textos citados en F. Márquez Villanueva, «Fray Antonio de Guevara o la ascética novelada» (pág. 63, nota).

ción clásica. La debilidad ratonera de estos materiales averiados se transformaba tanto mejor, bajo un tratamiento irónico o burlesco, en pilar de un arte de calculado trampantojo, comprometido de hecho al logro de un efecto de ficción absoluta.

Para toda la literatura anterior los derechos y función del elemento imaginado se encerraban en el concepto de *fábula* ('argumento', que diríamos hoy). La imaginación podía ejercerse en ella con mayor o menor amplitud, pero de ningún modo tenía por qué extenderse a ningún otro aspecto. No se concebía que la ficción llegara a ser una finalidad estética trascendente, que cupiera *fingir* la moraleja, los datos históricos, la percepción real de la vida o, mucho menos, el mismo proceso creador de la obra literaria. Notemos que ningún libro de Guevara ofrece, por contraste, una *fábula*, pero al mismo tiempo está bien claro que no encierran entre sus tapas una sola *verdad* en el sentido literario convencional.

Todo esto puede entenderse con menos palabras si decimos que Guevara comenzaba a pisar ya el terreno de la ficción moderna, esto es, de la novela tal como la concebimos hoy. No importaba para esto que fueran de vetusta ascendencia medieval casi todos sus materiales y no pocas de sus herramientas [17]. De un lado, convenía que así fuese, puesto

[17] La tesis del estricto medievalismo de Guevara es armazón del excelente estudio, tantas veces aquí citado, de María Rosa Lida. Aunque el análisis de aspectos externos de la obra guevariana casi pueda calificarse allí de perfecto, su interpretación de conjunto queda desvirtuada por el fracaso en apreciarla como fenómeno artístico. Culminando la línea crítica iniciada por Rhúa, la gran investigadora sale allí a la busca de un autor de quilates doctrinales y apenas puede reprimir su indignación al no hallar más que un intelectual desaprensivo y un repetidor de cansinas vejeces. Se renuncia por ello a entender y explicar las razones de su éxito universal, calificado a secas de «asombroso». No se advertía en dicho estudio que la personalidad literaria de Guevara está vuelta de espaldas a la dualidad cultural Edad Media-Renacimiento; tiende, por el contrario, a supe-

que se trataba de escribir a la medida de gentes sin mayor cultura; lo que importa, de otro, es que aquellos temas y retóricas no habían sido usados nunca para servir a tales finalidades. Para Rhúa y su sector no había contemplaciones: se trataba de una monstruosidad intolerable, y Guevara debía hacer penitencia pública por una transgresión literaria al mismo tiempo que moral. El buen humanista no podía prever, claro está, el desarrollo de la literatura en siglos venideros, ni conocía siquiera el término *novela*, pero apreciaba con alarmado acierto que en Guevara se producía una ruptura histórica. Rhúa no mordía el anzuelo en que se deja prender Menéndez Pelayo cuando se muestra dudoso en tratar a Guevara dentro del género novelístico por el simple hecho de haber encuadrado éste su obra en didactismo y oratoria [18]. ¡Don Marcelino llevó siempre en los labios la primera leche de las Humanidades!

HISTORIA Y FÁBULA

El propósito de escribir para el entretenimiento de un lector-masa bastaba sin más para forzar un cambio radical

rarla y no se ilumina, por tanto, a dicha luz. Es así inexacto afirmar el medievalismo de su *estilo*. María Rosa Lida sólo demuestra los orígenes latino-eclesiásticos de su *retórica*, puesta por Guevara al servicio de fines artísticos totalmente ajenos a la práctica literaria medieval. Téngase en cuenta que todo intento de entender a Guevara como autor didáctico y moralista, con olvido de su carácter de precoz artista de la ficción, conducirá siempre a un desconcierto crítico. Guevara escribe a orza del viento que en cada instante cuadra a su humor y a su tema, haciendo casi imposible, con sus contradicciones y cabos sueltos, la reconstrucción de un perfil intelectual de cierta coherencia. Los arduos y doctos esfuerzos realizados por J. A. Maravall para introducir imposible orden en su pensamiento político pueden servir de ejemplo; «La visión utópica del Imperio de Carlos V en la España de su época», *Carlos V (1500-1558). Homenaje de la Universidad de Granada*, Granada, 1958, págs. 41-77.

18 *Orígenes de la novela*, II, pág. 109.

de perspectivas literarias. De por sí, ni erudición ni doctrina interesaban gran cosa a la gente, y Guevara salía del paso sirviendo a Dios y al diablo, brindando generosas raciones de su pastel seudodidáctico. Todo el problema estético se plantea ahora como simple epidesarrollo de la necesidad de crear fórmulas técnicas capaces de retener la frívola atención de los lectores: esquiva mariposa que había que encaminar, en equilibrio de firmeza y mimo, por paisajes lo más alejados posible de toda aridez académica. El arte de lograrlo carecía de reglas o teoría articulada porque la función no había creado aún el órgano.

La filosofía, la historia y las Humanidades al uso eran cotos rigurosamente profesionales, inaccesibles por definición a los no bien iniciados. Éstos sólo podían acercarse a ellos por el terreno de lo anecdótico, de lo pintoresco y, sobre todo, de lo divertido, que es precisamente el buscado por Guevara para sentar sus reales, reduciendo el mundo a burlas, exageraciones y chismorreos al alcance de todos. Se daba buena cuenta de que el público del libro impreso se divorciaba del círculo de los sabios en sentir una gran curiosidad por lo concreto, lo personal y lo cotidiano. La tarea histórica había ignorado, en conjunto, tales dimensiones, y tardaría aún siglos en desarrollar ese tipo de sensibilidad y los medios capaces de satisfacerla. Se habían escrito, por ejemplo, innumerables crónicas de reyes y vidas de santos, pero ni unas ni otras solían enfocar más que lo realizado en calidad de tales: batallas, actuación política, virtudes, milagros. Se había carecido, a grandes rasgos, de sensibilidad para cuanto cabría definir como extra-oficial, y nadie había considerado oportuno consignar cuál había sido el plato favorito de Alejandro Magno o el color de los ojos de María Magdalena. El gusto por la biografía en sentido moderno (y notemos su espontánea afinidad con la novela) surgía así mucho antes de que los verdaderos historiadores estuvieran en condiciones de poder satisfacerlo. Es, ni más ni menos, la insuficiencia que lamentaba Guevara tras consultar, para su *Marco Aurelio,* a Eutropio y a Julio Capitolino: «Las escripturas de éstos y de otros paresçieron más epíthomas que no historias»[19]. Sin fuentes que le ilustren en ese plano acerca de Marco Aurelio o del mismo Jesucristo, Guevara se lanza, por las buenas, a inventar todo ese trasmundo humano y casero de la historia, perdiéndose adrede en una verdadera orgía del detalle prosaico o rafez, que da cómicamente al traste con el prestigio y grandilocuencia iniciales de sus altos tinglados. Imaginemos a Marco Aurelio, sitiado por un rey enemigo, cenándose con su favorito un par de gatos, «el uno que compramos y el otro que hurtamos»[20]. La historia acaba literalmente por los suelos (con gran regodeo del lector) y Guevara muestra su verdadera faz como autor de ficción y humorista.

Toda la técnica literaria de fray Antonio gira en torno a la idea de falsificación. Pero una falsificación, distingamos, que por pretender alejarse precisamente de la historia al uso, reviste un carácter paródico y por completo literario, muy distinta de la de los posteriores forjadores de cronicones y pías fraudes, según vio con acierto Menéndez Pelayo[21]. Es inexacto afirmar, sin embargo, que su norte en esto fuera precisamente el moderno subgénero de la novela histórica[22],

---

[19] Argumento, *ed. cit.,* pág. 20.

[20] *Marco Aurelio con el Relox de príncipes,* Sevilla, 1532, Libro primero, c. XVII, f. CI v.

[21] *Orígenes de la novela,* II, pág. 115.

[22] A no ser de un modo muy rebuscado. Adviértase que historia y ficción funcionan en planos distintos de regulación intelectual, que impiden su matrimonio incluso en el caso de la novela histórica del XIX. El caso de Guevara es por completo, en esto, el del poeta según la distinción sabiamente establecida por Amado Alonso: «Pero lo que el historiador profundo intuye son relaciones entre acciones

a cuyo telón de fondo es indispensable una documentación seria y arqueológica. Sus propósitos se cifraban en una fórmula de ficción esencial y deliberadamente *seudohistórica,* que se recrea en falsificar hasta sus datos más primarios [23]. Con ella no se pretendía engañar a nadie, sino sacar adelante y a cualquier precio la obra que el escritor deseaba realizar. En el prólogo de su *Década de Césares* (1539) expuso Guevara con plena lucidez el carácter arriesgado de su obra literaria, comprometida al logro de un producto que sólo podía justificarse en función de un resultado perfecto, y que por ello era preciso crear a fuerza de inteligente cálculo.

---

y sucesos; lo que el poeta intuye es la presencia del vivir personal»; *Ensayo sobre la novela histórica. El modernismo en «La gloria de don Ramiro»,* Buenos Aires, 1942, pág. 19. Con todo, en la parte dedicada por las *Epístolas familiares* a la revuelta comunera, existe el anticipo de una técnica característica de la novela histórica, o más exactamente de la novela de reportaje histórico: el héroe (más o menos un modesto desconocido) presencia los momentos más decisivos, trata o ve actuar a los grandes personajes históricos y transmite con ello el sentido del hecho memorable *(Episodios nacionales* de Galdós, *La débâcle* de Zola, etc.). Fray Antonio fantasea de un modo similar su presencia e intervención en diversos momentos cruciales y trata familiarmente en sus cartas a los jefes de la revuelta (a los que, en cierto modo, retrata), aconsejándoles acerca de su conducta política y profetizándoles, claro está que *ex post facto,* la derrota e inevitables castigos.

23 R. Costes señala el maligno refinamiento de Guevara en desorientar al posible censor, bien extremando la puntualidad al echar un embuste o desanimando con el encarecimiento de que su saber no ha dejado recoveco sin explorar. Y el resultado es una gran dificultad de trincarle con seguridad en flagrante delito; *Antonio de Guevara,* II, págs. 70 y 80. Guevara cultivaba sobre todo el dato difuso e impreciso por acción combinada del amontonamiento y el fantaseo sobre un mínimo apoyo. Hasta aquello de que Dios dijo que el que no pudiera ofrecer en sacrificio una cabra ofrendara en su lugar los pelos del animal, pura «lana caprina» que Rhúa decía inventada por Guevara, ha resultado tener algún remoto fundamento según Ernest Grey, «Pedro de Rhúa's Critique of Antonio de Guevara», *Symposium,* Spring, 1967, pág. 36.

«Fácil cosa es el escrevir libros, y muy diffícil el contentar a los lectores». Porque esto sólo se logra mediante una absoluta maestría del oficio, pues «el delicado juyzio quiere estilo gracioso, eloqüencia suave, sentencia profunda y doctrina sana» [24] (ya sabemos lo que a él se le daban estas dos últimas). Fray Antonio sobrecoge con su fría conciencia de un compromiso de escritor similar al del torero o, mejor aún, del payaso que arriesga si es preciso la vida con tal de arrancar una carcajada del público, fiera sin corazón que aplaude y paga. Esa despectiva condena del «libro frío» como único y supremo pecado literario obliga a un nivel de esfuerzo sólo al alcance de ingenios tan de pelo en pecho como el suyo, y basta para barrer del campo a los aficionados y a las plumas pusilánimes. Cuando se ha dado en esa ardua diana, hasta los detractores rinden, con sus envidiosas censuras, involuntario homenaje:

> No menos corregidas y polidas y examinadas han de ser las palabras que se escriven en los libros que las que se predican en los pueblos; porque un dessabrido sermón no dessabora más de a un pueblo; mas un libro desgraciado cansa a todo el mundo. Los que no tienen saber para componer ni tienen estilo para ordenar, muy sano consejo les sería dexar la pluma y tomar la lança; porque si a dos palabras nos cansa un hombre tibio y frío, quánto más nos cansará un libro nescio y prolixo. Aun un truhán frío con sus frialdades nos hace reýr, mas con un libro frío y desgraciado no podemos sino raviar y murmurar, digo murmurar del tiempo que se gastó en escrevirle y las horas que se gastan en leerle. ¡O quántos libros ay oy en el mundo, a los quales hemos de tener más embidia al papel y pargamino en que están escriptos y a las letras con que están illuminados, que no a las doctrinas que están escriptas en ellos! Porque ni tienen doctrina que aproveche ni aun estilo que contente. No piense que se atreve a poco el que se atreve a componer un libro; porque si la doctrina es mala, ella se trae con-

[24] *Una década de césares*, pág. 71.

sigo la pena, y si la doctrina es buena, luego es con ella la embidia. Esto de que se quexa aquí mi pluma, grandes días ha que lo sabemos ella e yo por experiencia; porque al libro del buen Marco Aurelio, unos me le hurtaron y otros me le infamaron. Los que escriven y componen libros para el bien de la república, no es menos sino que sientan el frío, el cansancio, la soledad, la hambre y vigilias que passan; mas mucho más sienten las lenguas venenosas que dellos murmuran; porque no ay paciencia que lo suffra, quiera un lector que se dé más fe a lo que él dize de improviso, que a lo que el escriptor dixo sobre pensado.

Viniendo pues al propósito, dezimos que en esta presente escriptura muchos emplearán los ojos en ella para leerla y no pocos se juntarán a infamarla; mas al fin, ni tomaré gloria porque la alaben ni pena porque la condenen; porque los tales no murmuran tanto por averla yo hecho quanto por no la saber ellos hazer [25].

Desde este grado de nueva conciencia literaria se entiende bien el derecho de Guevara a despreciar a Rhúa y sus secuaces cual partida de fósiles vivientes de la Antigüedad clásica. El reproche fundamental de aquél era que con tanto abusar de erudición apócrifa abandonaba Guevara el campo de la historia para pisar de lleno el de la fábula. No hay que olvidar que para el horaciano Rhúa «historia» es tanto lo que hoy entendemos por tal, como el fondo de veracidad exigible también al relato imaginado en prosa (por extenderse a éste el concepto de poema épico). La distinción entre historia y fábula, una de las más básicas de toda la teoría aristotélica, era aducida siempre para desacreditar la auténtica literatura de ficción, infamada además en el caletre de los humanistas con el escándalo de las fábulas milesias y el escaso volumen y relieve del género en la Antigüedad. Se le reprochaba así a Guevara no una falsedad histórica, sino una

---

25 *Ibid.*, pág. 72.

falsedad poética, ya que, como observó M. R. Lida, «sería insultar la aguda crítica que brilla en sus cartas suponer que Rhúa no advirtiera que las ocurrencias de Guevara no eran errores, sino deliberado fantaseo»[26]. Hay un puntillo de mala fe en echarle, pues, en cara la transgresión «más fea e intolerable» en escritor que se respete, el gato por liebre de dar «fábulas por historias y ficciones propias por narraciones agenas»[27]. Con ello su lector, «si es idiota [ignorante], es engañado; y si es diligente, pierde el tiempo»[28], víctima de un fraude en ambos casos (pues el placer y entretenimiento nada cuentan). Entre los antiguos hubo narradores de fábulas como Honesícrito, Nearco y Luciano, «los quales son dignos de perdón; porque en principio de sus obras piden licencia para escrevir sueltamente; y de lo que escriven, ninguna cosa afirman atrevida ni desvergonzadamente»[29]. Guevara puede, si no le remuerde la conciencia, escribir sus historias fabulosas, pero que cargue al menos con el sambenito de reconocerlo, sin darse ínfulas de autor respetable, que es lo que en el fondo irrita más a Rhúa y sus amigos.

INNOVACIÓN TÉCNICA

Arropado en orgullosa suficiencia, fray Antonio rehusó polemizar con Rhúa y continuó laborando hasta el último día de su vida en el mismo tajo donde empezara su carrera de escritor: el arte de la caracterización, el estudio de la

---

26 «Fray Antonio de Guevara», pág. 168.

27 *Cartas censorias y prudente crítica, sobre las Epístolas y obras historiales del Ilustrísimo y Reverendísimo Señor D. Fr. Antonio de Guevara, obispo de Mondoñedo,* edición de don Phelipe Ignacio Montero, Madrid, 1736, pág. 72.

28 *Ibid.*, pág. 73.

29 *Ibid.*, pág. 84.

conducta humana, los modos de ironizar y de hacer reír aparentando seriedad. Para ello aprendió y tomó elementos de donde pudo: del retrato medieval a lo Fernán Pérez de Guzmán, según señaló M. R. Lida [30], de la mejor historia clásica de Plutarco y Suetonio, o de la más modesta de Julio Capitolino y los *Scriptores historiae augustae,* siendo éste uno de los capítulos que aún precisan investigación en los estudios guevarianos. Su arte puede parecer hoy algo simplista y apegado a recetas, pero ello se debe a que hemos avanzado una gran distancia por el camino que él empezó a recorrer, a tientas y sin la guía de verdaderos precursores.

Hay, con todo, en Guevara más complejidad de lo que a primera vista parece, pues no en vano se ha cruzado una frontera decisiva. El nuevo sentido de la narración empieza a perfilarse con claridad y el afán de ligar obra, autor y lector en inédita comandita artística y sicológica cuaja ya en fórmulas selladas por una difícil y calculada ambigüedad. Marco Aurelio mismo (sublime y prosaico) es una entidad literaria de por sí contradictoria y cuyo encanto se centra por completo en su dimensión humana y aun demasiado humana. Pero, además, esa naturaleza profunda del personaje va siendo mostrada mediante una técnica esencialmente problemática: revelaciones parciales de caracterización, implicaciones unas veces obvias y otras recónditas, notas ambientales de sutil y malicioso alcance. Marco Aurelio no se nos entrega en una sola pieza, sino como dispersas teselas de un mosaico que el lector recompone en activa colaboración con Guevara. Nada más que la relación con su esposa Faustina, que se perfila como una mezcla nunca explícita de ternura, tempestuosas desavenencias y mutuas infidelidades, puede ser buen ejemplo de las técnicas de elaboración que Gueva-

30 «Fray Antonio de Guevara», pág. 354.

ra desarrolla al servicio de sus complejas finalidades artísticas [30 bis].

Guevara no se concede tregua en el propósito de divertir, que se instila en sus páginas por los más nimios resquicios. Se vive en un reino de absoluta ficción, y hasta su historia y su geografía se pueblan de onomástica y toponimia tan inventada como bien sonante y sugeridora en un sentido irónicamente seudoantiguo. Para que nada quede inmune a su fantaseo, nos ofrecerá incluso una fauna de propia cosecha: entre las fieras que se traen para los juegos circenses figuran también lamias, montesas, ciclades, llorias, locinios, crocutas, hipotomes [¿hipopótamos?], albios, gifinos, turpos. Incluso una supuesta ley romana que vedaba negar ningún deseo a las matronas preñadas, se asocia con la presencia en la ciudad de un monstruo llamado *monóculo* o *monoculo* (*Marco Aurelio*, c. XXI), pues la caprichosa acentuación de los cultismos ponía a los lectores de Guevara en trance de chusca duda acerca de las peculiaridades anatómicas de tan peregrina bestia.

La narración, sobre todo, deja de ser concebida como simple relato de una serie de hechos en desarrollo lineal. El arte de narrar abraza ahora cualquier recurso que contribuya a iluminar interiormente el proceso de la ficción. Comienzan así, en forma inevitable, los más diversos experimentos de orden técnico. En las *Epístolas familiares* se advierte ya un tino cuidadoso para mostrarnos un mismo hecho en diferentes perspectivas humanas. Guevara finge escribir una de sus más graciosas cartas al obispo de Zamora don Antonio de Acuña para reprocharle sus actividades de conspicuo cabecilla comunero, cuya malhumorada reacción que-

---

30 bis F. Márquez Villanueva, «Marco Aurelio y Faustina», *Ínsula*, número 305 (abril, 1972).

da recogida en la carta siguiente, dirigida al mismo belicoso eclesiástico:

> Por letra de Quintanilla, el de Medina, supe en cómo habíades, señor, rescebido mi carta, y aún supe que en acabándola de leer comenzaste luego a gruñir y decir: «Es cosa ésta para sufrir que sea más poderosa la lengua de Fray Antonio de Guevara que no lo es mi lanza, y que no contento con habernos sacado a don Pedro Girón de entre manos, me escriba aquí agora mil blasfemias» [31].

En otra ocasión es la ex-reina doña Germana de Foix quien le ha pedido copia de un sermón predicado en su presencia. Guevara cumple gustoso el encargo y le antepone un cortesano prologuillo de gracias por tal aprecio y el intencionado regalo de un reloj. Pero esa misma página incluye (según se verá más adelante) una «espontánea» y malhumorada interrupción de Guevara en que, para revelar por ironía cuál fue la verdadera acogida de su perorata, se finge el acto mismo de estarla pronunciando. El cálculo de un refinado efecto humorístico hace que el discurso aparezca a la vez como escrito y pronunciado, presente y pretérito, visto y oído, solemne y ridículo.

Guevara recogió, como resultado de sus esfuerzos, el primer éxito europeo de librería. Hoy es elogio gastado del libro de ficción decir que el lector no puede soltarlo de las manos una vez iniciada su lectura. Se trata de una meta no definida por Aristóteles ni por ningún tratadista, pero lo que sí es probable es que Guevara fuese tal vez el primero en estrenar y merecer tan lisonjera alabanza, de acuerdo con sus más caros propósitos. En 1526 viene a Madrid el diplomático prelado Gabriel de Gramont, futuro cardenal, para activar las negociaciones de la libertad de Francisco I, pri-

[31] *Epístolas familiares*, I, págs. 298-299.

sionero del Emperador. En su séquito figura como secretario un discreto hombre de letras, René Berthaut, señor de la Grise. Halló éste en el *Marco Aurelio,* que debió conocer manuscrito, el antídoto ideal contra las horas tediosas y todo fue leer las primeras páginas como ceder al acicate de traducirlo a su lengua:

> Et là (pour et à celle fin que ie ocupasse le temps) me gettay aux liures que ie peuz trouuer audit lieu, entre lesquelz leuz le petit liure doré, lequel me tyra tant de moy que tout le jour ne la plus grande partie de la nuict ne suffisoyent tant pour le lire que pour le scripre [32].

EL NUEVO SENTIDO DE LA VEROSIMILITUD

Rhúa no disimula su desprecio cuando reprueba esa historia de Guevara que, sazonada con tantas noticias apócrifas, viene a quedar en pura narración fabulosa, la cual «ninguna verdad pretende ni verisimilitud» [33]. Y claro está que un autor de fábulas no puede aspirar a ninguna elevada consideración ni a ser tomado en serio, pues sólo «córbrase authoridad si se guarda la verisimilitud en las circunstancias del negocio que se escrive, especialmente las de persona, lugar y tiempo» [34].

Era inevitable que el docto humanista jugase contra fray Antonio este naipe de la verosimilitud, auténtico as de la baraja de conceptos clasicistas de su época. Pero a varios siglos de distancia Rhúa nunca llega a parecernos tan Aristarco y

---

32 *L'orloge des princes,* París, Galliot du Pré, 1540, «Prologue du traducteur». La primera edición del *Orloge* traducido por Berthaut es de 1531. Algunas noticias adicionales, en José M. Gálvez, *Guevara in England,* Berlín, 1916, págs. 27-32.

33 *Cartas censorias,* pág. 82.

34 *Ibid.,* pág. 100.

dómine regañón como al denunciar con tanto escándalo el pecado contra semejante fetiche crítico. Guevara no nos parece hoy, en todo caso, sino mucho más «verosímil» que los demás autores de su época. No cabe duda que su peregrino Marco Aurelio resulta ser una entidad literaria mucho más jugosa y creíble que los personajes de palo usuales, no sólo en crónicas e historias, sino en el libro de caballerías o el poema épico de su tiempo.

El reproche de atentar contra las circunstancias de lugar, persona y tiempo se nos hace particularmente difícil de entender. Más bien diríase que una de las mayores gracias de Guevara reside, por el contrario, en su diluvio de las más variadas circunstancias de ese género, no hay que decir que en su mayoría inventadas. Guevara echa mano, por ejemplo, de las viejas recetas retóricas de prosopografía y etopeya para el propósito innovador de acercarnos humanamente a sus personajes, suscitando la impresión de haberlos conocido y tratado:

> Tenía Adriano el cuerpo muy alto y bien sacado, excepto que inclinava la cerviz un poco y en la nariz era algo romo. La cara tenía morena, los ojos más blancos que negros, la barba negra y espessa, las manos más nerviosas que carnudas, la cabeça grande y redonda, y la frente muy ancha, lo qual era indicio de tener, como tuvo, gran memoria [35].

El detalle, y en especial el más inesperado, íntimo e incluso rafez, se usa ahora como el mejor medio de darnos la dimensión más concreta del personaje, de entregarlo, indefenso, en el plano de nuestra experiencia inmediata con resonancias humorísticas o picantes:

---

35 *Una década de césares*, pág. 138. El editor J. R. Jones observa (pág. 31) que Guevara no sigue siquiera los rasgos de caracterización que a veces se encuentran en los textos que le sirven de fuentes.

> Siempre fue Trajano de su natural sano, mas con aver andado tantas provincias, con aver seguido tanto las guerras, con aver navegado por tantas mares, con aver suffrido tantas heridas, trabajávale mucho el mal de almorranas... Por ocasión de las almorranas tenía Trajano algún fluxo de sangre quando quería hazer mudança el tiempo, lo qual para su salud le era muy provechoso [36].

Las situaciones más extraordinarias se vienen cómicamente abajo mediante hábil instilación de calculadas notas prosaicas. Cómodo muere envenenado por su concubina Marcia, la cual sabe muy bien cómo alejarle de sí en el momento decisivo: «Fue, pues, el caso que aquella noche aconsejó Marcia a Cómodo que se fuesse a vañar, so pena que si no lo hacía, no se yría con él a dormir» [37]. La historia clásica ha perdido su ceñuda severidad y se convierte así en un ámbito cordial, un hogar en que todos nos sentimos a gusto y donde Guevara puede realizar impunemente las más divertidas travesuras. Geografía y arqueología son objeto de un tratamiento similar: el mundo entero se parece mucho a Castilla, y todo ha sido siempre poco más o menos igual que ahora. Veamos si no cómo eran los oráculos o «ermitas» de la Antigüedad pagana:

> A lo que los christianos llaman agora hermita llamaban los [griegos] oráculo, y este oráculo siempre estaba de las ciudades algo apartado y en muy grande veneración tenido. Estaba siempre en el oráculo un sacerdote solo, estaba bien reparado, bien cerrado y bien dotado, y los que iban a él en romería podían

[36] *Ibid.*, pág. 135. Guevara gusta de incluir en sus retratos la nota de los achaques y padecimientos físicos. De Adriano se dice que fue «muy sano en el cuerpo, excepto que algunas vezes se quexava de dolerle el oýdo izquierdo, y otras vezes le lagrimava un ojo» *(ibid.,* página 139). Recuérdese a don Quijote, con sus lomos ceñidos por un «tahalí de lobos marinos; que es opinión que muchos años fue enfermo de los riñones» (2, 18).

[37] *Ibid.*, pág. 264.

solamente las paredes besar y desde la puerta mirar; mas dentro no podían entrar, excepto los sacerdotes ordinarios y los embaxadores extrangeros. Cabe el oráculo siempre plantaban árboles; dentro dél siempre ardía aceite; el tejado dél era todo de plomo, porque no se lloviese; a la puerta estaba la imagen del ídolo, a do besasen; tenían allí un cepo grande, a do ofresciesen, y hecha una casa a do posasen [38].

Los interiores domésticos dejan de ser escenarios impasibles para llenarse de la personalidad de sus habitantes o para delimitar con mordedura de aguafuerte el contorno vital de éstos. Y así ocurre lo mismo si se trata del antipático salón de palacio en que, esclava de un protocolo inhumano, come solitaria la pobre emperatriz Isabel *(Epístolas,* I, 17), o de aquella casa del avaro de Arévalo que prefigura meridianamente las del clérigo de Maqueda y el hidalgo del *Lazarillo:*

Miento si no conoscí, siendo yo guardián de Arévalo, a un ricazo, el cual no comía de toda su hacienda sino la fruta caída, la uva podrida, la carne enferma, el trigo mojado, el vino acedo, el pan ratonado, el queso gusaniento y el tocino rancio, por manera que no se atrevía a comer sino lo que no podía vender. También confieso que fui a su casa algunas veces, más por mirar que no por negociar, y vi que tenía las cámaras llenas de arañas, las puertas desquiciadas, las ventanas hendidas, los encerados rotos, los suelos levantados, los tejados destejados, las sillas quebradas y las chimeneas caídas, de manera que era casa más para murmurar que no para morar [39].

Los libros guevarianos rebosan de menciones de vestidos, comidas, armas, juegos, muebles, herramientas: todo un mundo del Hombre, conscientemente destinado a servirle de espejo y módulo en cuanto a su razón de ser artística. El au-

---

38 *Epístolas familiares,* I, pág. 209.
39 *Ibid.,* I, pág. 315.

tor empieza ya a poseer el don de suscitar o fingir la sensación de vida, de ir al espíritu por la materia, de rehacer el mundo en la palabra. Un nuevo soplo creador, y en medio del cuadro se levantará Alonso Quijano el Bueno:

> O quán dichoso es en este caso el aldeano, al qual le abasta una mesa llana, un escaño ancho, unos platos bañados, unos cántaros de barro, unos tajaderos de palo, un salero de corcho, unos manteles caseros, una cama encaxada, una cámara abrigada, una colcha de Bretaña, unos paramentos de sarga, unas esteras de Murcia, un çamarro de dos ducados, una taça de plata, una lança tras la puerta, un rocín en el establo, una adarga en la cámara, una barjuleta a la cabecera, una bernía sobre la cama y una moça que le ponga la olla. Tan honrado está un hidalgo con este axuar en una aldea como el rey con quanto tiene en su casa [40].

Todo esto era una mirada literaria nueva, y de nada sirve acordarse aquí del *Beatus ille* ni de la poética de Aristóteles, que es lo que hacía Rhúa. Pero dicha mirada ejerce su capacidad estructurante en múltiples direcciones y se deja sentir sobre todo en el campo del lenguaje, moldeando un estilo de valores expresivos en estricto correlato. El punto de partida supuesto por la más ampulosa retórica tradicional resulta paralelo al de la falsa erudición, y termina por resultar tan apócrifo y engañoso como ella. La solemnidad y estruendo de semejante prosa sirven precisamente para crear un desnivel *per se* humorístico al verse aplicados (lo que no deja de ser otra *falsificación)* a una literatura con matices naturalistas y que sólo deja de ser frívola e irres-

---

40 *Menosprecio de corte y alabanza de aldea*, edición M. Martínez de Burgos, Clásicos Castellanos, Madrid, 1952, pág. 94. El parentesco de don Quijote con el tipo guevariano del hidalgo de aldea ha sido señalado por E. Correa Calderón, «Guevara y su invectiva contra el mundo», *Escorial*, XII, 1943, págs. 41-68.

ponsable en su compromiso con la idea de entretener a un público de superficiales cortesanos.

Guevara nos da escrito el discurso que, después de haberlo oído, quiso tener puesto en papel la ex-reina doña Germana de Foix para enterarse mejor de quién fue Licurgo, legislador de Esparta. Los contemporáneos empezaban a reír en este punto y hora, porque todos sabían lo improbable de tal curiosidad en aquella dama tan ligera de cascos y proverbialmente amiga de los placeres más alejados del intelecto. La pieza entera ha sido calculada para sacar partido a la peregrina ocurrencia de asociar a doña Germana con Licurgo, y para refuerzo de su intención Guevara nos ofrece a la vez una versión más verosímil del interés de doña Germana y del imposible auditorio que en su frívola corte halla el sesudo predicador:

> Para decir la verdad, yo pensé que en el sermón se había dormido, y entre las cortinas arrollado [41]; mas pues manda que le diga lo que dixe de aquel philósopho Ligurguio, señal es que todo el sermón oyó, y aun que le notó. Y pues Vuestra Alteza es servida que a esta plática estén presentes las damas que la sirven, y los galanes que las siguen, mándeles que no se estén cocando, ni señas haciendo, porque han jurado de me turbar o me atajar [42].

Lo ridículo de la situación ha sido así puesto de máximo relieve. Pero en el plano puramente idiomático ocurre también lo mismo cuando aparece ese verbo *cocar* (de *hacer cocos)*, expresión populachera que basta para reflejar el tono de la mundana corte a que se predican las austeridades de Licurgo. El empleo del vulgarismo se acredita de recurso estilís-

[41] Se refiere aquí a la costumbre de asistir los príncipes a sermones y actos de culto bajo un dosel con cortinas que los sustraían a miradas curiosas.

[42] *Epístolas familiares,* I, pág. 28.

tico paralelo a los calculados alardes de naturalismo con que Guevara gusta de pinchar cómicamente la burbuja de los temas de mayor respeto. Dicho efecto se logra unas veces con la simple sorpresa de algún verbo como aquel desdichado *cocarse*, pero en otras ocasiones se echa mano de toda una frase de calculado mal gusto. En el *Oratorio de religiosos* se explica muy bien cuán perjudicial es para el fraile remolonear en ir al coro, de manera que «podremos del tal decir que le da el demonio jarrete por pulpa» [43]. Al presidente de la Chancillería de Valladolid se le explica cómo «querer despachar un negocio fuera de tiempo es cortar por los huesos el pavo» [44]. Dentro y fuera del plano estilístico, Guevara se complace así, con plena conciencia, en un juego bergsoniano de establecer desniveles de adecuación racional. Y terminamos, pues, hurgando las raíces filosóficas del humorismo, fenómeno moderno por antonomasia.

Ante todo este arte tan articulado y seguro de sí, ¿cómo podía censurar Rhúa una supuesta ausencia de verosimilitud en las circunstancias de persona, lugar y tiempo? La verdad es que no le faltaba razón, *su* razón. El sentido que para nosotros reviste hoy ese concepto (impuesto, sobre todo, por la novela) es el de verismo circunstancial, autenticidad sicológica y, sobre todo, presencia y dominio del carácter en la ficción literaria. Como ésta no existía para Rhúa (en cuanto no constituía un género «legítimo»), su concepto estaba forzosamente moldeado sobre nociones de pura erudición. El maestro soriano debía creer, además, en el dogma del poeta como sabio universal, idea muy propia de los teóricos más conservadores, afín, por cierto, a la de Cervantes cuando habla de la poesía como «doncella tierna y de

---

[43] *Místicos franciscanos españoles*, edición de fray Juan Bautista Gomis, Biblioteca de Autores Cristianos, Madrid, 1948, II, pág. 648.

[44] *Epístolas familiares*, I, pág. 247.

poca edad», servida por todas las demás ciencias [45]. En 1531 la resumía en estos términos el italiano Aulo Giano Parrasio:

> Quemcunque autem poetam rerum omnium peritum esse oportet, ut de una quaque re possit copiose dicere. Mores populorum, consuetudines, iura, terrestrium, maritimarumque cognitiones urbium, locorumque descriptiones, agriculturam, rem militarem, clarorum uirorum dicta factaque pernoscat, graphidos peritus sit, geometriae eruditus, architecturam edoctus, musicam sciat, scientiam cum naturae & morum, tum disserendi calleat, medicinae non ignaris, iurisconsultorum responsa teneat, astrologiam, coelique rationes compertas habeat. Nam historiarum, fabularumque cognitio, quaeque grammaticae copulantur, in primis sunt necessaria [46].

---

[45] *Quijote*, 2, 16. Es idea que reaparece en *El licenciado Vidriera*, *Viaje del Parnaso* y *La gitanilla*. J. F. Canavaggio la relaciona con la obra del Pinciano; «Alonso López Pinciano y la estética literaria de Cervantes en el *Quijote*», en *Anales Cervantinos*, VII, 1958, pág. 28. También procede de éste lo expresado en la misma ocasión para requerir del verdadero poeta una alta moralidad personal, pues «si el poeta fuere casto en sus costumbres, lo será también en sus versos»; Alonso López Pinciano, *Philosophía antigua poética*, edición Alfredo Carballo Picazo, Madrid, 1953, I, pág. 148. En ambos casos se trata de ideas claramente derivadas de Quintiliano, el más rígido de los retóricos, características de los críticos modernos de orientación más conservadora. Es curioso el jugueteo irónico con que don Quijote (conversando también con el Caballero del Verde Gabán) transfiere el concepto del poeta como sabio enciclopédico al caballero andante, obligándole a ser jurisperito, teólogo, médico, astrólogo, matemático, herrador de caballos y, además, persona casta y virtuosa.

[46] Citado por Bernard Weinberg, *A History of Literary Criticism in the Italian Renaissance*, Second impression, The University of Chicago Press, Chicago, 1963, I, pág. 97, nota 61. Weinberg encuentra la misma idea, con diferencias de matiz, en otros tratadistas como Bernardo Daniello (1536), Alessandro Lionardi (1554) y Antonio Sebastiano Minturno (1559). Petrarca se hace eco del mismo punto doctrinal al proponer a Homero no sólo como arquetipo de poeta, sino como enciclopedia u «océano» de toda suerte de conocimientos; *ibid.*, I, página 44.

La «verosimilitud» de Guevara no era entendida por eruditos como Rhúa porque su naturaleza era ya de orden moderno, tendente al realismo [47], y orientada en un claro sentido novelístico, precursor en más de un aspecto del arte cervantino. La claridad con que cabe apreciar esta radical novedad de Guevara es, además, muy útil para entender un problema similar en la apreciación crítica de Cervantes, cuyo sentido de la realidad literaria parece, en lo mejor de su obra, igualmente ajeno al planteamiento al uso entre los clasicistas aristotélicos. Según Américo Castro, en *El pensamiento de Cervantes*, éste había desarrollado el sentido de esa «imitación perfecta», mencionada en el prólogo de la Primera Parte del *Quijote*, profundizando en la significación y alcances de la preceptiva aristotélica [48], no en contra de ésta sino a partir de ella. Pero el caso de Guevara nos da claro testimonio de cómo existió una verdadera ruptura, de cómo ambos sentidos de la verosimilitud eran incompatibles y ningún contemporáneo vislumbró posibilidad de compaginarlos. No hay que olvidar que la carga de los humanistas contra Guevara fue cerrada [49], que éste ni siquiera hizo ademán de

47 Sobre este aspecto de nuestra moderna noción de verosimilitud, véase E. C. Riley, *Cervantes's Theory of the Novel*, pág. 97.

48 Américo Castro, *El pensamiento de Cervantes*, Madrid, 1925, páginas 23 y 34-35. Se siguen allí, en lo esencial, las conclusiones de G. Toffanin en *La fine dell'Umanesimo*, Milán, 1920. Complemento útil de esta teoría es su discusión en la ya citada «Contestación» de A. Sánchez Rivero. Revisa este problema con ponderada crítica J. F. Canavaggio, «Alonso López Pinciano», págs. 80 y sigs.

49 El teórico italiano Bernardino Tomitano hacía pie en la condena de Guevara para atacar sin distinción las letras de Garcilaso y de los poetas españoles en general. Tan injusto proceder despertaba la indignación de Herrera en sus *Anotaciones:* «Como si fueran los Españoles tan bárbaros i apartados del conocimiento de las cosas, que no supieran entender qué tales eran aquellos escritos» [de Guevara]; E. Grey, «Pedro de Rhúa's Critique of Antonio de Guevara», pág. 33. Cuadra muy bien que el Tomitano se hallara, según Weinberg (I, páginas 266-267), muy preocupado con el problema moral de la «menti-

defenderse y que su obra no suscitó polémicas como las que en Italia se ventilaron acerca de la *Gerusalemme* de Tasso o *Il pastor Fido* de Guarini, pues el pleito de Guevara quedó sentenciado entre los doctos sin defensa ni margen de apelación.

CERVANTES, LOPE Y EL MÓDULO ARISTOTÉLICO

Estamos ante unas cuestiones cruciales para entender a Guevara en su relación con Cervantes y las condiciones reales del nacimiento de la novela moderna. Para entenderlas mejor es preciso recurrir al módulo enteramente conservador de Lope de Vega en sus juicios sobre el género de ficción, que tan mal se le daba, y sobre la obra cervantina en particular. Harto conocidas son sus despectivas frases sobre el *Quijote,* pero no tanto el mezquino «elogio» que de Cervantes escribe en la breve introducción sobre la novela con que abre *Las fortunas de Diana,* primera de sus *Novelas a Marcia Leonarda:*

> El Boyardo, el Ariosto y otros siguieron este género, si bien en verso; y aunque en España también se intenta, por no dejar de intentarlo todo, también hay libros de novelas, de ellas traducidas de italianos y de ellas propias, en que no le faltó gracia y estilo a Miguel Cervantes.

Lope sigue abrazado con la idea de la épica en prosa como justificación inicial del género. La novela o narración corta se ve que la aprecia un escalón por debajo de los *romanzi* italianos y sus imitaciones. Pero más interesante es lo que viene después:

---

ra» literaria. No se pierda tampoco de vista que Cervantes conocía bien las *Anotaciones* de Herrera, cuya dedicatoria copió en parte para cumplir con la suya al duque de Béjar en el *Quijote* de 1605.

Confieso que son libros de grande entretenimiento y que podrían ser ejemplares, como algunas de las *Historias trágicas* del Bandelo, pero habían de escribirlos hombres científicos o por lo menos grandes cortesanos, gente que halla en los desengaños notables sentencias y aforismos [50].

El Monstruo deja correr su ponzoña: citar como ejemplo de novelas *ejemplares* a las de Bandello equivale, claro está, a negar tal dignidad a las de Cervantes, que, a pesar suyo, tiene tan presentes. Pero lo más significativo para nosotros es aquello de los «hombres científicos o por lo menos grandes cortesanos», nuevo ataque transparente contra el ya muerto Cervantes, que había sido «ingenio lego» y nunca pasó más allá de alcabalero en su modesto *cursus honorum*. Pero, sobre todo, se trata de la viejísima idea, tan de esperar en un conformista como Lope, según la cual Rhúa y los críticos más cerrados legitimaban de mala gana el género con tal de que éste se conformara con ser mero vehículo de erudición. En tono de prédica bien aprendida lo repite el pastor Danteo en una academia de *La Arcadia:*

No sólo ha de saber el poeta todas las ciencias, o a lo menos principios de todas, pero ha de tener grandísima experiencia de las cosas que en tierra y mar suceden, para que ofreciéndose ocasión de acomodar un ejército o describir una armada, no hable como ciego, y para los que lo han visto no le vituperen y tengan por ignorante. Ha de saber ni más ni menos el trato y manera de vivir y costumbres de todo género de gente; y finalmente, todas aquellas cosas de que se habla, trata y se vive, porque ninguna hay hoy en el mundo tan alta o ínfima, de que

50 *Novelas a Marcia Leonarda*, edición Francisco Rico, Madrid, 1968, pág. 28. La obsesión lopesca con la idea del «poeta científico» es comentada y puesta en perspectiva por Ramón Menéndez Pidal, «La poesía como ciencia en el Barroco (apuntes varios)», *Studi in onore di Alfredo Schiaffini*, en *Rivista di Cultura Classica e Medioevale*, VII, 1965, págs. 1-5.

no se le ofrezca tratar alguna vez, desde el mismo Criador hasta el más vil gusano y monstro de la tierra [51].

Respetuoso con la receta, Lope se las apaña para taracear en sus novelas los más ociosos retazos de material «científico». Con no ir nunca más allá de la fórmula de novela bizantina se tenía siempre oportunidad de entremeter geografía e historia malcopiada de cualquier librote de dominio público, episodios como la descripción de Constantinopla en *El desdichado por la honra* o el trato de Túnez y batalla naval de Lepanto en *Guzmán el Bravo*. Con pedantería que suena a jovenzuelo modernista de hacia el año 1900, Lope llamaba «intercolumnios» [52] a semejantes derroches de erudición mostrenca. Lo atroz es que aun en ellos solía desbarrar de la manera más desaforada, cometiendo anacronismos de tan grueso calibre como el de hacer que Fernando el Católico envíe un virrey a Cartagena de Indias en tiempos de la guerra de Granada, según yerra, sin ir más lejos, en *Las fortunas de Diana*, después de haberse puesto tan melindroso con aquello de los «hombres científicos».

El aristotelismo nunca pactó ni reconoció parentesco alguno con el nuevo sentido de la verosimilitud desplegado por Guevara y después por Cervantes. El ataque de Lope es, en el fondo, el mismo de Rhúa: los blancos de ambos son escritores extraviados y, por ello, indignos de «autoridad». Los innovadores tuvieron, pues, que avanzar a cuerpo limpio y sin recibir cuartel. Dejaron el pleito a veredicto del pú-

---

51 *Obras no dramáticas de Lope de Vega*, Biblioteca de Autores Españoles, Madrid, 1856, pág. 93. Dicha teoría es impugnada por otro pastor que se cita a sí mismo, en los versos que hace a su dama, como ejemplo de poeta no erudito, «que no es menester mucha filosofía ni cosmografía para el entendimiento de una mujer, que antes huyen de tanta metafísica como en esos vuestros ingenios hallaréis a cada paso» (pág. 94). Claro está que quien habla así es el pastor *Rústico*.

52 *Novelas a Marcia Leonarda*, pág. 97.

blico, que les fue abrumadoramente favorable[53]. No hay, pues, nada de casual en que el caso de Cervantes se perfile en esto como repetición casi exacta del de Guevara.

Lope no publicó *Las fortunas de Diana* hasta 1621, pero su juicio no podía ser nuevo ni secreto. Los correveidiles del mundillo de poetas no dejarían de llevarlo a los oídos de Cervantes, y es ahora cuando podemos de veras entender el prólogo de la Primera Parte y sus alcances. Lope había publicado en 1598 su *Arcadia,* libro pastoril rebosante de erudición barata, que en su edición de Amberes, 1605, lleva un índice de casi sesenta páginas de autoridades[54]. Lo mismo ocurre con la ficción bizantina *El peregrino en su patria* (1604), que hoy parece como escrita adrede para marcar, respecto al *Quijote,* una distancia de siglos. Cervantes pasa a la ofensiva para anegar en ridículo el concepto de la ficción erudita, recordando de camino a aquel diablo de obispo, autor de libros tan divertidos como embusteros. Su *Quijote* está escrito sin pretensiones científicas y sin obvias falsillas de preceptistas, por cuanto trata de libros de caballerías,

> ... de quien nunca se acordó Aristóteles, ni dijo nada San Basilio, ni alcanzó Cicerón; ni caen debajo de la cuenta de sus fabulosos disparates las puntualidades de la verdad, ni las ob-

53 Cervantes siguió siendo tozudamente repudiado por una serie de intelectuales conservadores, de contextura ideológica parecida a la de Lope de Vega y su admirador Avellaneda (Cristóbal Suárez de Figueroa, Gracián, Nasarre); Stephen Gilman, *Cervantes y Avellaneda. Estudio de una imitación,* México, 1951, págs. 51 y sigs. Don Juan Valladares de Valdelomar censuraba, típicamente, a Cervantes en su *Caballero venturoso* (1617) por «las ridículas y disparatadas fisgas de *Don Quijote de la Mancha,* que mayor la deja en las almas de los que lo leen, con el perdimiento de tiempo»; A. Bonilla San Martín, *Cervantes y su obra,* Madrid, 1916, pág. 174.

54 Francisco Ynduráin, *Lope de Vega como novelador,* Santander, 1962, pág. 14. Más aún, se agrega aquí, «rara vez Lope sabrá sustraerse a esta moda, que hoy nos parece tan fría y de mero alarde».

servaciones de la astrología; ni le son de importancia las medidas geométricas, ni la confutación de los argumentos de quien se sirve la retórica.

Y en seguida la alusión transparente a las más caras aficiones de Lope, gran beato y eterno divinizador: «Ni tiene para qué predicar a ninguno mezclando lo humano con lo divino, que es un género de mezcla de quien no se ha de vestir ningún cristiano entendimiento»[55]. El discurso del amigo remata en un llamamiento, que también hubiera suscrito Guevara, a componer libros entretenidos, claros y bien escritos, con los que todo el mundo pueda solazarse: «Procurad también que leyendo vuestras historias el melancólico se mueva a risa, el risueño la acreciente, el simple no se enfade, el discreto se admire, el grave no la desprecie, ni el prudente deje de alabarla». La Segunda Parte seguirá aún más empeñada en la defensa del libro de entretenimiento como tarea propia de los ingenios de mayor juicio y madurez, frente a la despreocupación con que otros se arrojan a componerlos «como si fuesen buñuelos» (2, 3).

---

55 Igual de tajante era en esto el Pinciano. Fadrique, uno de los interlocutores de la *Philosophía antigua poética,* observa: «¿Vos no auéys oydo dezir mezclar a lo sacro lo profano?». Asiente el Pinciano: «Y aun sé... que por justísimas leyes está vedado» (III, pág. 94). No deja de sorprender esta fuerte convicción del médico preceptista, en medio del furor típicamente hispano por la vuelta a lo divino y el amplio manejo de los temas sacros en general. Es imposible no ver en esto una condenación velada de Lope y un anticipo del argumento de los neoclásicos contra los autos sacramentales. El libro del Pinciano señala el decidido rumbo de un clasicismo aristocrático y minoritario, exento de cruces con todo asomo de popularismo. Canavaggio ha señalado cómo, al exponer sus ideas dramáticas, el Pinciano parece haber tenido ya el propósito inconfesado de hacer una crítica del teatro de Lope; «Alonso López Pinciano y la estética literaria de Cervantes», pág. 51, nota. No hay que olvidar que el Pinciano vivió muchos años fuera de España y dedicó su obra al conde Kevenhiler de Aichelberg.

Páginas adelante de la Primera Parte no son ya bromas, sino un varapalo en regla lo que se reserva para Lope en la crítica del Cura y del Canónigo (1, 48) a las comedias al uso. El planteamiento del ataque se entiende sin dificultad como respuesta a las despectivas murmuraciones lopescas, conforme a aquello de que *Donde las dan, las toman.* ¿No se muestra Lope tan intratable clasicista en sus ideas sobre la novela? Pues entérese del juicio que sus comedias merecen a los aristotélicos puros. Espléndida ironía ésta del clasicismo, aprovechado por ambos ingenios como trasto que arrojar, con escándalo farisaico, a la cabeza del contrario.

En la crítica del Canónigo (1, 47) hay, además, un giro sorprendente, por algunos llamado «la paradoja del *Quijote*» [56]: el trazo ideal de una novela conforme a las ideas clasicistas, que podía interpretarse a su vez como censura implícita del propio *Quijote*. Y ya sabemos cómo Cervantes, en una retirada literaria que presenta ribetes de conversión o poco menos [57], realizará en las páginas del *Persiles* ese ideal de dómines criticones [58]. Si Heliodoro legó el modelo

---

56 Canavaggio, «Alonso López Pinciano y la estética literaria de Cervantes», pág. 79.

57 Observaba William C. Atkinson cómo en sus últimos años experimentó Cervantes, si no una innecesaria conversión religiosa, al menos una crisis de fervor (ingreso en cofradías piadosas, etc.) que parece ir aparejada con la adopción en el *Persiles* de un ideal literario netamente conservador y contrarreformista; «The Enigma of the *Persiles*», en *Bulletin of Spanish Studies,* XXIV, 1947, pág. 247. La idea no va descaminada, pero ofrece dificultad. La diferencia entre el *Persiles* y el *Quijote* se determina por últimas razones de estética literaria, por afán deliberado de crear en una vena distinta. No hay que olvidar que la composición del *Persiles* hubo de coincidir en gran parte con la de la Segunda Parte del *Quijote.*

58 Los esfuerzos de Canavaggio («Alonso López Pinciano», págs. 105-106) y Riley *(Cervantes's Theory of the Novel,* págs. 179 y sigs.) por atenuar las diferencias de concepción estética entre el *Quijote* y el *Persiles* caen un poco en terreno hipercrítico. El caso del *Quijote* es

clásico de ficción bizantina en su historia *etiópica,* él escribirá una historia *septentrional,* y todo queda en cuestión de geografía y grados de latitud. Para lograrlo habrá de recurrir, para colmo, a la desacreditada fórmula lopesca de entrar a saco por Oficinas y Polianteas: las relaciones de viaje de Niccolò Zeno (s. XIV) y de Piero Quirino, los libros de Olao Magno (otro obispo embustero), los recién publicados *Comentarios reales* del Inca Garcilaso (para documentar costumbres de bárbaros *septentrionales),* las misceláneas de Francisco Thámara y de Julio Solino [59]. Para no ser tampoco menos que Lope, el resultado fue, en este aspecto, un más que regular enredo de geografía y anacronismos. Se regresaba así al abrigado puerto de la verosimilitud aristotélica, pues era, a las claras, un libro erudito que hubiera podido honrarse con una buena tabla de autoridades. Cervantes se daba el gusto de disertar allí sobre licántropos, del pez «náufrago» (serpiente de mar), del esquí (con ridícula inexactitud) [60] y del curioso pájaro barnaclas. También él podía escribir relatos con «intercolumnios».

EL NARRADOR NARRADO O EL OBISPO INVEROSÍMIL

La obra de Guevara rebosa de apartes y apostillas personales, de anécdotas que dice haberle ocurrido y de inesperadas confidencias de tono íntimo, algunas de las cuales no le dejan, por cierto, a muy buena luz. Hablar de sí mismo

similar en esto al del teatro de Lope, cuyo clasicismo no ha podido ser defendido por nadie.

59 Véase la introducción de Schevill-Bonilla a *Los trabajos de Persiles y Sigismunda,* Madrid, 1914, I, págs. IX y sigs.

60 Leif Sletsjöe, «Cervantes, Torquemada y Olao Magno», *Anales Cervantinos,* VIII, 1959-60, págs. 139-150.

se ve que empezaba por ser para él una tentación irresistible, pero lo que nos interesa ahora señalar son los procedimientos con que logra hacer de ella uno de los grandes encantos de su obra. Su talento de puro escritor, actuando con esa fría conciencia de los problemas técnicos que tanto le distingue, ahonda en dicho impulso elemental, transformándolo en una fórmula artística de notable sutileza. Aunque se trata de un rasgo omnipresente, alcanza su mayor desarrollo, coincidiendo con el punto más alto de la obra de Guevara, en las *Epístolas familiares* (1539), animado retablo de la corte de Carlos V, contemplada ya en gran parte con ojo de magnífico periodista [61].

De creer a fray Antonio, según la figura que trata de componer en sus libros, tendríamos en él un sabio de autoridad reconocida, amigo y mentor del César Carlos, persona de gran influencia política e historiador que promete inmortalizar a sus amigos en la magna crónica contemporánea que se halla escribiendo [62]. La crítica ha sacado ya su partido a estas ilusiones megalómanas y casi paranoicas de Guevara [63], porque la realidad era muy opuesta: su fama no era de sabio, sino de embustero, y su nobleza conocida de todos

---

61 Aspecto correctamente observado por Marcel Duviols, «Un reportage au XVIe siècle. La Cour de Charles-Quint vue par Guevara», *Hommage à Ernest Martinenche*, París, s. f., págs. 424-427.

62 Así, al comunero arrepentido don Pedro Girón: «No es justo que os quexéis del destierro de África, pues por él os hará mi pluma de inmortal memoria, que, como, señor, sabéis, yo soy chronista de César, y amigo vuestro, y sed cierto que, si escribiere las desgracias por que fuisteis desterrado, también os engrandesceré las grandezas que hizistes en el destierro»; *Epístolas familiares*, I, págs. 427-428.

63 «Sigo creyendo que el estilo llamativo y aparatoso de Guevara, su cínico falseamiento de la realidad conocida, su ingenua afectación, su afán de éxitos a la postre logrados, no son separables de la vida que, por tales medios, se hacía real y digna de recuerdo»; Américo Castro, «Antonio de Guevara. Un hombre y un estilo del siglo XVI», *Hacia Cervantes*, 3.ª edición, Madrid, 1967, págs. 110-111.

como bastarda y segundona. El bufón don Francesillo de Zúñiga le retrata en frases crueles como cortesano desacreditado y ambicioso vulgar [64]. En cuanto a la famosa crónica, se quedó por las buenas sin escribir, a pesar de que cobraba emolumentos y subvenciones que por disposición testamentaria ordenó restituir al fisco [65].

---

64 La maldiciente *Crónica* gusta de asociar a Guevara con el dudoso crédito de su *Marco Aurelio:* «Y que hiciesen maese de campo a fray Antonio de Guevara, gran parlerista, obispo de Guadix, porque nunca hablaría palabra, según escribe Marco Aurelio, quejándose de él al villano del Danubio»; *Curiosidades bibliográficas,* edición Adolfo de Castro, Biblioteca de Autores Españoles, Madrid, 1871, pág. 20. «Y como lo afirma fray Antonio de Guevara, llamado por otro nombre Marco Aurelio, en una carta que escribió al obispo de Zamora...» (página 36). Hablando de un ridículo juego de cañas: «E fray Antonio de Guevara, obispo de Guadix, corrió las parejas con Marco Aurelio, y no los podían despartir hasta que vino fray Bernardo Gentil, gran parlerista de su majestad, y con su parlería los puso en paz» (pág. 38). La mundana preocupación con su carrera queda pregonada por su inclusión en el grupo de cortesanos que peregrinan a la cueva de Atapuerca para interrogar a ciertas voces misteriosas que allí se escuchaban; a Guevara se le menciona como «predicador parlerista e coronista de su majestad, *in magnam quantitatem*», además de «gran decidor de todo lo que le parecía», y su pregunta: «Querría saber, señora voz, si tengo de ser mejorado en algún obispado, e que fuese presto...» (página 52).

65 Lino Gómez Canedo, «Fray Antonio de Guevara, Obispo de Mondoñedo», *Archivo Ibero-Americano,* VI, 1946, pág. 318. La rebusca documental de J. Gibbs (*Vida de fray Antonio de Guevara,* Madrid, 1960) mostró que, contra lo que se creía, Guevara dejó a su muerte bastantes papeles relacionados con la crónica del Emperador. La inconfundible personalidad del estilo ha permitido a Joseph R. Jones identificar varios pasajes de ésta aprovechados, con poco escrúpulo, en las crónicas de fray Prudencio de Sandoval y del cosmógrafo Alonso de Santa Cruz; «Fragments of Antonio de Guevara's Lost Chronicle», *Studies in Philology,* LXIII, 1966, págs. 30-50. Todo ello no hace sino confirmar el hecho básico de que Guevara no había pasado de acumular algunos materiales voluminosos, pero fragmentarios, sin que la ponderada crónica llegara nunca a tomar cuerpo de obra. No son precisos, a nuestro entender, los esfuerzos de Jones por alejar de Guevara la sombra de incumplimiento del deber. Es

Algunas de sus confesiones se muestran, desde luego, muy en línea con lo que acerca de su verdadero carácter sabemos. Máximamente verosímil, la de haber sido muy mujeriego antes de tomar el hábito (y según nuestros malos pensamientos, quizás también después):

> En este caso yo confieso que nascí en el mundo, anduve por el mundo y aun fui uno de los muy vanos del mundo. También confieso que gasté mucho tiempo en ruar calles, ojear ventanas, escrebir cartas, requestar damas, hacer promesas y enviar ofertas, y aun en dar muchas dádivas; las cuales cosas todas las digo, para mayor mi confusión y menos condenación[66].

Fray Antonio, de hecho, vivió fuera del claustro la mayor parte de su vida, devorado de ambiciones cortesanas y creciendo cada día más en gramática parda que en virtudes. Cuando pasaba por un monasterio como el de Montserrat y veía de cerca la verdadera vida religiosa, sentía angustiársele el corazón con vanos propósitos de enmienda, reconociéndose fracasado como fraile y preso irremisible en las redes de este mundo:

---

bien cierto que no escribió la crónica oficial que le encomendaron, pero escribió otra, mucho más interesante como documento literario y humano, en la sabrosa pintura que de la corte imperial traza en las *Epístolas familiares*. Como observa Américo Castro, Guevara ostentaba el título de cronista «a sabiendas de serle imposible escribir una crónica objetivamente articulada» («Antonio de Guevara», páginas 95-96). No hay que olvidar que los fragmentos históricos identificados por Jones son todos ellos cartas y discursos apócrifos acerca de acontecimientos políticos clave; su crónica oficial no hubiera podido ser más que una especie de novela a lo *Marco Aurelio*, y por eso no llegó a escribirla. No produjo aquella crónica al uso, pero sí multitud de inapreciables «crónicas» en el sentido del mejor y más moderno periodismo. El mismo Jones señala también cómo los principales acontecimientos políticos del movido año 1536 han sido deliciosamente reflejados en la *Década de Césares* bajo el usual disfraz grecorromano; «Allusions to Contemporary Matters in Guevara's *Década*», en *Romance Notes*, V, 1964, págs. 192-199.

66 *Epístolas familiares*, I, pág. 219.

> ¡Ay de mí, ay de mí, padre Abad[!] Que cuanto más voy cargando en días, tanto más floxo me siento en las virtudes, y lo que peor de todo es, que en deseos buenos soy un sancto y en hacer obras buenas soy muy pecador, predicando yo, como yo predico, que el cielo está lleno de buenas obras y el infierno de buenos deseos. No sé si son amigos que me aconsejan, parientes que me importunan, enemigos que me descaminan, negocios que se me ofrescen, César que siempre me ocupa o el demonio que siempre me tienta, que cuanto más me propongo de apartarme del mundo, tanto más y más cada día me voy a lo hondo [67].

El tema de su frustración religiosa y cadena perpetua de su mundanidad puede considerarse culminado en dos maravillosos capítulos del *Menosprecio de corte,* el XVIII, «Do el auctor con delicadas palabras y razones muy lastimosas llora los muchos años que en la corte perdió», y el XIX, «Do el auctor cuenta las virtudes que en la corte perdió y las malas costumbres que allí cobró»:

> O quántas vezes me tomaba gana de retirarme de la corte, de apartarme ya del mundo, de hazerme ermitaño o de meterme fraile cartuxo; y esto no lo hazía yo de virtuoso, sino de muy desesperado, porque el Rey no me dava lo que yo quería y el privado me negava la puerta [68].

Se dirá, y es irrefutable, que no se trata en todo esto sino del lugar común de la autoinculpación retórica. Y, sin embargo, para que nada deje de ser anómalo en Guevara, tales borbotones responden a un frío justiprecio de sí mismo y son tal vez las únicas sinceridades que se hallan en toda su obra.

---

67 *Ibid.,* I, pág. 211.
68 *Menosprecio de corte,* pág. 180.

Guevara gusta de autorretratarse en su prócer estatura, «que soy en el cuerpo largo, alto, seco y muy derecho»[69], comparándose en ello con Hércules, Sansón, Julio César y los recién inventados Palas, Hermenio y Thíndaro. Los cortesanos le critican por su lentitud en decir la Misa y lo dilatado de sus sermones (I, ep. 10), en los que alguna vez que otra se le duerme algún admirador (II, ep. 25). Padece, como todo el mundo en aquella época, de gota, de fiebres intermitentes y también de dolorosas ciáticas. De los galenos de corte son pocas las cosas buenas que puede contar:

> Al doctor Soto hablé, aquí en Toledo, acerca de una ciática que me dio en un muslo, y mandóme dar dos botones de huego en las orejas, y el provecho que [dello] sentí fue dar a toda la corte que reír, y a mis orejas que sufrir. Hablé también en Alcalá con el doctor Cartagena, y él ordenóme una recepta, en que de boñigas de buey, y de freza de ratón, y de harina de avena, y de hojas de ortigas, y de cabezas de rosas, y de alacranes fritos hiciese un emplasto y le pusiese en el muslo, y el provecho que dél saqué fue que no me dexó dormir tres noches, y pagué al boticario que lo hizo seis reales[70].

Sus habilidades literarias, y sobre todo el inefable libro de *Marco Aurelio,* le ocupan también con frecuencia. Apreciaba muy alto el valor de éste, y ya vimos la elegancia con que supo recordar a sus contemporáneos la deuda en que se hallaban de alzarle la estatua *(ecuestre,* no se olvide) que, sin duda, le hubieran valido aquellas páginas en tiempos de Roma. Por todas partes, sin omitir las mismas portadas de sus obras, pregona orgullosamente el inmenso desvelo que le cuesta escribir tan rica y facunda doctrina; puede servir de ejemplo el mismo prólogo de la *Década:*

---

69 *Epístolas familiares,* I, pág. 75.

70 *Ibid.,* I, pág. 343.

> Acabado de traduzir, copilar y corregir el mi muy affamado *Libro de Marco Aurelio*, quedó mi juyzio tan fatigado y mi cuerpo tan cansado, en onze años de mi mocedad que en él gasté, que propuse entre mí y capitulé comigo de no escrevir otro libro, mayormente en aquel estilo; porque si al lector es sabroso, al auctor es costoso [71].

El marqués de Pescara le envía en homenaje una «péñula de oro» (I, ep. 11), y él corresponde con un *Marco Aurelio* (es de suponer que dedicado). Con un ejemplar del mismo consuela a un ex-comunero desterrado en Orán, aunque Guevara no se hace muchas ilusiones, «y para mí bien tengo creído que quisiérades más una libra de oro que jugar» (I, ep. 62). No hubo manera de atajar la difusión del áureo libro, cuyo manuscrito se hurtaban unos a otros, y esto lo mismo la Emperatriz que Tumbas, todos los cortesanos (I, ep. 42). Vienen las damas y le piden que traduzca otras cartas de amores, de lo que finge correrse mucho (I, ep. 64). En cierta ocasión encarece el desvelo mostrado por Augusto en conservar la correspondencia de Cleopatra con Marco Antonio (I, ep. 16), y los que ya le conocemos deducimos que casi se trata de anunciar una nueva travesura que le está comiendo los dedos; lástima que no se haya atrevido, a fin de cuentas, con tan picante y tentadora empresa.

En la mayoría de las ocasiones Guevara habla de sí mismo tomando pie en casos de lo más ratonero y prosaico, por efecto tal vez de una de sus más peregrinas ideas, según la cual «los antiguos doctores y grandes oradores en las materias más baxas y [sueces] mostraban y empleaban su elocuencia» [72]. Alguna vez se trata de un amigo, desterrado po-

---

[71] *Una década de Césares*, pág. 71.

[72] *Epístolas familiares*, II, pág. 175. Es muy probable que Guevara recordase y tergiversara aquí a su manera las razones de Erasmo en la dedicatoria del *Elogio de la locura:* «Mas en cuanto a los que se

lítico, que le pide ayuda pecuniaria; Guevara se excusa recordándole que «para enviaros dinero soy fraile francisco» [73] y no puede mandarle sino catorce reales de unas misas que dijo y otros dieciocho de ciertos libros que vendió. Anotemos de paso que nuestro fraile comparte con sus personajes (lo mismo Marco Aurelio que el mismo Jesucristo) una crónica flaqueza de bolsa: se encuentra en Medina del Campo y confiesa su rabia por tener que conformarse sólo con mirar tanta rica mercaduría como se ofrece en la feria (I, ep. 14).

Le pasan también las cosas más inesperadas. El duque de Nájera anda queriéndole hurtar una mula que le ha regalado el arzobispo de Sevilla, don Alonso Manrique (II, ep. 20). Una acalorada controversia teológica con cierto judío de Nápoles, en trance de llegar ya a las manos, termina con que «apostamos entre ti y mí una hojaldre [judayca] y una pinta de vino de Soma, por manera que en la apuesta el uno se mostró borracho y el otro goloso» [74]. Mucho más inaudita es

escandalizan de la ligereza y de lo jocoso del asunto, querría que pensasen en que yo no soy el inventor del género, sino que desde antiguo ha sido puesto en práctica por grandes escritores, pues ha siglos que Homero cantó las guerras de las ranas y de los ratones en la *Batracomiomaquia*; Virgilio, a los mosquitos y al almodrote; Ovidio, a las nueces; Polícatro hizo el elogio de Busiris, e Isócrates lo fustigó; Glauco celebró la injusticia; Favorino, a Tersites y las cuartanas; Sinesio, la calvicie; Luciano, las moscas y los parásitos; Séneca escribió la apoteosis de Claudio; Plutarco, el diálogo de Grillo con Ulises; Luciano y Apuleyo, el asno; y no sé quién, el testamento del cochinillo Grunio Corocota, de que hace mención San Jerónimo»; trad. A. Rodríguez Bachiller, Aguilar, Madrid, 1967, pág. 29. Sobre la tradición humanista y retórica del elogio burlesco, véase F. Sánchez Escribano, «Un tema erasmiano en el *Quijote*, I, XXII», *Revista Hispánica Moderna*, XIX, 1953, págs. 88-93. Bibliografía adicional y datos sobre los ecos teatrales del elogio burlesco, en F. Rico, «Para el itinerario de un género menor: algunas loas de la *Quinta parte* de comedias», *Homenaje al Prof. William L. Fichter*, Madrid, 1971, páginas 611-621.

73 *Epístolas familiares*, II, pág. 184.

74 *Ibid.*, II, pág. 279.

la carta que escribió al italiano Micer Polastre, que le acusa de haberse apropiado una poma de olor que se dejó olvidada en la cámara del obispo; terrible cosa esto de que le vaya difamando por hurto de una cosa tan frívola:

> Si me infamárades que yo había hurtado algún papagayo hermoso, alguna gata muy linda, algún tordo que habla, o algún xerguerito que canta, ya pudiera ser que ni yo quedara corrido, ni vos saliérades mentiroso, porque los semejantes diges y coxixos, pídolos a mis amigos, y si no me los quieren dar, trabajo de los hurtar[75].

Los lectores no se esperaban tener que imaginar a este obispo, predicador y cronista imperial, en la frívola desvergüenza de ir hurtando los animalitos de sus amigos. En el *Libro de los inventores del marear y de muchos trabajos que se pasan en las galeras* vuelve a hacer reír jugando con una ocurrencia en la misma vena de su debilidad por los bichos; las incomodidades del periplo rematan cuando al desembarcar los aduaneros cuentan los dineros, abren las arcas, miran las ropas, descosen los líos y obligan a pagar abusivos derechos. Tal fue su experiencia en Barcelona, al regresar de la expedición del Emperador a Túnez: «A ley de bueno juro que por los derechos de una gata que truxe de Roma me lleuaron medio real en Barcelona»[76]. La gloriosa empresa queda disminuida a escala de este reverendo que torna de Italia con un gato por tesoro, y ha de altercar con los exactores y pagar la gabela de malísima gana.

Por extraño que parezca, el juego favorito de Guevara consiste en dar que reír a costa de su triple dignidad de

---

75 *Ibid.*, II, pág. 443.

76 *Libro de los inuentores del arte del marear y de muchos trabajos que se passan en las galeras*, en *Las obras del illustre señor don Antonio de Guevara obispo de Mondoñedo*, Valladolid, 1545, c. VII, f. CCXI r.

obispo, predicador y cronista. Ya vimos la furia fingida que le producía la consulta acerca de Lamia, Layda y Flora, cuya única finalidad era llamar la atención sobre la impropiedad de verle pontificar sobre un tema como aquel. Pero estas materias subidas de color tenían clientela segura, y Guevara las glosa siempre que puede sin perder puntada. El obispo finge reglamentario escándalo cuando un conocido suyo con sesenta y cuatro años a cuestas le ruega «que os escriba una carta de amores para vuestra amiga, en la cual persuada a que cumpla con vos, aunque olvide un poco a Dios» [77]. También ha de recordarle a otro viejo enamoradizo que «esta materia de amores, ni vos estáis ya en edad para seguirla, ni cabe en mi gravedad escrebirla», porque «a vos os sobra la edad y a mí falta la libertad» [78]. Nada ejemplar era tampoco la curiosidad de un Veinticuatro de Sevilla que deseaba saber acerca de ciertas antigüedades de Corinto, pero como el corresponsal tuvo el buen acuerdo de enviar a la vez un presente de confituras y dineros, Guevara le colmó las medidas sobre aquel maldito templo do moraban, «por lo menos quinientas doncellas asianas, las cuales ofrescían allí sus padres a la diosa de los amores para que fuesen enamoradas; de manera que a la más enamorada tenían por más sancta religiosa» [79]. Es luego su propia hermana doña Francisca de Guevara la que, con tan cercano parentesco, le obliga a profesar toda una lección sobre el galanteo cortesano, «aunque es verdad que el responder a requiebros, y el hablar en amores es muy ageno de mi condición y muy extraño de mi profesión» [80]. El falso escándalo se repite cuando ha de escribir otra epístola para reprender al marido casquivano de una sobrina

[77] *Epístolas familiares*, I, pág. 220.
[78] *Ibid.*, I, pág. 288.
[79] *Ibid.*, II, pág. 243.
[80] *Ibid.*, II, pág. 265.

suya, porque «andáis, señor, de noche, dormís fuera de casa, visitáis enamoradas, tractáis con alcahuetas, ruáis calles, ogeáis ventanas, dais músicas y, lo que es peor de todo, que gastáis mal la hacienda y traéis en peligro vuestra persona» [81]. Pero con tantos aspavientos, claro está que no se hacía más que llamar la atención hacia lo arriscado de estos temas.

Quede para futuros lectores la sabrosa y dilatada tarea de agotar tantas referencias y textos personales de Guevara, cuya abundancia amenaza con empantanar aquí nuestro estudio. Para entender en esto a fray Antonio hay que partir de un hecho básico y que no parece pueda ser en modo alguno discutido: toda esa figuración de sí mismo es por completo irreal y mentirosa, brote de un nuevo sentido de la usual labor de falsario [82]. Quiere decir que, dado el fin de

81 *Ibid.*, II, pág. 290.

82 No se olvide que incluso las *Epístolas familiares* se hallan plagadas de palmarias incongruencias en cuanto a fechas, corresponsales, lugares de redacción, etc., según las unánimes y más o menos asombradas conclusiones de todos sus críticos; Costes, *Antonio de Guevara*, I, págs. 19-20, 44; II, págs. 137 sigs. M. R. Lida, «Fray Antonio de Guevara», págs. 355-357 y 376. Martín de Riquer, *Prosa escogida de fray Antonio de Guevara*, Barcelona, 1943, págs. 16 y 33. Toda la crucial intervención diplomática en la guerra de las Comunidades (sobre todo el *Razonamiento de Villabrájima*) que Guevara se atribuye en las *Epístolas* y que algunos historiadores modernos aceptaron con poca crítica, ha sido demostrada falsa por Paul Mérimée, «Guevara, Santa Cruz et le *Razonamiento de Villabrájima*», en *Hommage à Ernest Martinenche*, París, s. f., págs. 466-476. Más aún, el papel de mediador con que allí se adorna Guevara corresponde sobre poco más o menos al que realmente desempeñó el Obispo de Málaga y Presidente de la Chancillería de Valladolid don Diego Ramírez de Villaescusa, que, acusado después de simpatizar con los rebeldes, hubo de ausentarse del reino por algún tiempo; Joseph Perez, «Le *razonamiento* de Villabrágima», *Bulletin Hispanique*, LXVII, 1965, páginas 217-224. La falsedad del famoso *Razonamiento* es transparente y se acredita por simple análisis interno: es claro que está escrito teniendo en cuenta el final desdichado de la revuelta y que, dadas las circunstancias, nadie se hubiera atrevido a hablar a los jefes comuneros en un tono tan desdeñoso y amenazador.

entretener y forzar la risa de sus lectores, el escritor no vacila en presentarse ante ellos como caricatura viviente de sí mismo. Su repetido, casi monótono llamar la atención hacia su temática escabrosa busca que su público se ría no tanto de ésta, sino *de él.* Y estamos, en consecuencia, ante el logro de un papel bufonesco realzado por una técnica consciente y de la mayor agudeza. A esa finalidad se le va a sacrificar en el exterior hasta lo más sagrado, pues no hay que olvidar que fray Antonio llegó incluso a pergeñar una visión chistosa de la vida y Pasión de Cristo [83], junto a lo cual resulta pequeña travesura este juego a costa de su propia testa mitrada. Todo ello lo entrevió ya R. Costes cuando le definía como «bouffon de haute lignée», en frase que ha quedado como piedra de escándalo en la crítica guevariana [84]. Su ampulosidad retórica no en vano se la parodiaba el propio don Francesillo de Zúñiga [85], y por algo también le preocupa mucho el tema de los truhanes o bufones, sobre todo bajo el aspecto de las recompensas que merecen los que de veras saben hacer reír y menosprecio de los que no llegan a dominar el oficio [86]. Se trataba de consecuencias implícitas

83 F. Márquez Villanueva, «Fray Antonio de Guevara o la ascética novelada», págs. 38 sigs.

84 *Antonio de Guevara,* II, pág. 197. Guevara, añade Costes, no debió ser tomado en serio ni por los cortesanos ni por los espíritus verdaderamente religiosos de su tiempo.

85 M. R. Lida, «Fray Antonio de Guevara», págs. 367-368. La parodia de Guevara por don Francesillo no se limita, sin embargo, a rasgos y andaduras de estilo. La maldiciente *Crónica* adopta además una distribución de relato alternado con discursos y cartas burlescas, rematada en una serie de epístolas a manera de apéndice, es decir, un esquema similar al del *Marco Aurelio.*

86 El *Relox de príncipes* ofrece un verdadero tratado sobre los truhanes o bufones (Libro III, caps. XLIII-XLVII). Comenzando con el consejo de «que los príncipes y grandes señores no deuen ser amigos de juglares y truhanes», se resumen las leyes que los romanos guardaban sobre el particular. Se requería que fuesen examinados, para seguridad de ser prudentes y sabios, a la vez que «ábiles y

en la condena del «libro frío», pues lo que importaba era que los lectores se muriesen de curiosidad por saber más de aquel obispo increíble, tan alejado de la imagen convencional que sugiere dicha dignidad: «—¿Pero qué clase de obispo es éste?». Cervantes comprendía el juego perfectamente cuando, al recordarlo a cuento de las rameras, no le llama por su nombre y apellido, sino «el obispo de Mondoñedo».

Guevara se trata a sí mismo, dentro de su propia obra, como un doble literario ficcionalizado (si cabe decir), creado por su imaginación y que, sobre todo, se delimita como el Marco Aurelio de las *Epístolas familiares:* el protagonista seudo-histórico, *falsificado,* que mantiene el tono unificador de una obra tan vasta como dispersa. Nuestro fraile eleva así la altura artística de la ficción, al fundirla con una figura de narrador igualmente fingida. El fray Antonio real quedaba, por supuesto, oculto tras la cortina de su creación (¿o es que vamos a ser tan ingenuos como para creer auténtica la

graciosos». Habían de saber, además, otro oficio, para no ejercer de bufones más que los días de fiesta. No se les toleraba que dijeran malicias ni ejerciesen sus artes en privado ni a costa de particulares, sino asalariados del erario público, y en esto de mantener a los truhanes igual que a los capitanes mostraban los romanos su gran prudencia (cap. XLIII). Julio Capitolino encarece el aprecio con que se honraba a juglares y truhanes, pues divertían a la gente sin tener que pagarlos y eran siempre graciosos y honestos. Cicerón defendió en el Senado a un truhán llamado Roscio (!), hombre más admirado y de mayor ingenio que el famoso orador. Con el tiempo los truhanes se malearon y fueron expulsados de la república, pero cuando reinaban malos príncipes volvían todos luego. Los truhanes de hoy son muy viciosos y obtienen recompensas desproporcionadas. Marco Aurelio escribió a Lamberto, gobernador de la isla de Helesponto, anunciándole cómo le envía desterrados a todos los truhanes de Roma (caps. XLV-XLVII). El bufón sin chispa ni ingenio merecía a Guevara tan poca indulgencia como a Heliogábalo: «No poco después de la muerte déstos, le vinieron a Heliogábalo otros truhanes algo desgraciados, y mandó atarlos a una añoria y traerlos arriba y abaxo como arcaduzes de agua, y de seys que eran, los quatro escaparon descalabrados y los dos quedaron allí ahogados»; *Una década de césares,* pág. 456.

donosa receta del doctor Cartagena?), mudo en gran medida como esfinge de labios sellados por su propio secreto. Guevara no es, como en el caso ya estudiado de don Luis Zapata, un autor que entra y sale a placer por su libro, pues para eso era suyo, sino una conciencia literaria que se elimina de la propia obra, tras erigir en medio de ella el figurón de su seudorretrato coronado por un gorro de cascabeles.

No debemos perder de vista, sobre todo, cuán extraño resulta todo esto en la perspectiva histórico-literaria de la primera mitad del siglo XVI. Aun antes de aparecer las *Epístolas familiares,* Rhúa da fe de cómo desasosegaba a sus amigos la profusión de Guevara en hablar de sí mismo: a algunos de ellos «les era odiosa la muy repetida conmemoración de su noble y antigua prosapia, como arrogancia» [87]. Probablemente, no era sólo aquella inmodestia lo que les hacía murmurar de tal novedad, pues hay que tener en cuenta que la teoría aristotélica era muy enemiga de semejantes libertades por parte del autor. Algunos puristas italianos incluso censuraban a Ariosto por las apostillas personales (casi todas modestas) que se permite en el *Furioso* [88]. Años más tarde, el Pinciano defendía el clásico procedimiento de narración *in medias res* porque, a su parecer, permitía evitar que el poeta tuviera nunca que expresarse en primera persona [89].

---

87 *Cartas censorias*, pág. 7.

88 Weinberg, *A History of Literary Criticism in the Italian Renaissance,* II, pág. 1.024. Maxime Chevalier, *L'Arioste en Espagne 1530-1650; recherches sur l'influence du Roland furieux,* Bordeaux, 1966, página 364.

89 Según Fadrique, dicho procedimiento ayuda a que en el poema heroico el poeta hable por sí mismo «lo menos que él pueda». El Pinciano agrega que Aristóteles alaba por ello a Homero. Los interlocutores vienen a quedar de acuerdo en que, si la acción se narra por su orden natural, sería preciso «que fuesse narrada por la propia persona del poeta». Fadrique puntualiza: «Del narrar la cosa por persona agena del poeta nacen muchas cosas buenas a la acción; primeramente que, hablando assí, le es más honesto el alabar o vitu

Consagrado por un éxito universal de librería, Guevara fue el autor más leído, dentro y fuera de España, de todo el siglo XVI. Es un éxito que no le perdonan ni llevan con paciencia los críticos que, igual que Rhúa, siguen considerándole como autor doctrinal «serio», sin admitir el aspecto esencialmente lúdico de su obra ni sus anticipos de modernidad [90]. Es obvio, sin embargo, que un triunfo de tales dimensiones sólo era posible porque los lectores hallaban en Guevara algo que ningún otro autor había dado hasta entonces. La anomalía de su arte, incomprensible en función del pasado y del presente, se nos ilumina y vuelve familiar, en cambio, desde la perspectiva de Cervantes y de la literatura posterior a éste. Algo de la inestabilidad fáustica marcaba ya a fuego la naciente modernidad literaria: el arte de escribir

---

perar las cosas que ama y aborrece, y dar su sentencia y parecer más libre; lo otro, que, dichas por una y otra persona, varía la lección y no cansa tanto como si él sólo fuesse el que narrasse; lo otro, para el mouimiento de los afectos es importantíssimo, porque, si otro que Ulyses contara sus errores y miserias, y otro que Eneas contara sus trabajos y desuenturas, no fuera la narración tan miserable, y, como el deleyte de la épica, ansí como el de la trágica, viene parte mayor de la copassión y misericordia, faltara mucho al deleyte de la tal acción; y es muy bien hecho que no comience el poeta heroyco del principio de la acción, sino que la dexe para que por otra persona agena dél sea narrado»; *Philosophía antigua poética,* III, págs. 208-209. E. C. Riley, que cita un párrafo muy similar de Alessandro Piccolomini en elogio de la impersonalidad, observa que, aunque tales ideas no puedan considerarse causa inmediata del uso por Cervantes de un narrador ficticio, debieron contribuir a hacerle consciente de las ventajas de no intervenir por sí mismo en una obra como el *Quijote; Cervantes's Theory of the Novel,* pág. 206. Dicha explicación es cierta en lo esencial, pero es preciso añadir que Cervantes procede, además, con su acostumbrada ironía hacia los preceptos al hacerse eco de tales ideas con un recurso técnico como el de Cide Hamete.

90 Un juicio de ese orden viene a ser también el de Dale B. J. Randall, *The Golden Tapestry. A Critical Survey of Non-chivalric Spanish Fiction in English Translation (1543-1657),* Duke University Press, Durham, 1963, págs. 41-43.

subía de clave en un proceso espiral de exigencias técnicas que, como bien sabemos hoy, no se detiene ante el enrarecimiento ni la autodestrucción. El principio de imitación de la naturaleza, de que habían vivido dos milenios de literatura, perdía de pronto casi toda su validez. No bastaba ya imitar la vida o la naturaleza porque ahora el arte aspiraba a ser, primordialmente, experiencia vicaria de ellas, contrafactura y no simple reflejo. A un sistema de técnicas *cerradas*, es decir, fijas y válidas *per se*, con independencia del poeta, de su obra y de su auditorio, sucede otro de técnicas *abiertas*, relativas, incodificables y determinadas por la triple y siempre cambiante interacción de autor, obra y público. Frente a la actitud preceptiva de la vieja literatura, todo se juega ahora en la presentación del material, en el matiz, en el juego con el lector. La literatura imaginada abandona la norma del relato *per se* interesante y bien urdido para proponerse, en cambio, la tarea mucho más dificultosa de suscitar la percepción misma de la vida en todo su complejo *fieri*. No existen las directrices fáciles ni seguras; el novelista ha de construir su obra desde los cimientos y, como decía Henry James, tiene que forjarse su lector igual que forja sus personajes [91]. Este arte nuevo tiene que alcanzar una de sus lógicas culminaciones al abrir (pero, en realidad, *fingir* que abre) ante los ojos del lector el proceso mismo de creación de la obra, presentándolo como fenómeno explica-

91 Citado por Wayne C. Booth, *The Rhetoric of Fiction*, Eighth impression, University of Chicago Press, Chicago, 1968, pág. 49. Sobre el cuidado de Cervantes en calcular el efecto de su narración sobre el lector, véase G. Haley, «The Narrator in *Don Quijote:* Maese Pedro's Puppet Show», *Modern Language Notes*, LXXX, 1965, págs. 145-165. F. Sánchez Escribano llega a hablar de la «catequización» a que Cervantes somete a sus lectores; «Sobre un aspecto de la defensa de la técnica en la novela de Cervantes», *Anales Cervantinos*, VI, 1957, página 271.

ble y necesario al nivel de su comprensión y experiencia. En todos estos problemas y en las técnicas que tratan de superarlos va implícita la necesidad de una investidura literaria de la persona del narrador, puesto ahora en el difícil trance de narrarse también a sí mismo [92].

Consciente de lo que hacía y de los medios para lograr sus propósitos, Guevara ofrece en diversos grados de desarrollo casi todas las técnicas básicas del novelista moderno. En la de componer su figura para hacerse con el lector fue ya, sin duda, todo un precoz maestro. En una de sus cartas de tema picante nos hace presenciar algo así como el jaque mate, la perfección absoluta de este juego de efectos calculados: «Y porque ya ha vergüença mi pluma de hablar más en esta materia, desde agora digo y adevino que dirán muchos de los que leyeren esta carta: '¡Rabia que le mate al fraile capilludo, y cómo debía ser enamorado, pues también habla en amores y en las penas de enamorados!'» [93].

GUEVARA EN CERVANTES

No pisamos aquí ningún terreno nuevo. El conocimiento [94] y moderada influencia de Guevara sobre Cervantes viene siendo generalmente admitida, al menos desde que Menéndez Pelayo se refirió a ella en un mesurado juicio:

> Con todo eso, hay mucho que aprender en sus obras, si se leen con cautela y discernimiento, y el mismo Cervantes, que parece

---

92 Booth dedica al estudio de este problema y sus diversas soluciones («The Author's Voice in Fiction») un tercio de su libro *The Rhetoric of Fiction.*

93 *Epístolas familiares,* II, pág. 271.

94 La lista, a todas luces mínima, de A. Cotarelo anota la familiaridad de Cervantes con el *Menosprecio de corte,* las *Epístolas familiares* y el *Marco Aurelio; Cervantes lector,* Madrid, 1943, pág. 28.

> burlarse de él en el prólogo del *Quijote*, las tenía muy estudiadas, y no se desdeñaba de imitarlas en sus digresiones morales, como lo indica, entre otros ejemplos, el razonamiento sobre la Edad de Oro, que está enteramente en la manera retórica de fray Antonio, y recuerda otro análogo del libro I, capítulo XXXI del *Marco Aurelio*[95].

El influjo estilístico de la retórica guevariana se reconoce, en efecto, sin la menor dificultad en una serie de fragmentos oratorios de la Primera Parte del *Quijote:* discursos de la Edad de Oro y de las Armas y las Letras, autodefensa de Marcela, súplicas de Dorotea (por citar sólo los más notables). Los esfuerzos de Hatzfeld por relacionar el énfasis pomposo de estas páginas con una imitación de Boccaccio[96] han sido fácilmente rebatidos por A. Rüegg: Cervantes no tenía que ir a buscar tan lejos lo que en casa se le daba con tanta largueza[97]. Sobre todo, ha sido M. R. Lida quien más ha esclarecido este punto al demostrar cómo los casos de imitación de la pompa guevariana se documentan desde *La Galatea* hasta el *Persiles*, en diversos niveles que van desde la asimilación seria hasta el propósito paródico que se advierte, por ejemplo, en el comienzo de *La Gitanilla* o en la descripción de las almadrabas de Zahara[98]. Como ejemplo de tantos otros pasajes secundarios podría servir el exabrupto de Cardenio: «¡Oh Mario ambicioso, oh Catilina cruel, oh Sila facineroso, oh Galalón embustero, oh Vellido traidor, oh Julián vengativo!» (1, 27). Correlativamente, y con harta razón, E. C. Riley detecta cómo en este y en otros casos simi-

---

95 *Orígenes de la novela*, II, pág. 121.

96 *El Quijote como obra de arte del lenguaje*, 2.ª edición, Madrid, 1966, págs. 264 sigs.

97 «Lo erásmico en el *Don Quijote* de Cervantes», *Anales Cervantinos*, IV, 1954, págs. 13-15.

98 «Fray Antonio de Guevara», pág. 385.

lares se da «una inflación artística, y hasta cierto punto una falsificación, de los sentimientos del protagonista» [99].

El nombre de Guevara parece relacionarse espontáneamente con los consejos de don Quijote a Sancho, y Rodríguez Marín aduce en su nota varios textos cercanos. Gravitan sobre dichos capítulos gnómicos diversas fuentes, entre las que descuellan la tradición isocrática y el *Galateo* de Dantisco [100], pero M. R. Lida acierta al considerar a fray Antonio como inspirador decisivo de los divertidos consejos «sobre las uñas, el atavío, el andar, el beber y el mascar a dos carrillos» [101], tan acordes con su afición a tratar con elegancia las materias más rafeces. La llorada investigadora identificó también la fuente modelo de la correspondencia de Teresa Panza con su marido y la duquesa. La carta de ésta, con sus excusas por no haber podido enviar una sarta de perlas y la petición de dos docenas de bellotas, «que las estimaré en mucho por ser de su mano» (2, 50), es eco directo de otra de Marco Aurelio: «Si hallares almendras verdes y nueces cuajadas y nochizos de campo, Faustina te ruega se las envíes de este camino. Hállome con pocos dineros: ahí te envío una ropa y a tu mujer una saya...» [102]. Lo mismo cabe decir de las noticias de la aldea en la carta de Teresa Panza a su marido (2, 52), obvia versión de las no menos deliciosas y prosaicas noticias de corte con que el *episcopus mindo-*

---

99 *Cervantes's Theory of the Novel*, pág. 128.

100 El *Galateo español*, libro de urbanidad de mucha circulación a partir de 1593, constituye una de las fuentes más lógicas en esto de los consejos de policía y modales. Narciso Alonso Cortés da por segura la familiaridad con dicha obra en su excelente edición de *El licenciado Vidriera*, Valladolid, 1916, pág. XX. La influencia sobre Cervantes y sus consejos de esta clase de libros es encarecida por Joseph G. Fucilla, «The Role of the *Cortegiano* in the Second Part of *Don Quijote*», en *Hispania*, XXXIII, 1950, págs. 291-296.

101 «Fray Antonio de Guevara», pág. 351.

102 *Ibid.*, pág. 375.

niensis ejerce de excelso periodista en tantas *Epístolas familiares.* Cervantes muestra haber calado bien en el humor de aquellas misivas en que se daban encargos como los de Alejandro Magno a su albéitar (I, ep. 12) y se acusa recibo de un presente de cuchares (I, ep. 32), de mermelada portuguesa (I, ep. 58) o de unas cecinas de la Montaña acompañadas por unos *Diálogos* de Ockham, dos géneros igualmente rancios (I, ep. 38).

Ocurrencia sanchesca que se relaciona también con Guevara es el ridículo detalle de haber encontrado a Dulcinea, cuando su incumplida embajada de amor, «ahechando dos hanegas de trigo en un corral de su casa» (I, 31). La situación (pretendidamente ejemplar y en realidad burlesca) de ilustres antiguos dedicados a las más ruines tareas rústicas es una de las favoritas de Guevara, sobre todo en el *Menosprecio de corte* (c. XVII)[103]. El *Oratorio de religiosos* ofrece, además, la coincidencia perfecta de cierta alusión bíblica, tan chapuceramente aplicada como de costumbre: «Si el patriarca Abraham anduviera vagueando fuera de su tienda, no meresciera que los ángeles entraran en su casa y le dieran el parabién del hijo que deseaba; y si Gedeón no estuviera también ahechando el trigo en su casa, nunca el ángel le pidiera albricias de la victoria»[104].

---

103 Rasgo comentado por F. Sánchez Escribano, «Sobre el posible origen español de la frase 'il faut cultiver notre jardin' de *Candide*», en *Hispanófila*, n. 23, 1964, págs. 15-26.

104 *Místicos franciscanos españoles*, II, pág. 732. Guevara alude a *Jueces*, 5, 11-12: «Cumque Gedeon filius eius excuteret atque purgaret frumenta in torculari, ut fugerat Madian, apparuit ei angelus Domini». El ángel no vino a pedir albricias de la victoria, sino a ordenar a Gedeón que se levantara en armas contra el yugo de Madián. Rhúa, en su segunda carta, hacía reparos acerca del manejo inexacto del mismo libro de los *Jueces* al tratar del voto de Jephté; *Cartas censorias*, págs. 33-34.

No será preciso insistir en que tales coincidencias temáticas interesan, más que nada, por testimoniar con relativa firmeza una presencia material que es lógico suponer acompañada de otros influjos en planos más decisivos. Américo Castro encuentra así un paralelismo entre el retrato o prosopografía de Monipodio y la del astroso Villano del Danubio [105]. Don Quijote indudablemente «guevariza» cuando fantasea la catadura y genio de Amadís de Gaula, de Reinaldos y Roldán:

> La cual verdad es tan cierta, que estoy por decir que con mis propios ojos vi a Amadís de Gaula, que era un hombre alto de cuerpo, blanco de rostro, bien puesto de barba, aunque negra, de vista entre blanda y rigurosa, corto de razones, tardo en airarse y presto en deponer la ira (2, 1). —De Reinaldos —respondió don Quijote— me atrevo a decir que era ancho de rostro, de color bermejo, los ojos bailadores y algo saltados, puntoso y colérico en demasía, amigo de ladrones y de gente perdida. De Roldán, o Rotolando, o Orlando, que con todos estos nombres le nombran las historias, soy de parecer y me afirmo que fue de mediana estatura, ancho de espaldas, algo estevado, moreno de rostro y barbitaheño, velloso en el cuerpo y de vista amenazadora, corto de razones, pero muy comedido y bien criado (2, 1).

Cervantes encuentra en Guevara una mina de efectos humorísticos, como las matizaciones ridículas de los altisonantes «nombres quimerizados» [106]:

> ... en poco menos de nueve años se podrá estar a vista de la gran laguna Meona, digo, Meótides, que está a poco más de cien jornadas más acá del reino de vuestra grandeza (1, 29).

> Tenía Obdenato en su corte y palacio a un sobrino suyo, que había nombre Meonio, mancebo que era asaz belicoso y esforçado, aunque, por otra parte, era asaz envidioso y muy ambicioso [107].

---

105 «Antonio de Guevara», pág. 107, nota.
106 *Cartas censorias*, pág. 116.
107 *Epístolas familiares*, II, pág. 308.

El humor cervantino es inconfundiblemente guevariano en su aspecto de aguijón que pincha las burbujas y engolamientos incapaces de resistir los ecos de las carcajadas. Es lo que ocurre en el *Quijote* con la burla irrespetuosa del mundo caballeresco, y por eso resulta ser el capítulo de la cueva de Montesinos (2, 23) uno de los más afectados por los recursos humorísticos que ya conocemos. Guevarianismos de ley son las prosaicas ocurrencias del corazón amojamado con sal, el recuerdo del «mal mensil» de Belerma, el sablazo a don Quijote sobre la dudosa prenda de un faldellín de Dulcinea, o expresiones tan impropias como el «¡Cepos quedos!» de don Quijote y el «Paciencia y barajar» de Durandarte [108]. El *Quijote* está empedrado de este tipo de chistes; baste recordar el «Quien te da el hueso no te querría ver muerta», chabacano refrán de la duquesa en su carta a Teresa Panza (2, 50); el apuro de don Quijote en trance de tener que coserse una media (2, 44) [109]; la «meleci-

---

108 Como señaló D. Ramón Menéndez Pidal, dichos toques burlescos no atentan contra la belleza del ideal caballeresco y contrastan notablemente con las degradadas parodias del mismo en Góngora o Quevedo. Se trata, pues, de una broma ceñida a lo literario, y el viejo maestro, aun sin advertir la presencia y ecos de Guevara, llega a definir certeramente su alvéolo: «Lo burlesco se produce trayendo la poética vaguedad a lo concreto vulgar. Los pormenores concretos, vulgares, nunca soeces, envuelven y sofocan la nobleza exterior del relato romancístico, pero sin tocar a la nobleza íntima»; *Cervantes y el ideal caballeresco*, Real Academia Española, Madrid, 1948, pág. 22. Ciertamente curioso es el intento de explicar dicho tratamiento burlesco de la cueva de Montesinos a base de características freudianas de los sueños; T. E. Hamilton, «What Happened in the Cave of Montesinos?», *Proceedings of the Comparative Literature Symposium*, Texas Technological College, Lubbock, 1968, págs. 3-17.

109 Cervantes toma pie en dicho incidente para encargar a Cide Hamete de una deliciosa exclamación, que equivale a una benévola miniatura del tema del caballero de industria. Se trata en este caso de otro tipo novelístico fundamental, cuyas raíces se hallan asimismo en Guevara (pintura de las penas y artimañas con que malvive el

na» de agua de nieve y arena que puso tan al cabo al caballero del Febo según las malas lenguas (1, 15); o la indiscreción de Altisidora acusando al andante de la Mancha de haberle hurtado unas ligas (2, 57).

La influencia de Guevara se ejerció, sin embargo, en planos estructurantes mucho más decisivos. Si nos hacemos la pregunta de qué pretende ser el *Quijote* y en qué género hace gesto irónico de encasillarse, podemos obtener clara, incluso enfática respuesta de labios del mismo Cervantes: aquellas aventuras andantescas de tan nuevo cuño no son fábula o ficción, sino *historia.* Historia «verdadera» y que «no sale un punto de la verdad», como empieza a remacharse ya desde el prólogo y el capítulo primero, sin que deje de repetirse una y mil veces hasta la última página de la Segunda Parte. Cervantes, jugueteando de nuevo con las teorías aristotélicas, se pone socarronamente a cubierto de las cortapisas y restricciones de la «épica en prosa». La historia, en cambio, había sido dejada más o menos en paz por los clasicistas, a cuenta de cumplir con la única regla de ser verídica e imparcial. Huir en serio y en broma del poema épico o de la narración imaginada conforme a los cánones era ahorrarse muchos dolores de cabeza con la ortodoxia literaria e incluso con la otra. Había en aquello un implícito reírse de la paradoja que hizo de la historia una tarea de hecho menos encorsetada y «científica» que la literatura. Este planteamiento, crucial para la crítica cervantina, ha sido señalado con clarividencia en un estudio de B. W. Wardropper [110]: la coartada teórica del *Quijote* viene a definirse así como

---

cortesano pobre, tema muy desarrollado por el *Despertador de cortesanos).*

[110] «*Don Quixote:* Story or History?», *Modern Philology,* LXIII, 1965, págs. 1-11.

una burla discretísima de las estrecheces intelectuales de su época.

Advirtamos que Cervantes al acreditarse (a través de Cide Hamete) como historiador de don Quijote juega la misma baza de Guevara con Marco Aurelio, fingiendo ambos la falsificación burlesca de un modo parecido a como Max Aub se ríe de la hodierna erudición histórica en su seudobiografía del pintor *Jusep Torres Campaláns*. Pero, como reconoce E. C. Riley respecto a Cervantes [111], ello supone una ruptura decisiva con la tradición literaria, por cuanto la teoría épica del género imaginado no había previsto jamás tal entrecruzamiento técnico con la historia. Este carácter de Guevara como precursor y aun mentor de Cervantes en una revolución literaria se refrenda no sólo con una básica semejanza de procedimientos, sino también en aspectos importantes del problema estilístico de éste. Es de nuevo E. C. Riley quien acertadamente señala una característica esencial de Cervantes en su distanciarse de la viejísima teoría de los diversos estilos y de la rigidez con que los clasicistas exigían la adecuación del nivel estilístico al asunto y a los personajes [112]. Lo que en seguida se impone notar es, una vez más, el valor del precedente de Guevara en su ruptura con la misma teoría del estilo cuando, dentro de una vestidura retórica uniforme, el bárbaro del Danubio profesa la mejor lección de buen decir e ilustres filósofos o engoladas páginas doctrinales cultivan adrede la caída en vulgarismos que cubren con velo de humor el general derroche de elegancias. La premisa mayor de una nueva concepción del arte introducía una medida de

111 *Cervantes's Theory of the Novel*, pág. 57.

112 «Episodio, novela y aventura en *Don Quijote*», en *Anales Cervantinos*, V, 1955-56, págs. 226-227. F. Ynduráin señala, por el contrario, el decidido apego de Lope a la vieja doctrina de los tres estilos; *Lope de Vega como novelador*, pág. 69.

caos en el funcionamiento de todas las ideas tradicionales; Rhúa y su corrillo no ocultaban el desconcierto que les producía aquel continuo molino de figuras y colores retóricos a espaldas de toda consideración de economía y oportunidad [113].

B. W. Wardropper, en su estudio antes citado [114], señala con agudeza la relación del *Quijote,* en cuanto seudosupercheria, con la viciosa cosecha de historias apócrifas nutrida por el suelo peninsular. Los españoles, afirma el mismo crítico, venían siendo educados, al menos desde principios del siglo XV, en una semiaceptación de historias fabulosas que puede considerarse iniciada con la *Historia sarracina* de Pedro del Corral. A fines del XVI, sobre todo, las pías fraudes de los libros plúmbeos granadinos se impusieron casi como verdad oficial y estuvieron muy a punto de erigirse en una mitología beata y patriotera. El Santo Oficio puso coto a la difusión de los legítimos escritos de Nicolás Antonio contra las falsificaciones históricas, en vanguardia o a remolque de una demagogia lapidariamente definida por A. Domínguez Ortiz: «Todo el mundo, de acuerdo en engañar y dejarse engañar» [115]. Cuando el P. Papebroke de los Bolandos mostró ser pura patraña la fundación de los carmelitas por el profeta Elías, la Inquisición española condenó por las buenas los *Acta Sanctorum,* aunque en Roma nunca confirmaron la sentencia [116]. En sus escritos de controversia política Quevedo se servirá de la historia de un modo irresponsable y tergi-

---

113 Hecho comentado por F. Márquez Villanueva, «Fray Antonio de Guevara o la ascética novelada», pág. 64.

114 «*Don Quixote:* Story or History?», págs 8-9.

115 «Reflexiones sobre 'las dos Españas'», *Cuadernos Hispanoamericanos,* n. 238-240, 1969, pág. 49.

116 Émile Mâle, *L'art religieux après le Concile de Trente,* París, 1932, pág. 445.

versador, bueno sólo para acreditar la propia «voluntad de leyenda» [117].

Discutir si Guevara influyó en ese pecado colectivo de delirar la historia o simplemente hizo burla de él sería cuestión bizantina, ya que la idea de establecer como finalidad literaria la ficción o contrafactura de la historia pertenece a un orden intelectual muy distinto. De lo que no cabe duda es de que, con dicha noción como brújula y programa desarrollado con plenitud de conciencia, educó la sensibilidad de su época en aceptar para siempre el nuevo equivalor de historia y poesía, de vida y trasunto imaginado de ésta, es decir, de lo que hoy llamamos novela.

CIDE HAMETE BENENGELI

La renuncia a las responsabilidades del poema épico repercute en multitud de sentidos sobre la creación del *Quijote*. Los preceptistas recetaban que el protagonista épico había de ser algún paladín de tiempos remotos, lo cual legitimaba que el poeta supliera con su fantasía el desdibujo causado por el paso del tiempo sin atentar contra la verosimilitud, y el ejemplo inevitable eran las censuras a Lucano por haber recaído en la historia al tratar de acontecimientos bélicos demasiado recientes [118]. Muy a sabiendas de lo que hace, e incluso llamando la atención hacia ello [119], Cervantes se que-

117 Raimundo Lida, «Sobre Quevedo y su voluntad de leyenda», *Filología*, VIII, 1962, págs. 273-306.

118 «Por esso cuentan a Lucano entre los históricos, el qual, aunque tiene fábulas, son pocas en respecto de las historias»; A. López Pinciano, *Philosophía antigua poética*, II, pág. 13.

119 La coetaneidad de don Quijote en cuanto personaje «histórico» queda puesta de relieve como parte de la cuidadosa preparación de la entrada de Cide Hamete: «Por otra parte, me parecía que, pues entre sus libros se habían hallado tan modernos como *Desengaño de*

da muy a gusto con la *historia* contemporánea de un hidalgo aldeano y un labrador, no ocurrida en Etiopía ni en Noruega, sino en los vecinos y familiares secanos de la Mancha. Y por lo que hace al compromiso de historiador verídico y puntual, allí está no ya el escritor, sino Cide Hamete Benengeli, dispuesto a no callar ni el menor de los infinitos palos cosechados por sus personajes, según rezonga después el propio don Quijote con palabras que no desentonarían del Pinciano: «... pues las acciones que ni mudan ni alteran la verdad de la historia no hay para qué escribirlas, si han de redundar en menosprecio del señor de la historia» (2, 3). El mismo remoto y mahometano historiógrafo llevó sus escrúpulos profesionales hasta el punto de recoger (en capítulos que hubieron de ser podados) los coloquios que pasaron entre Rocinante y el rucio, comparados en su amistad (y bien guevarianamente, dicho sea de paso) a la de Niso y Euríalo, Pílades y Orestes (2, 12).

Seguimos palpando las consecuencias técnicas de esa gran ironía de la ficción oficialmente abordada como historia. Hay que crear, en primer término, el remedo de la tarea historiográfica: el ir y venir a las posibles fuentes, el sopesar las inseguridades, contradicciones y dudas que suelen asaltar a todo cronista concienzudo. El prólogo nos hablará de los archivos de la Mancha en que duerme la historia de don Quijote, y el c. II, de la invocación de éste al sabio encantador que ha de inmortalizar sus hazañas, así como de la perplejidad de enigmáticos «autores» acerca de la primera aventura, duda felizmente resuelta con ayuda de los escrupulosos «anales de la Mancha». La ambigua broma sobre las supuestas fuentes persiste hasta la página final de la Primera Parte,

---

celos y *Ninfas y pastores de Henares,* que también su historia debía de ser moderna, y que, ya que no estuviese escrita, estaría en la memoria de la gente de su aldea y de las a ella circunvecinas» (1, 9).

cuando el «fidedigno autor» encarece el «inmenso trabajo que le costó inquerir y buscar todos los archivos manchegos» y suplica que, como premio, «le den el mesmo crédito que suelen dar los discretos a los libros de caballerías».

El juego de los primeros capítulos con anales, encantadores, archivos e historiadores discordes puede entenderse como preparación para la salida a escena de Cide Hamete Benengeli, personaje de los más importantes del *Quijote*, en cuya cabeza se concentra, en adelante, casi toda esta ironía temática de las exigencias históricas del relato. La carencia de documentos corta el hilo de éste en el punto más emocionante de la historia del Vizcaíno. Y es en el c. IX (inicial de la segunda parte en el *Quijote* de 1605) donde Cervantes complica genial y definitivamente su «historia», con la introducción del manuscrito arábigo de Cide Hamete y circunstancias de su hallazgo. De aquí en adelante Cervantes y Cide Hamete, a la manera de dos espejos paralelos, determinan una galería de imágenes dentro de imágenes donde, a vueltas de supuestos traductores, primeros y segundos autores, acaba el lector por ceder al vértigo y no saber, en el fondo, a quién escucha [120]. La pretensión de exactitud ha conducido, por paradoja, a la fantasmagoría, la historia a la más densa ficción. Se cumplen por este camino una serie de felices designios: obligados a presenciar entre bastidores el proceso creador, los lectores estrenan una nueva relación sicológica

---

120 Un estudio detenido del laberinto y espejismos de los diversos y sucesivos «intérpretes» y «autores» ha sido realizado por Ruth El Saffar, «The Function of the Fictional Narrator in *Don Quijote*», en *Modern Language Notes*, LXXIII, 1968, págs. 164-177. Referencia también indispensable es la sección «The Fictious-Authorship Device», en Riley, *Cervantes's Theory of the Novel*, págs. 205-212. Otros estudios de interés son los de S. Bencheneb y C. Marcilly, «Qui était Cide Hamete Benengeli?», *Mélanges à la mémoire de Jean Sarrailh*, París, 1966, I, páginas 97-116, y Américo Castro, «Cide Hamete Benengeli: el cómo y el por qué», *Mundo Nuevo*, febrero, 1967, págs. 5-9.

con el autor y con la obra misma, pues contagiados de la misma locura quijotesca de confundir realidad y fantasía, son incapaces ya de sentirse extraños a ella [121]. Cide Hamete, como observa E. C. Riley [122], se orienta hacia crear en el libro un clima en que se hace risueñamente aceptable el fingir la misma ficción. Todo es, pues, ahondar en lo que este mismo crítico llama «contrafactura de la historia» [123] y el *Quijote* se nos perfila así como dechado de una ficción integral, ceñido por una muralla de calculadas, artificiosas falsificaciones susceptibles, por nueva paradoja, de abarcar dentro de sus confines la más pura verdad humana.

El presentarse como traducciones de vetustos manuscritos caldeos y griegos no era sino la común patraña inicial de los libros caballerescos, y esto desde los días de Dictis y Dares y *El cavallero Zifar* [124]. Cide Hamete es, sin embargo,

---

121 Wardropper, «*Don Quixote:* Story or History?», pág. 6.

122 *Cervantes's Theory of the Novel*, pág. 205.

123 *Ibid.*, pág. 174.

124 H. Thomas, *Spanish and Portuguese Romances of Chivalry*, Cambridge, 1920, pág. 13. La usual pretensión de una desmedida antigüedad (alrededor de los tiempos de Cristo, en *Amadís de Gaula*) debió verse favorecida por la frecuente reelaboración de viejas leyendas cristianas en los libros del género. De especial interés, por implicar también sucesivas redacciones, es Gonzalo Fernández de Oviedo en su poco divulgado *Libro del muy esforzado e invencible caballero don Claribalte*, 1519. Según el prólogo-dedicatoria al duque de Calabria don Fernando de Aragón, después de haberle ido a visitar a su prisión en el castillo de Játiva (*Ratina* en el texto) «anduue mucha parte del mundo ꞇ discurriendo por él topé en el reyno de Phirolt, que es muy estraño de aquesta región ꞇ lengua, el presente tratado. El qual, por ser tan agradable escritura, en la ora que la vi la desseé para vuestra recreación ꞇ con todos mis trabajos ꞇ inquietud puse por obra de la sacar de aquel bárbaro ꞇ apartado lenguaje en que la hallé, por medio de un intérprete tártaro. Porque en aquella provincia de Tartaria es el dicho señorío de Phirolt. Sumariamente, como mejor pude sin me desuiar de la sentencia ꞇ sentido de la ystoria, ꞇ lo reduzí al romançe castellano. Aun después, estando yo en la India ꞇ postrera parte acidental que al presente se sabe, donde fui por

cosa muy distinta de la mera parodia de este rasgo del libro de caballerías, como se limita a serlo el pobre sabio Alisolán, «historiador no menos moderno que verdadero» de Avellaneda (c. I). Menéndez Pelayo [125] creía que la invención cervantina de Cide Hamete pudo ser sugerida por la del sabio Xartón, cronista arábigo de quien se dice traducido el *Lepolemo* de Alfonso de Salazar. El truco del historiador moro había sido usado, sobre todo, en una obra reciente y de tan gran resonancia como *Las guerras civiles de Granada* (1595) de Ginés Pérez de Hita, colgadas a cierto apócrifo historiador llamado Abén Hamín. B. W. Wardropper [126] considera en esto importante el caso risible y escandaloso de la *Verdadera historia del rey don Rodrigo y de la pérdida de España* (1592-1600, en dos partes), donde el falsario intérprete morisco Miguel de Luna se saca de la manga a Abulcacim Tárif, diligente historiador que había manejado nada menos que la correspondencia privada de Florinda la Cava, conservada en el archivo del rey don Rodrigo, y que encarece (según la fórmula guevariana que repercute también en el *Quijote)* lo arduo y penoso de su dilatada labor. Como de costumbre, en la humorada del nombre arábigo de Cide Hamete Benengeli confluyen diversas intenciones: la parodia de los libros de caballerías, la broma de los toledanos disfrazada bajo el *Benengeli,* el furor de los temas moriscos, tan manoseados por aquellos años, y la burla y denuncia de la oleada de falsifi-

---

veedor de las fundiciones del oro, por mandato τ oficial del cathólico rey don Fernando el quinto de gloriossa memoria. Sin partir mi desseo de la vuestra escreuí más largamente aquesta crónica, sin oluidar ninguna cosa de lo sustancial della, continuando la sentencia ystorial en este estilo o manera de dezir, que no es tan breue como primero estaua»; edición facsímil, Real Academia Española, Madrid, 1956, f. I, v.-II r. (se regulariza aquí puntuación y acentuación moderna).

125 *Orígenes de la novela,* I, págs. 436-437.

126 *«Don Quixote:* Story or History?», pág. 9.

caciones histórico-religiosas que desde Granada se corría por los reinos españoles[127].

La aparición de Cide Hamete ha sido cuidadosamente escenificada por Cervantes (¿o por el «segundo autor»?) en una de las mejores páginas de la Primera Parte (c. 9). Se trata de las circunstancias que rodean el hallazgo del manuscrito en un tenducho del Alcaná de Toledo, cuando el autor arrebata a un chico los cartapacios arábigos, ocultando su interés (como curtido bibliófilo) para sacárselos por medio real, «que si él tuviera discreción y supiera lo que yo los deseaba, bien se pudiera prometer y llevar más de seis reales de la compra». Menéndez Pelayo veía en tan donoso pasaje nueva parodia de *Las guerras civiles de Granada,* en su relato de cómo vinieron a descubrirse los papeles de Abén Hamín[128]. Rodríguez Marín prefirió recordar en su edición otro fragmento de la *Obra de agricultura* de Gabriel Alonso de Herrera, en que éste relata cómo encargó a un «moro especiero» que le tradujese ciertas recetas arábigas. La cuestión de génesis literaria no puede considerarse aclarada ni resuelta hasta el momento[129].

---

127 Américo Castro ha señalado el reflejo de las supercherías granadinas en los versos finales de la Primera Parte del *Quijote;* «El *Quijote,* taller de existencialidad», *Revista de Occidente,* núm. 52, julio, 1967, páginas 1-13. «Cide Hamete Benengeli: el cómo y el por qué», pág. 5.

128 *Orígenes de la novela,* II, pág. 135, nota. Según Pérez de Hita el moro autor del relato marchó tras la conquista cristiana a Tremecén, donde murió. Sus papeles fueron recogidos por un nieto llamado Argutarfa, y este libro de «la materia de Granada» se lo regaló a un judío amigo suyo, Saba Santo, que lo tradujo al hebreo y cedió a su vez el original árabe al conde de Bailén D. Rodrigo Ponce de León. Éste le rogó que lo pusiera en castellano, en versión que es finalmente utilizada por Pérez de Hita. El parecido con el caso de Cervantes es, como se ve, nulo salvo en el ambiente de imprecisión causado por las sucesivas peripecias y traducción del original.

129 Véase la revisión de cuestiones de orden externo en G. L. Stagg, «El sabio Cide Hamete Venengeli», *Bulletin of Hispanic Studies,* XXXIII, 1956, págs. 218-225.

Cervantes tenía, sin embargo, muy a la mano un texto de mejores quilates en sus bien leídas *Epístolas familiares.* Se trata de la letra 24, «para el obispo de Badajoz, en la cual se declaran los fueros antiguos de Badajoz». Guevara comienza allí acusándose de su merecido castigo por haber franqueado su biblioteca particular al secretario de dicho prelado, que aprovechó la ocasión para escamotearle un inapreciable, viejísimo códice (de creer a fray Antonio, siempre le están hurtando cosas): «Decísme, señor, que os dixo haber visto en mi librería un banco de libros viejos, dellos góthicos, dellos latinos, dellos moçárabes, dellos caldeos, dellos arábigos, y que acordó de hurtarme uno, el cual hacía mucho a vuestro propósito» [130]. El reprobable hurto vino a resultar, con todo, inútil, pues el manuscrito, que contenía los fueros concedidos a Badajoz por Alfonso XI, estaba redactado en una fabla tan cerrada y arcaica que ni el obispo ni el secretario pudieron menos de quedarse en ayunas, con lo cual fue forzoso restituírselo a su legítimo dueño, con súplica de que tuviera a bien iluminar con su reconocida ciencia la tiniebla del vetusto documento. Guevara pasará, benévolo, a cumplir con la súplica de su colega, pero antes desea aclarar cómo se hizo con el famoso manuscrito:

> Es, pues, el caso que en el año de mil y quinientos y veinte y tres, pasando yo por la villa de Çafra, me allegué a la tienda de un librero, el cual estaba deshojando un libro viejo de pargamino, para encuadernar otro libro nuevo, y como conoscí que el libro era mucho mejor para leer que no para encuadernar libros, dile por él ocho reales, y aún diérale ocho ducados. Ya, señor, sabéis cómo era el libro de los fueros de Badajoz que hizo el rey don Alonso el Onceno, príncipe que fue muy esforçado y valeroso, y no poco sabio [131].

130 *Epístolas familiares,* I, pág. 148.

131 *Ibid.,* I, págs. 148-149.

Aquí tenemos, pues, los mismos elementos conjugados también por Cervantes: el hallazgo prosaicamente fortuito, el destino indigno a que se encaminaban ambos códices, la compra a vil precio, ocultando su auténtico valor. El cotejo de los textos nos muestra por parte de Cervantes un claro proceso de enriquecimiento ornamental: se multiplican las notas circunstanciales, se refuerza con diversas alusiones el nivel humorístico, pero no se abandona el cañamazo matriz. La página del *Quijote* no pierde su esencial carácter de reelaboración e ilustra bien la inteligencia con que Cervantes suele aprovechar a Guevara, alzándose a un nivel superior, donde todo es elegancia y flexibilidad, desde el arte un poco escueto y rígido de su antecesor.

La semejanza textual es, en este caso, tanto más valiosa en cuanto resulta ser mero signo, algo así como la punta del iceberg que emerge del agua. Porque (¿será preciso decirlo?) el fuero de Badajoz descubierto por Guevara es pura trufa merecedora, sobre poco más o menos, del mismo crédito que la historia de Cide Hamete. Desconcertado tras un estudio particular en que se agotaba toda posible alternativa, el P. Arturo García de la Fuente se veía forzado a concluir que el dicho fuero sólo podía servir para «ver hasta qué punto puede llegar la imaginación, o mejor, la frescura de un historiador desaprensivo» [132]. Y el buen Padre vuelve a escandalizarse: «Dura cosa es creer que un prelado, y además religioso, mintiera de un modo tan descubierto, y sin embargo así fue» [133]. Ni los fueros allí citados pueden en modo alguno ser considerados como tales, ni pudo otorgarlos don Alonso el Onceno, ni la lengua es propia del siglo XIV

132 «Los fueros de Badajoz publicados por fray Antonio de Guevara, Obispo de Mondoñedo», *Revista del Centro de Estudios Extremeños*, V, 1931, pág. 195.

133 *Ibid.*, pág. 205.

(ni de ningún otro, cabría añadir). Desde luego, el P. Arturo ignoraba con quién tenía que habérselas, y de ahí su sorpresa y escándalo, no menores tampoco que los de Rhúa. Aclaremos que los fueros de Badajoz no son tampoco una superchería en regla [134], como las del P. Jerónimo Román de la Higuera, sino una linda estilización de la lengua en su período de orígenes y una donosa burla del casuismo rastrero de la legislación medieval. Nada tiene, pues, de extraño que sólo pudiera entenderlos la Minerva que los había parido:

> «Cui dixier hastas homes hastas homes peche diez maravedís a los camperos; mas si se firmare con tres no peche cosa». Antiguamente, en España llamaban a las lanças hastas, y por decir «al arma, al arma» decían «hastas, homes», «hastas, homes». A los que agora llamamos en la hermandad cuadrilleros, llamaban ellos camperos, porque corrían el campo. Como agora decimos que es necesario alguno se abone con tres testigos, de-

134 Como, en rigor, no lo son tampoco unas supuestas «ordenanzas antiguas» hechas en Toro por don Juan el primero, en la era de 1406, donosamente comentadas en una carta al condestable don Íñigo de Velasco, «en la cual se declaran los precios de a cómo solían valer muchas cosas en Castilla». Esta vez ha sido el propio Condestable quien se entró a revolver la celda de Guevara, mientras éste se hallaba diciendo misa, y le hurtó unas imágenes que jura no devolver hasta que el sabio predicador le ponga al corriente de las susodichas ordenanzas de Toro, encontradas entre muchos otros libros. Guevara sale entonces con una elegante respuesta, recordando a uno de los primeros nobles del reino que «aunque sois cabeza de los Velascos y yo soy de los Ladrones de Guevara, allá tenéis el hecho y acá tenemos el nombre» (I, pág. 272). Las supuestas ordenanzas documentan la baratura de la vida en aquellos patriarcales años, al mismo tiempo que una rusticidad de lengua que, no menos que los bajos precios, contrasta con la «polideza» en el decir que ahora se estila. El juego a burlar de la erudición incluye aquí, además, unas peregrinas notas al texto: «Emperchar en palas es colgar la adarga en el portal», «Jubenco es ternera», etc. Guevara ha hecho todo lo posible para dejar en claro que no tiene la menor pretensión de falsificar en serio: en la era de 1406 (1368) faltaban todavía once años para que Juan I comenzara su reinado.

> cían ellos «fírmese con tres». Quiere, pues, el fuero decir que si algún vecino de Badajoz, de su propria auctoridad apellidare, diciendo «al arma, al arma», llévenle de pena los alcaldes de la Hermandad diez maravedís. Mas si el tal hombre probare con tres testigos que no dixo tal cosa no le den pena alguna [135].

Como se ve, la fabla foral de Guevara no es menos arcana que arábigo o caldeo, y si para desentrañarla no es preciso dar dos arrobas de pasas y dos fanegas de trigo a ningún moro aljamiado, es porque el autor está dispuesto, con tal de que le escuchen, a ser su propio trujamán, como si dijéramos Cide Hamete y sus intérpretes en una sola pieza. De lo que en modo alguno cabrá acusarle es de no ser honesto a su manera, pues los lectores han de ser demasiado lerdos para no captar que habla en broma y que sólo se trata de jugar con el tono didascálico. La broma del hallazgo de Cide Hamete era considerada por Leo Spitzer [136] como una burla de la manía anticuaria que aquejaba a los humanistas, y en el texto de Guevara dicha intención no es sino mucho más transparente. En todo caso, él no deja de advertir con claridad qué es lo que busca (primera regla del payaso es no dejar en dudas su propósito de hacer reír): «Será, pues, el caso que palabra por palabra pondremos lo que dice el fuero, y luego al pie dél declararemos lo que quiere decir, y soy cierto que muchos se reirán y otros se espantarán» [137].

Tal vez sea excesivo afirmar que Cervantes nos legara adrede un sistema de huellas indicadoras de la ascendencia guevariana de Cide Hamete. Pero el caso es que la claridad y sostenida presencia de dicho tipo de notas hace también dificultoso el rechazar de plano tal sospecha. La página que vale como acta de nacimiento del personaje ofrece por lo

---

135 *Epístolas familiares,* I, págs. 149-150.
136 «Perspectivismo lingüístico en el *Quijote*», pág. 154, nota.
137 *Epístolas familiares,* I, pág. 149.

menos un par de toques enteramente acordes con el inconfundible humor de fray Antonio y su gusto por diluir lo más solemne en detalles y circunstancias ratoneras. Uno de ellos es el acuerdo con el morisco aljamiado acerca de los honorarios que ha de recibir en prosaicas especies comestibles (¿desde cuándo había estado abierta la literatura a ese tipo de puntualidades?). El otro, aún más claro en su inspiración, es la apostilla marginal que provocó la carcajada del trujamán, en anticipo de las de infinitos lectores: aquella salida de que «esta Dulcinea del Toboso, tantas veces en esta historia referida, dicen que tuvo la mejor mano para salar puercos, que otra mujer de toda la Mancha».

Cide Hamete es no sólo el manantial de la «historia», sino también el foco cristalizador de la estructura narrativa del *Quijote.* Tangible y evanescente a la vez, se halla dotado, igual que Dulcinea, de un ser literario que lo sitúa un escalón por encima y un escalón por debajo del plano «real» de la novela. Como personaje de la más limpia vena novelística, Cide Hamete va haciéndose a lo largo del libro, revelándose a trozos, pero sin acabar nunca de salir de su alvéolo de misterio. Como tantas otras bellezas del *Quijote,* tiene su perfecto desarrollo en la Segunda Parte, al ser discutido por los propios don Quijote y Sancho y al multiplicarse en cantidad y calidad sus vacilaciones y escrúpulos de historiógrafo. Todo lo cual no quita para que su condición de moro le gane al mismo tiempo una dudosa fama de mentiroso (1, 9), embelecador, falsario y quimerista (2, 3). Cuando se invoca la veracidad del testimonio de Cide Hamete, observa R. S. Willis [138], queda proclamada, en nuevo tornasol irónico, la magnitud de su falsificación. En realidad, no es sino el mismo juego a que nos tiene acostumbrados Guevara: el au-

---

[138] *The Phantom Chapters of the Quijote,* Hispanic Institute in the United States, New York, 1953, pág. 97.

tor solemne y erudito, omnisciente porque es capaz de inventárselo todo, y que transforma las ínfulas de puntualidad en pregón humorístico de su arte urdidor de consejas.

El carácter de Cide Hamete como simultáneo historiador y falsario es sólo parte de la tupida red de contradicciones que hacen de él un delicioso absurdo. Cervantes se complace en acercarlo y alejarlo de sus lectores, enmarañando muy adrede las coordenadas fundamentales de su patria, religión y cultura. Cide Hamete es por eso «arábigo» y «manchego» (1, 22), musulmán que jura «como católico cristiano» (2, 27) y conocedor de la más trillada literatura romance al acordarse de Juan de Mena con aquel manoseado verso de «dádiva santa desagradecida» (2, 44). Calculadas indiscreciones nos van enterando poco a poco de que este historiógrafo de tan alto bordo era algo pariente del arriero amigo de Maritornes (1, 16) y de que sólo poseía (detalle inconfundible) dos almalafas o mantos, una de ellas en no muy buen uso (2, 48). Cervantes parece dar otra pista inequívoca sobre la filiación literaria de su Benengeli cuando, encareciendo la puntualidad de éste, señala su no perdonar las cosas más «mínimas» y «rateras» (1, 16). Estamos claramente ante el artificio burlesco del narrador narrado, similar al del obispo que mentía con aplomo sus ímprobos estudios, sus manuscritos y sus autoridades para hacer de sí mismo el más fabuloso y divertido personaje de sus libros. Cervantes recurre a un inconfundible pastel estilístico para elogiar la omnisciencia del seudohistoriador moro en términos que igual pueden servir para retratar a Guevara:

> Real y verdaderamente todos los que gustan de semejantes historias como ésta deben de mostrarse agradecidos a Cide Hamete, su autor primero, por la curiosidad que tuvo en contarnos las semínimas della, sin dejar cosa, por menuda que fuese, que no la sacase a luz distintamente. Pinta los pensamientos,

> descubre las imaginaciones, responde a las tácitas, aclara las dudas, resuelve los argumentos; finalmente, los átomos del más curioso deseo manifiesta. ¡Oh autor celebérrimo! ¡Oh don Quijote dichoso! ¡Oh Dulcinea famosa! ¡Oh Sancho Panza gracioso! (2, 40).

Estilización del narrador narrado, confusión deliberada de lo real y lo imaginario, de la novela y de la historia, omnipresencia de humor irrespetuoso con todo género de hinchazones. Todo ello, un desfile de conceptos ya familiares para el lector atento de Guevara y que da razón poco menos que perfecta de la génesis literaria de Cide Hamete Benengeli. Muchos contemporáneos mordieron el anzuelo del seudodidactismo guevariano y atribuyeron su placer de lectores a pío entusiasmo por la sabiduría moral de los antiguos. Pero bromas de ese jaez no valían, desde luego, con Cervantes, que obviamente leyó a fray Antonio con tanta fascinación como inteligencia y que tal vez no sufrió otro influjo (o como quiera llamárselo) tan pragmático ni tan fecundo al nivel de las técnicas que hoy, con justicia, consideramos más suyas.

Siglos de olvido y de incomprensión crítica han hecho de Guevara un nombre vacío, confinado al limbo en compañía de su *Relox* y de sus tres rameras Lamia, Layda y Flora. Tal pecado lleva consigo la penitencia de malentender hasta un grado curioso ciertos aspectos básicos de la modernidad literaria [139]. Es fácil de advertir la línea que une a Cervantes

[139] La crítica suele desconcertarse cuando topa con el bulto de Guevara, que en gran parte constituye para ella un escollo no recogido en los mapas. M. R. Lida advirtió («Fray Antonio de Guevara», página 346) cómo los anotadores modernos de La Fontaine se desolaban en vana rebusca de los auténticos escritos de Marco Aurelio (descubiertos en la segunda mitad del XVI) para una cita de aquél al Villano del Danubio. En 1924 un estudioso de la literatura inglesa en la época isabelina se extravía en consideraciones sobre la influencia

con aquel fraile atrevido, que acaba con la distinción milenaria entre *res gestae* y *res fictae*. Pero es también Guevara quien abraza, casi como una ascética, el nuevo profesionalismo de escribir en función del lector, aceptando su realidad humana de ser que pide a la literatura un respiro en el ajetreo cotidiano de su vida. Quien advierte, además, con máxima lucidez que canalizar dicho compromiso hacia esferas superiores de arte constituye un quehacer literario de la más alta dignidad y exigencias. Temprano escéptico para con las pompas del saber heredado [140] y creyente sincero en una literatura de problemáticas e inestables realidades humanas, pues «al traidor del coraçón nunca le acabamos de entender, y mucho menos de contentar» [141]. Tales facetas son igualmente útiles para entender a Cervantes, cuya intensa y diestra utilización de Guevara dice tan alto del uno como del otro, y no hace sino confirmar con su lógica la trascendencia histórico-literaria del escritor montañés: un caso radicalmente hispánico, que hemos tendido a postergar en medio de tantos estudios sobre modelos vivos y tantas barajas críticas sobre Renacimiento y Barroco.

---

de Teofrasto, sin reparar en que trabaja sobre textos de una traducción de Guevara, según observa Jeannette Fellheimer, «Hellowes' and Fenton's Translations of Guevara's», *Studies in Philology*, XLIV, 1947, página 154. Recientemente otro investigador de los orígenes de la novela francesa, advierte la hinchazón retórica con que ésta se presenta en su etapa de principios del XVII; un texto de énfasis inconfundiblemente guevariano le impulsa, sobre todo, a postular la influencia de Quintiliano a través de la retórica enseñada en los colegios de jesuitas; R. W. Baldner, «Eloquence in the Seventeenth Century French Novel», *Romance Notes*, VI, 1964, págs. 55-56.

140 Es de notar cómo Guevara presenta ya una especie de despego irónico de su propio arte que se ha considerado también como egregia cualidad cervantina y cúspide natural del arte del novelista; Harry Levin, «The Example of Cervantes», *Cervantes*, edición Lowry Nelson, Prentice-Hall, Englewood Cliffs, 1969, págs. 34-48.

141 *Menosprecio de corte*, pág. 52.

TEÓFILO FOLENGO Y CERVANTES

IGNATIUM CALVUM

Pocos cervantistas de ayer se encontrarán hoy más olvidados que el sabio y modesto presbítero don Ignacio Calvo y Sánchez (1864-1929?), autor de una parcial traducción latina del *Quijote*. En épocas pasadas, mientras el latín conservó algún carácter de lengua supranacional de cultura, no faltaron beneméritos humanistas que dieran, con su labor, un espaldarazo de clasicismo a ciertas obras modernas que estimaban dignas de gozar, en la lengua eterna, de una difusión no limitada por las rayas del mapa. De nuestra literatura merecieron dicho laurel las *Coplas* de Jorge Manrique, *La Celestina*, el *Relox* de Guevara y sólo tardíamente y sin mucha fortuna el mismo Cervantes [1]. La traducción de Calvo y Sánchez sale de lo común, no sólo por su fecha, sino por recurrir no al latín clásico, sino a la modalidad faceciosa conocida por latín macarrónico:

> *Historia Domini Quijoti Manchegui.* Traducta in latinem macarronicum per Ignatium Calvum (curam misae et ollae). Madrid, Imp. del asilo de huérfanos del S. C. de Jesús, 1905.

---

1 Juan Suñé Benages y Juan Suñé Fombuena, *Bibliografía crítica de ediciones del Quijote impresas desde 1605 hasta 1917*, Barcelona, 1921, pág. 226.

Claro está que idea semejante no pudo concebirla uno de tantos cervantistas de erudición barata, ni aun siquiera un mortal como los demás. La historia de don Ignacio y su *Quijotum* es, en efecto, extraordinaria. Nacido de humildísimos labradores en el pueblecito alcarreño de Orche, nada parecía augurarle en su niñez una vida dedicada a las Letras. Sólo obvias cualidades del pequeño y consejos de los vecinos inclinaron a los padres a un terrible dilema económico; llegado el momento de escoger entre adquirir un par de mulas para las labranzas o enviar al chico al seminario de Toledo, la decisión fue echada a cara o cruz en directa apelación a la Providencia. Los estudios del niño estaban, evidentemente, escritos en el libro de su vida. Andando el tiempo se ordenó de sacerdote, enseñó en el mismo seminario e ingresó, tanto por afición como por cabezonada, en el Cuerpo de Archivos, Bibliotecas y Museos. Don Ignacio fue bibliotecario de la Universidad de Salamanca y trabajó muchos años en la sección de numismática del Museo Arqueológico Nacional, cuyo catálogo publicó [2]. Sus orgullos se ci-

---

[2] En colaboración con C. M. del Rivero, *Catálogo-guía de las colecciones de monedas y medallas expuestas al público en el Museo Arqueológico Nacional,* Madrid, 1925. Anteriormente había publicado *Retratos de personajes del siglo XVI, relacionados con la historia militar de España,* Junta de Iconografía Nacional. Memoria premiada en el concurso de 1916, Madrid, 1919. De sus trabajos como arqueólogo dan fe varias monografías publicadas por la Junta Superior de Excavaciones y Antigüedades, *Excavaciones en Clunia,* Madrid, 1916; en colaboración con Juan Cabré, *Excavaciones en la cueva y collado de los Jardines (Santa Elena, Jaén),* Madrid, 1917, 1918, 1919. Don Ignacio publicó también una graciosa crónica de su peregrinación a Roma en 1894, bajo el donoso título *Abeja de la Alcarria en la cúpula del Vaticano. Libaciones dulces y amargas hechas en Aragón, Cataluña, Francia, Roma, Nápoles y Valencia,* Talavera de la Reina, 1895. La *Historia Domini Quijoti* alcanzó reedición (Madrid, 1922?) «cum prólogo Manoli L. Anaya. Editio nova, castigata et alargata». Alcanza abreviadamente hasta el c. XLVII y su mayor novedad se centra en los pre-

fraron siempre en titularse, por este orden, «cura, archivero y de Orche».

La génesis del *Quijote* macarrónico está estrechamente ligada con su vida de seminarista pobre. Su viva inteligencia le obtuvo por fin una beca, cuyo disfrute ponía a menudo en peligro con diversidad de travesuras. Ocurrió, nos dice en el preliminar «Génesis y fin del librejo», que «llevé a cabo una muy célebre, que no es del caso referir, por la cual impusiéronme la penitencia de perder la beca; lo cual para mí suponía el seguro encuentro de un azadón con el que pasar el resto de mi vida destripando terrones». Pero un artículo necrológico[3] sí nos cuenta cuál fue aquella famosa travesura, que es bien digna de eterna recordación. El rector del seminario había ordenado que todos los educandos tuvieran un crucifijo en sus celdas. Escaso de fondos, Calvo improvisó uno como mejor pudo con ciertos pedazos de hojalata y lo adornó con una leyenda que decía:

> El que tenga devoción
> verá en esto un crucifijo,
> pero el Rector, ¡quiá! de fijo
> cree que es... el mal ladrón.

El atribulado escolar pidió conmutación de la pena, que fue reducida a poner en latín una obra clásica española. Poco después sometía al indignado gimnasiarca el primer capítulo del *Quijotum*. Y, reventando de risa, el buen eclesiástico le dijo paternal y macarrónicamente: «*Sufficit, Calve, jam habes garbanzum aseguratum*».

---

liminares, que ofrecen el carteo macarrónico con un antiguo compañero de seminario. Ha sido reeditada en Madrid, 1966.

[3] N. J. de Liñán y Heredia, «Don Ignacio Calvo y Sánchez (Q. D. H.)», *Revista de Archivos, Bibliotecas y Museos*, año XXXIV, 1930, páginas 362-364.

Don Ignacio fue un sacerdote ejemplar. «Era (dice su necrología) el españolísimo cura, varonil, virtuoso, sin gazmoñería de merengue; sabio, sin jactancia; llanote, ingenioso, duro con él y comprensivo y benévolo para las ajenas debilidades.» Al acercarse el centenario del *Quijote* se acordó del legajo de papeles que conservaba atado con la calzadera de su última peonza, y allá fue a la imprenta del asilo de huérfanos su traducción macarrónica. Abarca ésta los doce primeros capítulos del *Quijote* de 1605, el XVI, XVII, XVIII, XIX y parte del XX, que se interrumpe con una «Nota importante» donde se hace constar que la impresión queda allí suspendida «por la sencilla razón de que el bálsamo o peseta de Fierabrás, con que se pensaba dar feliz remate a otras muchas aventuras quijotescas, se agotó de pronto en la alcuza de... El traductor». En «Génesis y fin del librejo» comentaba don Ignacio su empresa en términos modestos, pero no exentos de un poco de intención: «En fin, he procurado hacer algo nuevo acerca de nuestro mejor libro; si no lo consigo, probaré al menos que en España, aunque haya Curas de Misa y olla y Curas de escopeta y perro, también los hay que manejan el *Quijote*».

La traducción macarrónica rindió, en efecto, al *Quijote* un homenaje mucho más simpático y duradero que casi todas las soflamas y repeticiones con que se celebran los centenarios, sobre todo si son cervantinos. En realidad se trataba de una obra original, una re-creación humorística, cuyo comienzo suena:

> In unum lugare manchego, pro cujus nómine non volo calentare cascos, vivebat facit paucum tempus, quidam fidalgus de his qui habent lanzam in astillerum, adargam antiquam, rocinum flacum et perrum galgum, qui currebat sicut ánima qui llevatur a diábolo.

Lo que, desde luego, no hizo allí don Ignacio fue «algo nuevo». El buen cura «misae et ollae» no se daba cuenta quizás de la seriedad latente en su aventura, ni de hasta qué punto prolongaba aquella labor suya una tradición del más depurado humanismo. Lo único anómalo de tan peregrina empresa era el milagro de ser tan perfecta e ingenuamente anacrónica. Aparte de la historia del desdichado crucifijo, hay profunda lógica en que el *Quijote* macarrónico germinara en el *hortus conclusus* de un seminario «tridentino», último refugio vital de un humanismo de viejo cuño. Si bien se mira, la chusca traducción macarrónica de Cervantes reviste el sentido de una vuelta al claustro materno, pues la robusta musa de Merlín Cocaio es una de las que, por presencia y por ausencia, auguran el nacimiento del *Quijote*. Lo único extraño es que la idea de don Ignacio Calvo y Sánchez no se le ocurriera a ningún ingenio español de tres siglos atrás, cuando aquel tipo de literatura retozaba con pleno vigor.

TEÓFILO FOLENGO Y LA POESÍA MACARRÓNICA

El latín macarrónico es una lengua literaria en que, para fines de simple comicidad, se mezclan al clásico formas románicas superficialmente latinizadas, de modo que el conjunto llega a dar la impresión de un latín romanzado o de un romance latinizado. En realidad se trata de una parodia del *latinus grossus* (empobrecido e incorrecto) escrito por clérigos y notarios en la Baja Edad Media, llamado en Alemania *Küchenlatein*[4] y en España *latín genovisco* o genovés[5].

---

4 U. E. Paoli, *Il latino maccheronico*, Firenze, 1959, pág. 2.

5 R. Menéndez Pidal, *La lengua de Cristóbal Colón*, Austral, Buenos Aires, 1947, pág. 14.

En italiano deriva de *maccherone*, nombre de un manjar rústico a cuya oportunidad daba visos de manifiesto poético su más famoso maestro, Teófilo Folengo:

> Ars ista poëtica nuncupatur ars macaronica a macaronibus derivata, qui macarones sunt quoddam pulmentum farina, caseo, botiro compaginatum, grossum, rude et rusticanum; ideo macaronices nil nisi grassedinem, ruditatem et vocabulazzos debet in se continere [6].

La literatura macarrónica comienza en el Norte de Italia en coincidencia aproximada con los albores del siglo XVI. Responde ésta a un espíritu enteramente diverso al de la poesía latina medieval, cuya meta era, con todo, el latín clásico, mientras que el macarrónico es una modalidad, decadente si se quiere, del latín humanístico. Sus autores son puros humanistas que se divierten cultivando una especie de monstruo lingüístico que en realidad es, como dice C. Cordié, «un linguaggio d'arte al pari d'ogni altro» [7]. El contraste con la literatura medieval latina o goliardesca no puede ser más visible: mientras aquélla, con su latín «serio» y más o

6 *Le Maccheronee*, a cura di Alessandro Luzio, Bari, 1927-1928, II, ap. III (variantes de la edición Toscolana), pág. 284. El término matriz *(maccheroni)* designa el manjar denominado *gnocchi* en italiano actual, plato algo similar a nuestras castizas y olvidadas almojábanas, según la receta de Folengo. El sentido traslaticio de *maccherone* es el de 'persona torpe y cazurra'; Paoli, *Il latino maccheronico*, pág. 3. La semántica de *maccheronico* se relaciona también, obviamente, con la mescolanza de ingredientes que entran a formar parte del rústico guisote. Sobre la boga medieval y orígenes clásicos de la cocina y el cocinero como temas cómicos, véase E. R. Curtius, *European Literature and the Latin Middle Ages*, Pantheon Books, Nueva York, 1953, págs. 431-435. Sobre lo alimenticio como forma pura y eterna de comicidad contiene valiosas observaciones la obra de M. Bakhtin, *Rabelais and his World*, M. I. T. Press, Cambridge, Mass., 1968, *passim* y especialmente págs. 183 sigs.

7 «Il linguaggio maccheronico e l'arte del *Baldus*», en *Archivum Romanicum*, XXI, 1937, pág. 1.

menos puro, emplea el mismo sistema de versificación de las lenguas vulgares, la poesía macarrónica usa de métrica cuantitativa, con preferencia casi exclusiva por el hexámetro clásico. Semejante escrúpulo formal resalta el efecto cómico, no sólo de los «vocabulazzos», sino de multitud de dialectalismos lombardos, vénetos o emilianos, pues la poesía macarrónica se desarrolla sobre todo en la Italia septentrional, con foco muy claro en la Universidad de Padua, uno de los grandes hogares intelectuales del Renacimiento. Es preciso insistir, pues, en su carácter de literatura intensamente erudita, de goce limitado a un público minoritario de personas bien iniciadas en las Humanidades. Para apreciar una caricatura es preciso conocer bien el original caricaturizado.

La poesía macarrónica tiene por primera figura destacada al humanista paduano Michele di Bartolommeo degli Odasi, conocido como Tifi Odasi, que publicó una *Maccheronea* en 1490: extraño cuento en torno a una proyectada comilona y guiso de una oca. Pero su artista máximo e indiscutido es el monje benedictino Teófilo Folengo (nacido Girolamo), hijo de un notario de Mantua y más conocido bajo el seudónimo de Merlín Cocaio (1491-1544)[8]. El conjun-

---

[8] Dichos nombres combinan el recuerdo de la delirante caballería bretona (Merlín) y la idea general de 'burla' (recuérdese el español *cocar*). Como obra definitivamente aclaradora de una biografía plagada de contradicciones internas y de leyendas fomentadas, a veces, por el mismo Folengo, véase Giuseppe Billanovich, *Tra don Teofilo Folengo e Merlin Cocaio*, Napoli, 1948. Como poeta italiano, Folengo sólo tuvo un relativo acierto con su *Orlandino*, poema en octavas que casi repite el tema del *Baldus* en tono marcadamente chusco; otras obras italianas dan en estrafalarias *(Caos del Triperuno)* o en aburridas prédicas sacras *(La umanità del figliuolo di Dio)*; *Opere italiane*, a cura di Umberto Renda, Bari, 1911-1914, 3 vols. Como poeta latino, especialmente en una *Hagiomachia* de tema sacro, véase Ettore Bolisani, *Il Folengo poeta latino*, Padova, 1961. Excelente repaso y antología de la obra macarrónica e italiana de Folengo se encontrará en U. R. Paoli, *Il 'Baldus' e le altre opere latine e volgari*, Firenze, 1953, obra tan

to de sus obras en esta modalidad literaria se publicó bajo el nombre de *Maccheronee* y tuvo su primera edición (Paganini) en 1517. La pieza fundamental de estas *Maccheronee*, la que le dio fama universal y le consagra como uno de los grandes vates italianos, es un extenso poema épico-cómico titulado *Baldus*, al que desde ahora tendremos que referirnos con frecuencia.

En los veinticinco libros de su última redacción y casi quince mil versos narra el *Baldus* las extrañas aventuras de Baldo, hijo del paladín Guido de Montalbán, descendiente de Rinaldo, y de la princesa Baldovina, hija del rey de Francia. La necesidad de ocultar sus amores fuerza a la pareja a huir de la corte de París y de la cólera del monarca. Llegan así a Cipada (pueblo cercano a Mantua), donde los desgraciados amantes son caritativamente recibidos por el campesino Berto Panada. Guido decide dejar a su esposa, que se halla en vísperas de parir, al cuidado del bondadoso

útil para la iniciación en los estudios folenguianos como su ya citada *Il latino maccheronico*. La edición crítica de las *Maccheronee* ofrece serios problemas, no todos resueltos de modo satisfactorio en la ya citada de A. Luzio, única de que hoy se dispone y a la que se entienden referidos todos los textos del presente estudio. De gran utilidad es la edición de *Il Baldo* en traducción italiana, a dos columnas, de Giuseppe Tonna, Milano, Feltrinelli, 1958, 2 vols. Altamente recomendable, la linda edición y estudio de la *Zanitonella* (amores burlescos de una pareja campesina, Juan y Tonella) por G. Bernardi Perini, Torino, Einaudi, 1961. La crítica moderna sobre Folengo comienza con el famoso capítulo que le dedica Francesco de Sanctis en su *Storia della letteratura italiana*, 1870. Gran progreso representaron, para su época, los *Studi folenghiani* de A. Luzio, Firenze, 1899. Excelente crítica la del malogrado T. Parodi, «Teofilo Folengo», en *Poesia e letteratura. Conquista di anime e studi di critica*, Bari, 1916, páginas 3-93. De entre la bibliografía más reciente merecen mención aparte los libros de C. Filosa, *Nuove ricerche e studi su Teofilo Folengo*, Venezia, 1953; F. Salsano, *La poesia di Teofilo Folengo. Saggio sopra i luoghi comuni della critica folenghiana*, Napoli, 1953, y E. Bonora, *Le 'Maccheronee' di Teofilo Folengo*, Venezia, 1956.

Berto, pues él desea continuar su vida caballeresca con una peregrinación a Tierra Santa. Pronto nace Baldo, que desde el primer día da pruebas de su naturaleza heroica. Su infancia transcurre en Cipada, mostrando siempre su inclinación a las peleas, juegos violentos y a las armas. En la escuela aprende a leer y se entusiasma con Virgilio, por narrar éste en la *Eneida* tantas guerras, pero sobre todo se siente arrebatado por toda suerte de poemas caballerescos, y entre éstos, muy en especial, por el *Orlando furioso* de Ariosto. Desbordado su espíritu belicoso, participa en reñidas pedreas; malherido en una de éstas, corre a refugiarse junto a su madre, de cuyo lado lo arrancan los esbirros, acusándole de provocador, escena que mata de sufrimiento a Baldovina. Conducido a juicio ante el Senado de Mantua, el viejo paladín Sordello, fiel amigo de su padre Guido, aclara su inocencia y lo toma por paje. Ya adulto, Baldo junta a su alrededor una pandilla de maleantes, con los cuales trae siempre en jaque a la justicia y sus ministros, servidores del malvado *praetor* Gaioffo. Entre estos estrafalarios amigos de Baldo descuellan Cingar (de *zingaro,* gitano), personaje tan importante en el poema como el mismo Baldo, y Falchetto:

> Vidi ego Falchettum duplicato corpore natum,
> quippe viri buccas usque ad culamen habebat
> ex inde ad caudam veltri sibi forma dabatur.
>
> (IV, 134-36)

[Vi a Falchetto, nacido con doble cuerpo, pues lo tenía de hombre desde la boca hasta el trasero y desde allí hasta la cola en forma de galgo.]

Es decir, un extraño monstruo, mitad humano y mitad galgo. Cingar es un criminal y bellacón simpático por su refinada astucia y lealtad personal hacia Baldo. Éste contrae matrimonio con la campesina Berta, tras haberla violado (igual que su padre hizo con Baldovina). Se complican cada vez más sus enemistades con el repugnante vejete Barba Tognazzo, alcalde de Cipada, y con el comisario Gaioffo, además de con el estúpido Zambello, hijo de Berto Panada, a todos los cuales juega las más pesadas burlas. El Senado ordena la prisión de Baldo, que es detenido a traición. Cingar lo libera derrochando astucia y valor, pero son descubiertos antes de salir de Mantua y han de reñir por ello una descomunal batalla con la milicia concejil, de la que logran escapar llevándose prisionero a Gaioffo, al que dan después una muerte horrible.

Termina así el libro XI y la línea argumental da un quiebro inesperado. Baldo, Cingar y sus amigotes embarcan en Chioggia para ir en busca de aventuras contra los demonios, las brujas y la ramería, con lo cual la maleante pandilla, sin perder nunca su gusto por las burlas, se transforma de repente en milicia cristiana. Se hace difícil seguir el hilo de tantas y tan fantásticas aventuras. Hay unas luchas con piratas antropófagos y diversos lances en una isla que resulta ser una enorme ballena encantada. Uno de los compañeros, el joven Leonardo, muere víctima de una bruja y mártir de la castidad. Entre un diluvio de peripecias, Baldo encuentra a su anciano padre (retirado desde mucho antes a hacer vida eremítica) que muere entre sus brazos. Vienen después épicos combates con bandadas de diablos, y un encuentro con el mismo Merlín Cocaio, que saluda a sus viejos amigos y los invita al sacramento de la penitencia. Tras infinitas zalagardas en un mundo subterráneo, poblado de brujos y de seres malvados y extraños, descubren las fuentes del Nilo, todo ello bajo la constante protección de un mago benéfico llamado Serapho. Nueva bajada al infierno, en medio de incidentes amontonados de mala manera. Llegan así a un lugar donde se atormenta, por sus mentiras, a astrólogos y poetas por manos de una legión de barberos que les arrancan las muelas. Y allí se quedan todos, incluyendo el autor.

Para quien no se le haya asomado, tan estrafalario poema es casi imposible de resumir ni explicar, sobre todo en su calenturienta segunda mitad (libros XII-XXV). La impresión de conjunto es de hinchazón, desmesura y, sobre todo, de una fantasía enfermiza, negativa y triste. Todo reviste allí proporciones gigantescas: los reveses, la universal maldad, la estupidez de los campesinos y el apetito de Baldo y sus secuaces. Una de las palabras más frecuentes y claves del poema es *budellae* (tripas): tripas repletas, convulsas, eventradas. El libro se anega en sangre y excrementos:

> Parce mihi, lector, si nunc tibi Musa puzabit.
>
> (VII, 458)
>
> [Perdóname, lector, si ahora te va a heder mi musa.]

Los cuerpos vuelan despedazados bajo los filos de la espada de Baldo, y nada de todo esto ni ofende ni impresiona verdaderamente, debido a lo inhumano y desaforado del módulo, un poco a la manera de lo que ocurre con nuestras películas de dibujos animados. Folengo siembra su obra de terribles diatribas, desahogos de insultos contra todo lo imaginable: contra los alguaciles, contra los cortesanos, contra las mujeres, contra los maridos, contra los frailes, contra las rameras, contra los leguleyos, contra el Papa. Y a la vez alterna y contrasta con eruditas digresiones sobre farmacología, historia antigua, música, prestidigitación, relojería, arte culinario y hasta nigromancia[9]. El poema se vuelve fasci-

[9] Comentando este aspecto, llega a hablar Paoli del *Baldus* como «una ingarbugliatissima enciclopedia»; *Il latino maccheronico*, página 126. El eco aristotélico de tan desdichada obsesión no puede ser más obvio.

nante a vueltas de las bestiales dimensiones de su pesimismo, de su misantropía y de su misoginia, que a veces sugieren un cerebro desquiciado. Hay una falta casi absoluta de verismo sicológico, de caracterización y de arquitectura, con pocos momentos que logren dar una impresión de vida, aunque no faltan algunos al principio de la obra (la cena de los amantes fugitivos en casa de Berto es el ejemplo clásico) y son de lo mejor en cuanto a intrínseco valor poético [10].

¿Cómo puede tratarse, entonces, de un gran poema? La respuesta la da precisamente su lenguaje, ese latín macarrónico que, en manos de Folengo-Cocaio, es un instrumento fulgurante, derroche de inteligencia en todos y cada uno de

---

10 La simpática escena en la cocina de Berto fue admirada ya por De Sanctis, que veía su eficacia en la riqueza y calidad del detalle; *Storia della letteratura italiana*, en *Opere*, Torino, 1958, II, página 548. B. Croce elogia también el gusto para captar la poesía espontánea de la vida sencilla y cotidiana (cocina de Berto, epigrama del invierno, la gata que acecha al pajarillo); «Le *Macaronee* del Folengo e la critica moderna», *Poeti e scrittori del pieno e del tardo Rinascimento*, Bari, 1958, I, pág. 170. Pero tiene toda la razón R. Ramat cuando anota que el *amor vitae* de Folengo se manifiesta sólo en fragmentos inconexos con la obra y su espíritu; «Il *Baldus*, poema dell'anarchia», *Nuova Antologia*, anno 87, septiembre, 1952, pág. 8. No se entiende bien la insistencia de C. F. Goffis en la importancia del «idilio» como uno de los elementos fundamentales del *Baldus*, sobre todo cuando es él mismo quien observa que el «realismo» de éste parece una invención de críticos deslumbrados por tanta actividad como desborda el poema; *La poesia del 'Baldus'*, Génova, 1950, página 66. No ocultaremos nuestra extrañeza ante la inclinación de muchos críticos italianos a usar el calificativo de 'bonachón' *(bonario)* al discutir a Folengo; por ejemplo, su espíritu cordial y «bonaria filosofia», en C. Filosa, *Nuove ricerche e studi su Teofilo Folengo*, págs. 95 y 96; C. Cordié advierte en Folengo «il sorriso d'un osservatore bonario della realtà»; «Il linguaggio maccheronico e l'arte del *Baldus*», pág. 51. Incluso F. Salsano, brillante autor de la tesis del Folengo atrabiliario y misántropo, gusta de referirse también al «carattere debole, bonario, del Folengo»; *La poesia di Teofilo Folengo*, pág. 191. G. Toffanin se refiere también a «la bonaria beffa» del *Baldus*; *Storia letteraria d'Italia. Il Cinquecento*, settima edizione, Milano, 1965, pág. 329.

sus magníficos hexámetros, un prodigio de inventiva y comicidad, poético por sí mismo al nivel de los puros medios idiomáticos. No en vano le dedicó Folengo el trabajo benedictino de toda su vida, en una fanática tarea de pulimento que le ocupó hasta el último suspiro [11] y produjo cuatro redacciones sucesivas de la obra (Paganini, Toscolana, Cipadense y Vigaso Cocaio) entre 1517 y 1552 (póstuma la Vigaso Cocaio). Folengo conocía muy bien la dificultad y el mérito de aquella lengua literaria, prácticamente inventada por él, en que nadie pudo igualársele antes ni después. Y así blasona por boca del supuesto Vigaso Cocaio:

> Ma quello che sopra tutto importa è che questa sí meravigliosa lingua è riposta in questo tale autore, come in specchio ed idea di tal idioma. E senza lui è fredda, muta, stroppiata, disgraziata e peggio assai che non sono i macaroni senza botiro. Ringraziate dunque lui primamente, che ha composto sí miracoloso poema [12].

El *Baldus* fue lectura reída durante más de un siglo por todos los sabios de Europa. Difundido en numerosas ediciones en doceavo (los libros de bolsillo de la época), sus ecos resonaron en los medios humanistas y universitarios más remotos. La poesía macarrónica representa uno de los procesos de radical experimentación que mejor delatan la honda crisis de la literatura en el crecimiento del siglo XVI [13]. Su éxito la identificó, de hecho, con el más alto concepto de literatura específicamente burlesca, y de ahí que su espíritu irradiara

---

[11] Incluso violando de hecho las órdenes recibidas de sus superiores y cubriendo su desobediencia con astutas falsedades que han desorientado notablemente a sus modernos estudiosos; Billanovich, *Tra don Teofilo Folengo e Merlin Cocaio*, págs. 183 sigs.

[12] *Maccheronee*, ap. I (prefacio de la edición Vigaso Cocaio), II, página 201.

[13] H. Levin, «The Example of Cervantes», en L. Nelson, Jr., *Cervantes*, Prentice-Hall, Englewood Cliffs, 1969, pág. 40.

o motivase, al menos, una toma de posiciones en toda digna empresa que tratara de orientarse por dicho camino. En lo que la poesía macarrónica fracasó por completo fue en evolucionar para producir nada comparable al *Baldus*, ni aun siquiera importante o digno de especial recuerdo. Estamos ante el caso de una literatura aplastada por el peso de una obra maestra, exponente absoluto del espíritu macarrónico y agotadora de sus posibilidades de evolución y continuidad. A los infinitos Cocaios posteriores no les quedó abierto otro sendero que el de la imitación escolar, la glosa de tal o cual personaje de la obra consagrada, el pergeño de alguna aventurilla o malicia de circunstancias con que revivir pasajeramente a Baldo o, más a menudo, a Cingar.

LA POESÍA MACARRÓNICA EN ESPAÑA

La poesía macarrónica fue en todas partes el juguete del mundo intelectual y universitario, uno de los ritos con que éste se desintoxicaba de sus cerrazones y de sus pedanterías. Aunque no se ha realizado aún el estudio particularizado que sería deseable, disponemos de datos bastantes para poder afirmar que España no fue en esto excepción, y que los «macarrones» entretuvieron los ocios eruditos de nuestras promociones de latinistas, desde el siglo XVI a los albores del XIX.

En absoluta normalidad con el carácter propio de la literatura macarrónica, sus primeras manifestaciones españolas aparecen ligadas con el nombre de Juan de Vergara, gran helenista y uno de los más firmes puntales del erasmismo español. El ms. 3.662 de la Biblioteca Nacional de Madrid conserva dos poemas de esta clase de puño y letra suya, titulado uno de ellos *Callioperria*, y el otro, más claramente macarrónico, *Ad Dominum Baldum Caxconivacium Maca-*

rronicae artis peritissimum in insulis Caliphornis cognominatum Zingar suus capellanus ac picapedrerus in responsione cuiusdam epigrammatis nuper ad se missi a praedicto circunspecto domino. Según su editor, el P. José López de Toro [14], debió escribirse entre 1517 y 1532, pero cierta alusión a la batalla de Villalar induce a creer que sea poco posterior a 1521. Su fondo es oscuramente político, pues se trata de responder a alguna epístola reservada en que se hacían a Vergara «preguntas comprometidas acerca de las Comunidades de Castilla cuando estaban en su mayor efervescencia» [15]. No están del todo claros los alcances de sus alusiones, pero su moderno editor señala con acierto cómo la traviesa musa macarrónica era inspiradora ideal de crítica inconformista, que pasaba tanto mejor debido al desgarro privativo del género y (podemos añadir) al tono confidencial de ese tipo de intercambios entre colegas de erudición. Los ejercicios macarrónicos de Vergara interesan en cuanto testimonio de la rápida difusión del *Baldus* en España. La identidad del corresponsal es desconocida, pero interesa advertir que éste había iniciado el carteo en la misma vena.

Con anterioridad a Vergara cabe señalar el uso por Torres Naharro de la jerga faceciosa que habla el ridículo Gomecio, «un escolar medio necio», en su *Comedia Seraphina.* Escribiendo antes de Folengo, Torres Naharro maneja, más bien que macarrónico, *latín de sacristía,* es decir, una variedad más cercana a la vieja tradición goliardesca y de pretensiones mucho menores:

> Maneo solus in boscorum
> sicut mulus sine albarda;
> mortis mea non se tarda

---

14 «El primer poema macarrónico en España», *Studia Philologica. Homenaje a Dámaso Alonso,* Madrid, 1961, II, págs. 401-411.

15 *Ibid.,* pág. 405.

propter meus peccatorum.
Da nobis gratia deorum
ad habendum nocte et dia
nostris lectis Dorosía
in secula seculorum [16].

Dato de subido interés, no tenido en cuenta hasta ahora, es la existencia de una traducción o refundición española del *Baldus*, combinada al parecer con un libro de caballerías e impresa en Sevilla en 1542 [17]. Aun incompletas, las noticias conservadas bastan para poner a España en cabeza de las traducciones. Hasta el momento sólo se conocía una traducción francesa de 1606 [18].

16 J. E. Gillet, *Propalladia and Other Works of Bartolomé de Torres Naharro*, Bryn Mawr, 1946, II, pág. 14.

17 Cuarta parte, según Gayangos, de *Reinaldos de Montalván: La Trapesonda. Aqui comiença el quarto libro del esforçado cauallero reynaldos de montaluan, que trata de los grandes hechos del inuencible cauallero Baldo, y las graciosas burlas de Cingar. Sacado de las obras del Mano Palagrio en nuestro común castellano.* Sevilla, Dominico de Robertis, MDXLII, folio. Entre sus preliminares «se halla un prólogo *sobre la poesía de Merlín Cocayo, poeta;* un proemio del maestro Juan Acuario sobre el mismo asunto, y por último, *Genealogía del rey Ludovico Pío.* Se conserva un ejemplar en la biblioteca de Wolfenbüttel»; *Libros de caballerías*, Biblioteca de Autores Españoles, Madrid, 1874, pág. LXVI. La ficha de Gayangos es de segunda mano, tomada de Hebert. De Gayangos la toma, a su vez, F. Escudero y Perosso, añadiendo que se trata de edición única; *Tipografía hispalense*, Madrid, 1894, n. 425. Algún dato bibliográfico adicional en Francisco de Quevedo, *Poema heroico de las necedades y locuras de Orlando el enamorado*, edición de M. E. Malfatti, Barcelona, 1964, página 10, nota. En prensa este libro, acaba de ser estudiada con gran detenimiento y rectificación de errores *(Mago Palagrio)* por Alberto Blecua, «Libros de caballerías, latín macarrónico y novela picaresca: la adaptación castellana del *Baldus* (Sevilla, 1542)», *Boletín de la Real Academia de Buena Letras de Barcelona*, XXXIV (1971-1972), págs. 147-239. Se trata de una versión bastante libre en conjunto y que contiene extensas interpolaciones. El anónimo humanista traductor hizo cuanto pudo por adecentar el relato y alejarlo de toda posible complicación religiosa.

18 *Histoire macaronique / de Merlin Coccaie / prototype de Ra-*

La poesía macarrónica sirvió también en todas partes como cauce ideal para la sátira política. El propio Carlos V fue duramente burlado en Francia con sátiras macarrónicas tras su poco airosa invasión de la Costa Azul en 1536, fracasada en gran parte por la hostilidad de los campesinos [19].

Del mayor interés resultan las curiosas noticias conservadas acerca de un certamen poético convocado por la Universidad de Salamanca para festejar dos faustos acontecimientos del año 1571, la batalla de Lepanto y el nacimiento del príncipe heredero don Fernando (diciembre 1571), que no vivió mucho tiempo [20]. El cartel establecía premios para los poetas que se distinguiesen en las dos usuales categorías de composiciones latinas y españolas, para las que fijaba las prosaicas y no muy generosas preseas que eran de rigor en las justas poéticas de aquellos tiempos. Lo curioso es que se reservó además un laurel para los que desearan lucirse

---

blais / ou est traicté les ruses de Cingar, les tours / de Boccal, les aduentures de Leonard, les forces / de Fracasse, enchantements de Gelfore & / Pandrague, & les rencontres hereuses de Balde, &c. / Plus l'horrible Bataille aduenuë entre les Mousches & les Fourmis / A Paris / Chez Pierre Pautonnier... 1606. (Ejemplar en la Firestone Library, Universidad de Princeton). Véase también Luzio, *Maccheronee,* II, pág. 370.

19 O. Delepierre, *Macaronéana ou Mélanges de littérature macaronique des différents peuples de l'Europe,* París, 1852, págs. 148 sigs. Antoine de la Sable (Arena) escribe la *Meygra entrepriza* a la citada campaña de Carlos V, aunque existen noticias de que atacó ya en macarrones el saco de Roma (1527). La sátira de Joan Germain (Germanum), *Historia bravissima Caroli Quinti imperatoris a provincialibus paysanis triumphanter fugati et desfibati,* 1536, fue reeditada por Victor Boy, Marseille, 1866. La literatura macarrónica francesa comienza con estas dos obras. Las contiendas y guerras religiosas casi monopolizaron la temática macarrónica en el país vecino.

20 J. López de Toro, *Los poetas de Lepanto,* Madrid, 1950, páginas 176 sigs. R. Menéndez Pidal da otras noticias sobre una correspondencia macarrónica entre escolares salmantinos de hacia mediados del XVI; «Cartapacios literarios salmantinos», *Boletín de la Real Academia Española,* I (1914), pág. 167.

en versos macarrónicos y aspirar, harto adecuadamente, a una *Disparatarum tabula de mille figuris*, que tal vez podrían ser, en opinión del P. López de Toro, los conocidos *Disparates* de Juan del Encina. El códice en que se recogieron las composiciones premiadas copia también los dos poemas macarrónicos que más se distinguieron. En uno de ellos, escrito por cierto M. Martínez [21], se describe la corte de Belcebú y el revuelo causado por la llegada de tantos condenados novatos el día de la Batalla Naval. Pedro Botero reniega porque no le caben ya en sus calderas. Mahoma logra que uno de los pocos recién llegados que conservan intacta la lengua le dé noticia de la victoria de don Juan de Austria, que causa la mayor consternación en el reino infernal. El otro autor, Juan Scribonio o Escribano, describió de forma mucho más convencional la partida de la flota, arenga de don Juan y la inevitable carnicería de turcos:

> Ingentes dic Musa mihi grandesque porrazos
> Terribiles golpes nec non laniata virorum [22].

Al orto del regio bebé parece que no hubo manera de sacarle punta macarrónica de ninguna especie.

La afortunada conservación del códice de este certamen es testimonio firme de la reconocida popularidad de la poesía macarrónica en los medios universitarios, admitida a codearse oficialmente con el latín y el romance en esta clase de lides. Jueces de estas justas poéticas fueron nada menos que fray Luis de León y el maestro Francisco Salinas. No es fácil imaginar a fray Luis con humor para ocuparse de «ma-

---

21 Ignoramos si se trataría, tal vez, de Martín Martínez de Cantalapiedra, el gran biblista procesado al mismo tiempo que fray Luis de León. No parece actividad muy propia para tan austero catedrático, pero él era ciertamente el Maestro Martínez conocido de todos en Salamanca aquellos días.

22 *Los poetas de Lepanto*, pág. 199.

carrones» en los mismos días en que se estrechaban a su alrededor las negras intrigas de claustro que condujeron a su proceso inquisitorial, pero el documento es explícito. No cabe duda que las bromas macarrónicas eran ocurrencia cuotidiana en los ambientes académicos. Arias Montano se defendía con gracia, en 1594, contra el malévolo ataque del cartujo fray Esteban de Salazar, que le acusaba también de irreverente afición a «macarrones», y en el recuerdo queda otra vez envuelto fray Luis de León:

> Y assí con ellas no se escandalizará tanto en mí, como muestra haberse escandalizado viéndome pronunciar medio verso de la macarrónica que compuso Gerónimo Tolengo [sic] Monge de San Benito, que puede ser yo haberlo pronunciado en presencia de V. P. y de Fr. Luis de León, y del Doctor Juan del Caño que está con Dios... Y cierto si yo entendiera entonces, no que V. P. sino cualquiera hombre plebeyo se había de escandalizar oyéndome tal verso, yo no tocara en macarrones para siempre [23].

La poesía macarrónica gana terreno en España hacia el último cuarto del siglo XVI y primeros años del XVII, y así encontramos a «Merlino Cocallo» en el inventario de la docta biblioteca de Luis Barahona de Soto [24], que falleció en 1595. El *Baldus* se ha vuelto tan familiar que hasta sus personajes secundarios no necesitan de presentación, como acredita el condestable don Juan Fernández de Velasco al atacar a Herrera y sus *Anotaciones* a Garcilaso (1580) bajo el seudónimo burlesco de Licenciado Prete Jacopín: donoso recuerdo de

---

23 T. González Carvajal, «Elogio histórico del doctor Benito Arias Montano», *Memorias de la Real Academia de la Historia*, VII, Madrid, 1832, pág. 189. A. Blecua menciona un epigrama de Folengo traducido por Gregorio Silvestre en sus *Obras* de 1582; «Libros de caballerías, latín macarrónico y novela picaresca», pág. 149, nota.

24 F. Rodríguez Marín, *Luis Barahona de Soto*, Madrid, 1903, página 546.

Pre' Iacopino, el ignorantísimo cura de Cipada (caricatura cruel del clérigo de pueblo) cuya iglesia huele a mujeres y a orines de perro, con las paredes cubiertas de monigotes, de números y trabacuentas como las de una hostería (Libro VIII). Fernández de Velasco termina su crítica con el recuerdo de unos versos de «Merlino Cocayo» [25].

La poesía macarrónica tiene en Lope de Vega un buen conocedor y práctico que en *El laurel de Apolo* (1630) inventa el verbo «merlinizar» como sinónimo de escribir versos disparatados, al estilo de los culteranos:

> ¿Quién hay que no perfile sus estancias
> De un trilingüe escuadrón de extravagancias
> Y como Merlinice [sic],
> No responda que Góngora lo dice,
> Capítulo tercero de la esparza,
> Donde pintó la garza? [26].

Tal vez se le había olvidado para entonces que entre la andanada de versos difamatorios que marcaron el fin de sus amores con Elena Osorio y le valieron un destierro figuró también una sucia sátira en latín macarrónico. Ante las rotundas acusaciones de los testigos en el escandaloso proceso,

---

25 Fernando de Herrera, *Controversia sobre sus anotaciones a las obras de Garcilaso de la Vega,* Bibliófilos Andaluces, Sevilla, 1870, páginas 61-62.

26 *Obras no dramáticas de Lope de Vega,* edición de C. Rosell, Biblioteca de Autores Españoles, Madrid, 1856, Silva primera, pág. 188. Lope menciona también a Merlín Cocaio en las *Rimas humanas y divinas del licenciado Tomé Burguillos* y en *La Dorotea* (acto IV, escena III). La nota de E. A. Morby en su edición de esta última recoge varios ejemplos más acerca de la frecuente comparación en Lope y Quevedo del lenguaje gongorino con el de Merlín Cocaio en sus sátiras anticulteranas; *La Dorotea,* 2.ª edición, University of California Press, Berkeley and Los Angeles, 1968, pág. 339. Otros datos en E. Mele, «Lope de Vega, Merlin Cocai e Luciano», *Giornale Storico della Letteratura Italiana,* XCII, 1938, págs. 323-328.

Lope trata de colgar aquellos libelos a cierto licenciado Alonso Ordóñez, cuya especial habilidad y dotes para la poesía macarrónica afirma «que ha muchos años que en el colegio de los Teatinos se decía» [27]. Astutamente, Lope pretende alejar de sí la culpa acercándola al ambiente académico de un colegio de jesuitas, y en efecto sabemos que la depurada educación humanística de éstos no desdeñaba tan culto pasatiempo. Tenemos noticia de una *Macharronea* escrita y glosada en Cádiz en 1606 por algún anónimo jesuita en 479 hexámetros. Su asunto, de burla algo fría, consiste en una queja de los herreros locales al dios Vulcano porque los gatos, sin carta de examen ni patente, forjan también llaves por su cuenta. Con todo ello revuelve ecos de la *Batracomyomaquia* de Homero y sólo da «mero motivo para un derroche de erudición mitológica y para morigerados desenfados. Tiene el aspecto de obrita de circunstancias, con alusiones a la fiesta de San Juan en un colegio de la Compañía» [28].

Alda Croce ha publicado también un par de sonetos macarrónicos conservados en un manuscrito de la Biblioteca Nazionale de Nápoles. Uno de ellos, de lenguaje más bien

---

[27] A. Tomillo y C. Pérez Pastor, *Proceso de Lope de Vega por libelos contra unos cómicos*, Madrid, 1901, pág. 53. No se conserva el texto de la sátira, que comenzaba con los versos: «Vidente Ordóñez amico / Et cantare pares et respondere parati» (pág. 140). Pero se sabe por el proceso que «era toda ella una invectiva procaz y desvergonzada contra el dicho doctor Velázquez acusándole de insipiente, que como hijo de representante no debía ejercer la abogacía, y aconsejándole que no tenía necesidad de trabajar porque su hermana Elena ganaba para todos» (pág. 141). Otro verso de la misma sátira rezaba: «Qui bonis verbis solet trunkare ropillas» (pág. 54).

[28] Se conserva manuscrito en la Academia de la Historia, encuadernado con un libro misceláneo titulado *Floreto; Floreto de anécdotas y noticias diversas que recopiló un fraile dominico residente en Sevilla a mediados del siglo XVI*, ed. Sánchez Cantón, Real Academia de la Historia, Memorial Histórico Español, Madrid, 1948, pág. XIII.

alternado que mezclado e híbrido (y más cerca del latín de sacristía que del auténtico macarrón), glosa una vez más el conocido tópico de la galantería sacristanesca:

> Si dabis mihi attentas tuas aurículas,
> verás mi pena dura Joana Angélica,
> et videbis mi pena sacristélica,
> con más fuego que tienen mil canículas [29].

La cocina de este último verso huele bastante a sátira anticulterana y, por lo tanto, cabe fechar el poemilla hacia el primer cuarto del siglo XVII, que coincide por completo con el mayor auge en España de la moda macarrónica.

El inesperado elogio que de Folengo hace el austero fray José de Sigüenza en su *Historia de la Orden de San Gerónimo* (1600) es buen indicio del prestigio alcanzado en esta época por la poesía macarrónica:

> Entre los poetas Latinos, se halla de uno (y no de otro que merezca nombre) que pareciéndole no podía ygualar en lo heroyco con Virgilio, ni en lo cómico o trágico llegar a Terencio o Séneca, ni en lo lírico a Oracio, y aunque más excelente fuesse, y su espíritu le prometiesse mucho, auían de ser éstos los primeros, acordó hazer camino nueuo; inuentó una poesía ridícula, que llamó Macarrónica; junto con ser assí, que tuuiesse tanto primor, tanta inuención e ingenio, que fuesse siempre príncipe y cabeça deste estilo, y assí le leyessen todos los buenos ingenios, y no le desechasen los no tales, y como él dixo: *Me legat quisquis legit omnia.* Y porque su estado y professión no parece admitía bien esta ocupación (era religioso, no diré su nombre pues él le calló) fingió un vocablo ridículo y llamóse Merlín Cocayo, que quadra bien con la superficie de la obra, como el otro que se llamó Ysopo; en sus poemas se descubre con singular artificio quanto bueno se puede dessear y coger en los más preciados poetas, assí en cosas morales como en las

29 «Poesías inéditas. 1: Cuatro poesías atribuidas a Góngora. 2: Dos sonetos macarrónicos», *Bulletin Hispanique*, LIII, 1951, pág. 40.

> de la naturaleza, y si huuiera de hazer aquí oficio de Crýtico mostrara la verdad desto, con el cotejo y contraposición de muchos lugares.

Sigüenza advierte, con aguda intuición crítica, tanto el fondo serio y clasicista del arte macarrónico de Merlín Cocaio como cierto paralelo con la extraña, jocoseria pintura del Bosco, que asimismo

> hizo un camino nuevo, con que los demás fuessen tras él y él no tras ninguno, y boluiesse los ojos de todos a ssí; una pintura como de burla y macarrónica, poniendo en medio de aquellas burlas muchos primores y estrañezas, assí en la inuención como en la execución y pintura, descubriendo algunas vezes quánto valía en aquel arte, como también lo hazía Cocayo hablando de veras [30].

En 1611 el *Tesoro* de Sebastián de Covarrubias explica, a su manera, lo que se entiende por *Macarronea:*

> Cierto lenguage compuesto de varias lenguas; presúmese aver traído origen de la isla de Macaros, por otro nombre dicha Creta, a la qual concurrían diversas naciones; y pudo ser esta ocasión de confundir el lenguage. Macarrónicos versos los que están compuestos de varias lenguas, como la Macarronea, de Merlín Cocaio.

Así como el guiso, al parecer exótico en España, de los *macarrones:*

> Cierta manera de fideos, aunque más gruessos, que se hazen de queso, harina y huevos y otras mezclas, y se guisan con la grasa de la olla. Es comida, acerca de los estrangeros, de gusto y regalo. Pudo ser que la invención dellos se truxesse de la dicha isla.

---

30 *Historia de la Orden de San Gerónimo*, edición de Juan Catalina García, Madrid, 1909, II, pág. 636.

La pleamar del conocimiento de Folengo en España viene dada claramente por la aparición de *La Mosquea,* del jurista y eclesiástico seguntino José de Villaviciosa (1589-1658), poema en octavas reales que traduce con libertad y gran amplitud el titulado *Moscheidos* en las *Maccheronee* de Folengo [31]. Trataba éste de imitar allí a la *Batracomyomaquia* con el relato de una cruel contienda entre moscas y hormigas. *La Mosquea* de Villaviciosa, que es un *rifacimento* perfecto desde el punto de vista técnico, se publicó en Cuenca en 1615 y tuvo dos reimpresiones madrileñas en el siglo XVIII (1732 y 1777), sin duda por constituir una cima de clasicismo dentro del género de poesía jocosa.

En Avellaneda (1614), el mismo don Quijote entabla conversación con unos estudiantes «hablándoles en un latín macarrónico y lleno de solecismos, olvidado, con las negras lecturas de sus libros de caballerías, del bueno y congruo que siendo muchacho había estudiado» (c. XXV). Y hasta el atrabiliario Cristóbal Suárez de Figueroa encuentra «donosísimo poeta» a Folengo en *El passagero* (1617). Los ejercicios macarrónicos se documentan durante todo el siglo XVII. López de Toro cita especialmente un vejamen de academia de 1669 compuesto de ocho coplas a un sacristán «en macarrone» [32]. La musa macarrónica sigue activa en el XVIII; conservamos, por ejemplo, un poema de acento muy virgiliano en que, bajo el habitual seudónimo de Merlín, se relatan unas fiestas gaditanas para el recibimiento de un almirante [33]. Un periódico

---

31 J. P. Wickersham Crawford, «Teofilo Folengo's *Moschaea* and José de Villaviciosa's *La Mosquea*», en *Publications of the Modern Language Association of America,* XXVII, 1912, págs. 76-97.

32 «El primer poema macarrónico en España», pág. 402. Para otras muestras de actividad macarrónica en academias del XVII véase José Sánchez, *Academias literarias del Siglo de Oro español,* Madrid, 1961, páginas 66 y 95.

33 A. Paz y Melia, *Sales españolas o agudezas del ingenio nacional,*

literario publica en 1794 una *Metrificatio invectivalis contra studia modernorum*, cuyo autor se esconde bajo los seudónimos de doctor Mattías de Retiro y licenciado Durón de Testa [34]. Entre la oleada de sátiras políticas en torno a la guerra de la Independencia no deja de resucitar también la poesía macarrónica con la *Pepinada* (1812) de Francisco Sánchez Barbero, «discípulo Merlini», en que se hace burla del rey intruso exagerando su gusto por la botella y la crápula:

> Currite Matritum, versilia, currite pronte,
> Et Pepo de parte mea facitote mamolam [35].

Se trata, evidentemente, de una supervivencia dieciochesca. La memoria de Folengo casi se pierde, incluso entre los italianos, en el siglo XIX. En 1856 don Cayetano Rosell creía que *Merlinice* era nombre propio (seguramente de alguna ninfa).

La poesía macarrónica se documenta, pues, en España, a lo largo de tres siglos, no sólo en relación con Folengo, sino emparejada también con la sátira política, fiestas públicas, vejámenes de academia y libelos difamatorios. Una investigación prolija aumentaría de seguro el número y densidad de los datos. Cabe dudar, por el contrario, que el ámbito preciso de lo macarrónico pueda ser nunca bien reconstruido ni dentro ni fuera de España. Las piezas conservadas son sin duda *rari nantes in gurgite vasto*, pues sabemos que, por su propia naturaleza, el macarrón no aspiraba a cuajar en obras de pretensiones, sino en juegos de circunstancias ligadas a pequeños círculos doctos. Estamos ante una poesía de por sí efímera y que tiene uno de sus fundamentos en

---

segunda edición revisada por Ramón Paz, Biblioteca de Autores Españoles, Madrid, 1964, págs. 355-356.

[34] J. López de Toro, «El primer poema macarrónico en España», página 401. Delepierre, *Macaronéana*, pág. 220.

[35] Paz y Melia, *Sales españolas*, pág. 359.

recónditas alusiones chistosas, fuera de las cuales pierde mucha de su razón de ser. Su misión primordial era la de conjurar el fantasma de la pedantería, oponiéndole su propio retrato grotesco, para producir una risa liberadora en el mundo de las vigilias estudiosas y del empolvado saber oficial.

FOLENGO Y EL «QUIJOTE»

Los comentaristas y anotadores del *Quijote* han encontrado siempre dificultad para dar cuenta de la frasecilla latina con que en el capítulo primero se hace explícita la falta de prestancia hípica del pobre Rocinante: «Fue luego a ver a su rocín, y aunque tenía más cuartos que un real y más tachas que el caballo de Gonela, que *tantum pellis et ossa fuit,* le pareció que ni el Bucéfalo de Alejandro ni Babieca el del Cid con él se igualaban» (1, 1). La opinión admitida relacionaba dicha alusión con Plauto, pero dudando entre identificarla en *Captivi* o en *Aulularia,* pues en rigor la equivalencia es sólo aproximada y la frase no aparece en toda su exactitud en ninguno de ambos textos plautinos. Por fortuna, el problema ha sido definitivamente resuelto por unas páginas de Vittorio Camera de Asarta [36]. La sección *Quaedam*

[36] «Consideraciones sobre un punto dudoso del *Quijote*», en *Revista de Filología Española,* XLV, 1962, págs. 179-80. Debido a las deficiencias de la edición de Luzio, incompleta y confusa en lo que hace a los preliminares y apéndices, es imposible precisar a cuál de las cuatro versiones se refería Cervantes sin recurrir a las ediciones originales. La cita no puede proceder de la Paganini, que carece de los epigramas finales, ni de la Toscolana, donde la cabalgadura no pertenece a Gonela, sino a un tal Bertuzzo (*Stare parangono Bertuzzi nempe caualli...*) del que una nótula marginal de la edición de 1521 (Tusculani, Paganini, f. 270 r.) aclara solamente «Bertuzzus fuit trombetta» (*bertuzza,* a su vez, es término dialectal para 'simia'). Gonela es mencionado en dicho pasaje sólo en las versiones tardías (Cipa-

epigrammata con que rematan *Le Maccheronee* o compilación general de las obras macarrónicas de Folengo, incluye unos poemitas en que el autor elogia y se despide burlescamente de sus personajes; del epigrama XI, dedicado *Ad Falchettum*, el monstruo galguihumano, fiel acompañante de Baldo, procede con exactitud la cita cervantina:

> Stare parangono Gonellae nempe cavalli
> posset, qui tantum pellis et ossa fuit [37].

> [Sin duda podría compararse con el caballo de Gonela, que fue todo pellejo y huesos.]

Tal identificación tiene el subido valor de documentarnos, sin lugar a dudas, la familiaridad de Cervantes con Merlín Cocaio y su coro de grasientas musas macarrónicas, frecuentadas y reídas por él como por casi toda persona culta en aquellos años. Dicha certeza contribuye a entender mejor, como veremos adelante, los enigmáticos versos con que se inicia y clausura el primer *Quijote*, pero además nos invita a buscar en la novela inmortal otros ecos probables de los macarrones folenguianos.

---

dense y Vigaso Cocaio). De entre ambas no es fácil que Cervantes conociera la Cipadense, muy poco difundida en dos únicas ediciones de 1539-40? y 1555; lo más probable, por tanto, es que recordara allí la versión definitiva Vigaso Cocai, Venecia, 1552, 1554 y 1561.

[37] *Maccheronee*, II, pág. 189. El florentino Pietro Gonnella vivió en la primera mitad del siglo XIV y se hizo famoso como bufón y trapacero insigne en la corte ferraresa del marqués Obizzo III d'Este. El recuerdo de sus burlas y astucias hizo de él un personaje proverbial y creó una leyenda que aparece ya en las *Novelle* de Sacchetti y aumentó considerablemente a lo largo del siglo XV. Haciéndose eco de dicha fama póstuma, el *Baldus* invoca entre sus musas a Bertuzza, madre de Gonela «quae scaltro faceres salsam cativella diablo» (VI, 7); de Bocalo, uno de los compañeros de Baldo, se dice que no tuvo igual entre los *Gonella* o bufones: «Huic nomen Boccalus erat, quo doctior alter / arte bufonandi numquam fuit intra Gonellas» (XIII, 125-26).

La literatura macarrónica era tanto como decir la más clara tradición de poesía burlesca de aquella época, y ciertamente Cervantes no podía desconocerla. El *Quijote* leído *sub specie Merlini* rinde, en efecto, al menos otro fragmento de palmario recuerdo. Se encuentra éste en el episodio de las bodas de Camacho, uno de los que hasta ahora han sido menos removidos por el arado de la crítica. Cervantes situó allí a don Quijote y Sancho como espectadores pasivos de las fiestas de una campesina boda de rumbo, que en un momento culminante se ve interrumpida por el intento de suicidio de Basilio, el enamorado a quien se desdeña por pobre. Las músicas y danzas se ven interrumpidas por la llegada del propio Basilio, ataviado con un ropón fúnebre y coronado de funesto ciprés, que tras increpar a Quiteria por su escasa firmeza anuncia su propósito de quitarse la vida:

> Y diciendo esto, asió del bastón que tenía hincado en el suelo, y quedándose la mitad dél en la tierra, mostró que servía de vaina a un mediano estoque que en él se ocultaba; y puesta la que se podía llamar empuñadura en el suelo, con ligero desenfado y determinado propósito se arrojó sobre él, y en un punto mostró la punta sangrienta a las espaldas, con la mitad del acerada cuchilla, quedando el triste bañado en su sangre y tendido en el suelo, de sus mismas armas traspasado.

Pero todo es, claro está, una artimaña. Basilio suplica como última voluntad la de ser desposado con la ingrata Quiteria *in articulo mortis*, y en cuanto recibe la bendición nupcial, «con presta ligereza se levantó en pie, y con no vista desenvoltura se sacó el estoque, a quien servía de vaina su cuerpo». Los circunstantes, «más simples que curiosos», comienzan a apelar milagro, pero Basilio les replica: «¡No milagro, milagro, sino industria, industria!». El cura comprueba después, en efecto, que la cuchilla había pasado no por la carne y costillas de Basilio, sino por un cañón hueco de hierro que, lleno de sangre, en aquel lugar bien acomodado tenía, preparada la sangre, según después se supo, de modo que no se helase (2, 21).

La burla de Basilio se muestra cercanamente relacionada con el más famoso de los engaños y arterías de Cingar, el personaje que por antonomasia encarna la *industria* en la literatura del siglo. El libro IX del *Baldus* la proyecta asimismo sobre un telón de jolgorios campesinos, la fiesta de los santos locales de Cipada Brancate y Umbro, que los endomingados destripaterrones celebran con la mayor euforia. Cingar prepara cuidadosamente su golpe, en complicidad con la buena pieza de Berta, la esposa de Baldo, que gime ahora encarcelado:

Cingar castronis canaruzzum sanguine plenum,
dico gulam castronis habens de sanguine plenam,
hanc collo Bertae mira ligat arte, copritque
drappibus et pannis, velut est usanza, bianchis,
quod tu iurasses ibi nullam stare magagnam,
concordantque suas quid voiant fare parolas.

(IX, 19-24)

[Cingar toma un gaznate de carnero lleno de sangre (quiero decir, una traquea de carnero llena de sangre), lo liga al cuello de Berta con admirable maña y lo cubre con las ropas y paños blancos que, como es costumbre, suelen llevar las mujeres, de modo que jurarías no existir allí trampa ninguna, y se ponen de acuerdo sobre lo que han de decir.]

La jugarreta urdida requiere que Berta coquetee con alguno de los circunstantes, hasta el punto de que ambos se retiran en busca de la discreta complicidad de la iglesiuca del Prete Jacopín. Es el momento en que Cingar interviene, acechando a Berta e increpándola por su infidelidad a Baldo, antes de clavarle en el cuello un afilado cuchillo que, por supuesto, sólo derrama la sangre del carnero. Berta se finge difunta y es conducida a la iglesia de Jacopín (que se da cuenta del truco, pero prefiere hacerse cómplice). Los campesinos, furiosos, pretenden hacer justicia sumaria de Cingar, pero éste se pone hábilmente fuera de sus alcances y les propone desfacer el entuerto resucitando a su víctima. Tras una comedia de rezos y una conmovedora súplica al cuchillo, que por haber servido para desollar a San Bartolomé tiene virtud milagrosa, le basta santiguar a Berta con el arma para que, con gran alegría de todos, que creen haber presenciado un milagro, ésta se levante sana y salva. Como desenlace, Cingar hace un espléndido negocio vendiendo el cuchillo del prodigio a Zambello. Para probar su virtud corta éste el cuello de su esposa Lena, pero sin lograr después restituirle la vida a pesar de sus infinitos rezos.

En este conocido episodio, Folengo apunta obviamente a una crítica de las reliquias, muy acorde con su faceta de erasmista de la primera hornada [38]. Los críticos italianos han reconstruido a su vez las fuentes del famoso «miracolo di Cingar» [39]. El motivo del falso milagro es frecuente en cuen-

---

38 Sobre la admiración tributada a Erasmo en el *Orlandino*, véase A. Luzio, «Nuove ricerche sul Folengo», *Giornale Storico della Letteratura Italiana*, XIII, 1889, págs. 197-198. La intención religiosa de la burla queda perfectamente subrayada por el relato de Folengo, aunque no hasta el punto de ser indicio de luteranismo, como sostiene F. Biondolillo; *La Macaronea di Merlin Cocai*, Palermo, 1911, pág. 140. A la vista de tal precedente se advierte bien cómo Cervantes se adhiere al tema erasmista de la crítica de milagrerías y credulidades del vulgo, despojándola de crudezas demasiado obvias y confiándose a la inteligencia del buen entendedor. Es decir, en la única manera que podía hacerla.

39 B. Cestaro, «Il miracolo di Cingar», *Raccolta di studi di storia e critica letteraria dedicata a Francesco Flamini*, Pisa, 1918, págs. 709-720. B. Cotronei, «Il *Contrasto di Tonin e Bighignol* e due ecloghe

tos y novelas italianas, y una de sus variantes, en el *Novellino* de Masuccio de Salerno, tiene un eco indudable en el buldero del *Lazarillo de Tormes* y sus añagazas[40]. Por lo que toca a Cervantes, las semejanzas con el caso de Basilio van reforzadas por circunstancias adicionales, como el mismo fondo de fiesta rústica y la connivencia de Quiteria (paralela a la de Berta), pues aunque dicha complicidad termine por ser negada en el capítulo siguiente, se nos dice que todos quedaron persuadidos de haber sido tramada la burla con conocimiento de la novia:

> La esposa no dio muestras de pesarle de la burla: antes oyendo decir que aquel casamiento, por haber sido engañoso, no había de ser valedero, dijo que ella le confirmaba de nuevo; de lo cual coligieron todos que de consentimiento y sabiduría de los dos se había trazado aquel caso.

Más aún, el motivo de las bodas de Camacho el rico va unido al de un banquete pantagruélico, al que Sancho se anticipa cuando se desayuna con tres gallinas y dos gansos. En Folengo hay un tema análogo que se perfila a través de la prisa desbocada con que Jacopín y su pelotón de clérigos atropellan la misa solemne de los santos patronos, ansiosos de lanzarse a discreción sobre el copioso almuerzo que les aguarda:

> Non stetit indarnum Iacopinus et altra pritorum
> turba: cavant camisos, cottas, pluvialia prestum;
> ad tavolam primum celerant, apponitur ocha,
> lonzaque porcelli grassi, septemque galinae.
> Omnia consumunt, canibus vix ossa relinquunt,
> nam Testamenti vecchi praecepta recordant:

maccheroniche di Teofilo Folengo», *Giornale Storico della Letteratura Italiana,* XXXVI, 1900, pág. 306, nota.

40 Joseph Ricapito, «*Lazarillo de Tormes* (Chap. V) and Masuccio's Fourth *Novella*», en *Romance Philology,* XVIII, 1970, págs. 305-311.

quod rostum non vult avanzet usque domanum.
Ergo ubi mangiarunt ocham reliquasque vivandas,
sub tavolaque illic ossamina multa butarunt,
surgunt plus cocti quam crudi urgente bocalo,
ad salicesque ruunt, quo chiamat piva brigatam.

(IX, 54-64)

[No se quedan atrás Jacopín y la turba de los demás clérigos: se despojan a toda prisa de las camisas, las albas y pluviales; corren primero a la mesa, donde tráenles una oca, un lomo de cerdo gordo y siete gallinas. Todo lo devoran, apenas si dejan los huesos para los perros, pues recuerdan aquel precepto del Testamento viejo que manda no guardar el asado para mañana. Por eso se comieron la oca y las demás viandas y arrojaron muchos huesos allí mismo, debajo de la mesa, de la que, por efecto del jarro, se levantan más cocidos que crudos, y corren hacia los sauces, donde la gaita reclama a la gente.]

Si los copiosos desayunos de Jacopín y sus clérigos se muestran paralelos en conjunto al de Sancho en las bodas de Camacho, se advierte en cambio en Cervantes un gran desarrollo del tema de los preparativos para el banquete de rumbo. Pero aun en este otro aspecto se advierte cómo sigue siendo decisivo el modelo del *Baldus,* si bien fuera ya de la aventura de Cingar y su cuchillo milagroso. Uno de los grandes *morceaux de bravoure* de la epopeya macarrónica era precisamente la descripción de un enorme banquete y sus preparativos, al relatar la comilona ofrecida por el rey de Francia, padre de Baldovina, a los caballeros que se han distinguido en las justas:

Ponitur in puncto regalis coena debottum,
quaque coquinales strepitescunt mille facendae,
fumentosa patet muris portazza bisuntis,
limina cui sporco semper brottamine gozzant.
Intus arostiti, lessique tirantur odores
ad nasum, per quos sat aguzzat voia talentum.

Sunt ibi plus centum sguatari sub lege cogorum,
pars legnam portat, pars mozzat, parsque ministrat
sub calidis bronzis, caldaribus atque frisoris.
Qui porcum scannat, qui slongat colla polastris,
qui cavat e panza trippas, dum scortigat alter,
qui mortos dispennat aqua buliente capones,
quique vedellinas testas cum pelle cosinat,
qui porcellettos vix porcae ventre racoltos
unum post alium ficchis culamine nasis
inspedat, nec non cavecchio inlardat aguzzo.

(I, 392-407)

[Se prepara una regia cena en un abrir y cerrar de ojos, y donde resuenan las mil faenas culinarias se abre una puerta humosa, cuyas jambas rezuman de grasa y el umbral está siempre cubierto de una pringue sucia. Al entrar se vienen a la nariz aromas de asado y de cocido que bastan para despertar el apetito. Hay allí más de cien galopines bajo la férula de los cocineros: unos traen la leña, otros la trocean, otros la echan bajo los calientes bronces de los calderos y sartenes. Tal degüella un puerco, cuál retuerce el pescuezo a los pollos, uno saca las tripas de las panzas mientras otro desuella, quién despluma los capones con agua hirviendo, quién hierve cabezas de terneras con su piel y todo, otro espeta desde el trasero a la nariz los lechones recién tomados del vientre de la marrana y los enlarda con un palito aguzado.]

El cocinero Gambón, maestro de la ciencia que hace chuparse los dedos *(ars lecatoria)*, gobierna toda aquella confusa actividad culinaria, sin descuido de la disciplina que impone a pescozadas entre su ejército de marmitones y subalternos. Se describe también morosamente la preparación de guisos y salsas sazonadas con abundantes especias (pimienta, gengibre, canela), todo en medio de una marejada de capones, faisanes y entrecuestos. Los convidados dan rienda suelta a la gula y los servidores no dan abasto a mantener llenos los platos. Se escucha, de vez en cuando, la bofetada que algún maestresala propina a un paje o el puntapié con que se aleja a perros y gatos importunos:

> Trenta taiatores non cessant rumpere carnes,
> dismembrare ochas, vitulos, gialdosque capones,
> furcinulas ficcant in zalcizzonibus, atque
> smenuzzant rotulas gladio taliante frequentes.
>
> (I, 463-466)

[Treinta trinchantes no cesan de cortar carnes, desmembrar ocas, terneros y amarillos capones, clavan los tenedores en las gordas salchichas y tajan con el cuchillo afilado una rodaja tras otra.]

Se sirven vinos y embutidos, y tras las carnes cocidas vienen los asados con plétora de salsa verde, almendrada y mostaza. Platazos de ensalada y nueva ronda de suaves vinos de postre acompañan a los dulces de leche, manjar blanco, tortas, confituras, piñones, anises, mazapanes y humeantes fuentes de ostras.

Folengo nos sirve a lo largo de más de cien hexámetros (392-514) una monstruosa *summa* gastronómica que es sin duda uno de los fragmentos inolvidables de su largo poema. Late ahí un recuerdo de la soñada abundancia del país de Cucaña, versión popular del mito humanista de la Edad de Oro (en España, *La tierra de Jauja,* según el paso de Lope de Rueda). Pero su verdadero propósito no es el de reelaborar dicho tema ni el de enaltecer los placeres de la mesa, sino más bien el de ahitar al lector con la sugestión de tan gigantesco amontonamiento de comida. En el fondo estamos ante el sutil contrabando de un sermón contra la gula, predicado dentro de un espíritu cuaresmal y ajeno de toda alegría *rabelesiana.* Las repetidas notas de la suciedad y desorden que dominan el ajetreo culinario apuntan de un modo claro a producir una repulsión asqueada ante el desenfreno de la glotonería. Cervantes ha sentido el comprensible acicate de reelaborar un tema famoso y admirablemente resuelto por la tradición literaria de su época, pero el análisis de la fuente comienza a rendir su fruto cuando comprobamos la medida en que ésta deja de ser válida. Desinteresado en prédicas ni en fórmulas simplistas, Cervantes adelgaza la pluma para pintar un convite generoso hasta la exageración, pero concebido dentro del módulo «humano» de una simpática fiesta rústica y *nada más,* diríamos, si en la injusticia de este «nada más» no anduviera implicada una estética literaria sin precedente válido alguno:

> Lo primero que se ofreció a la vista de Sancho fue, espetado en un asador de un olmo entero, un entero novillo; y en el fuego donde se había de asar ardía un mediano monte de leña, y seis ollas que alrededor de la hoguera estaban no se habían hecho en la común turquesa de las demás ollas, porque eran seis medias tinajas, que cada una cabía un rastro de carne: así embebían y encerraban en sí carneros enteros, sin echarse de ver, como si fueran palominos; las liebres ya sin pellejo y las gallinas sin pluma que estaban colgadas por los árboles para sepultarlas en las ollas no tenían número; los pájaros y caza de diversos géneros eran infinitos, colgados de los árboles para que el aire los enfriase. Contó Sancho más de sesenta zaques de más de a dos arrobas cada uno, y todos llenos, según después pareció, de generosos vinos; así había rimeros de pan blanquísimo como los suele haber de montones de trigo en las eras; los quesos, puestos como ladrillos enrejalados, formaban una muralla, y dos calderas de aceite mayores que las de un tinte servían de freír cosas de masa, que con dos valientes palas las sacaban fritas y las zabullían en otra caldera de preparada miel que allí junto estaba. Los cocineros y cocineras pasaban de cincuenta, todos limpios, todos diligentes y todos contentos. En el dilatado vientre del novillo estaban doce tiernos y pequeños lechones, que, cosidos por encima, servían de darle sabor y enternecerle. Las especias de diversas suertes no parecían haberlas comprado por libras, sino por arrobas, y todas estaban

> de manifiesto en una grande arca. Finalmente, el aparato de la boda era rústico; pero tan abundante, que podía sustentar a un ejército (2, 20).

Cervantes no va, pues, tras ninguna moraleja disfrazada de gigantismo: la abundancia de su banquete se define como sanamente apetitosa sin otra finalidad ulterior. La faena culinaria se hace con eficacia, buen humor y pulcritud ejemplares por cocineros y cocineras, «todos *limpios,* todos *diligentes* y todos *contentos*», serie adjetival que adquiere pleno relieve en cuanto signo de un contraste deliberado respecto a las notas esenciales del esquema sugeridor, en que todo era porquería, desorden y pescozones. Cervantes, por último, rehúsa pintar el cuadro de la glotonería colectiva y se detiene en los límites del robusto pero natural apetito mañanero de Sancho Panza. Los manjares es como si no llegaran nunca a las mesas del banquete, pues aunque éste duró de hecho hasta el atardecer, la acción se le aleja en compañía de los novios y sus amigos, que no pueden aceptar por delicadeza el convite del burlado Camacho el rico.

EL ENCANTAMIENTO DE DULCINEA

El *Baldus* arroja también luz, al menos indirecta, sobre el artificio con que Dulcinea queda encantada por industria de Sancho. Sentado al pie de un árbol, analiza éste los términos del proyectado engaño con máxima capacidad de abstracción:

> Siendo, pues, loco, como lo es, y de locura que las más veces toma unas cosas por otras y juzga lo blanco por negro y lo negro por blanco, como se pareció cuando dijo que los molinos de viento eran gigantes, y las mulas de los religiosos dromedarios, y las manadas de carneros ejércitos de enemigos, y otras

> muchas cosas a este tono, no será muy difícil hacerle creer que una labradora, la primera que me topare por aquí, es la señora Dulcinea; y cuando él no lo crea, juraré yo; y si él jurare, tornaré yo a jurar; y si porfiare, porfiaré yo más, y de manera, que tengo de tener la mía siempre sobre el hito, venga lo que viniere (2, 10).

Este encanto de Dulcinea está basado, pues, en la impavidez de Sancho para atestiguar una mentira evidente, sacando partido de la debilidad mental de don Quijote. A la vista de las tres labradoras caballeras sobre pollinos, amo y criado se enzarzarán en un porfiado diálogo acerca de si son o no son princesas sobre hacaneas:

> —¿Cómo fuera de la ciudad? —respondió—. ¿Por ventura tiene vuesa merced los ojos en el colodrillo, que no vee que son éstas, las que aquí vienen, resplandecientes como el mismo sol a medio día?
>
> —Yo no veo, Sancho —dijo don Quijote—, sino a tres labradoras sobre tres borricos.
>
> —¡Agora me libre Dios del diablo! —respondió Sancho—. ¿Y es posible que tres hacaneas, o como se llaman, blancas como el ampo de la nieve, le parezcan a vuesa merced borricos? ¡Vive el Señor que me pele estas barbas si tal fuese verdad!
>
> —Pues yo te digo, Sancho amigo —dijo don Quijote—, que es tan verdad que son borricos, o borricas, como yo soy don Quijote y tú Sancho Panza; a lo menos, a mí tales me parecen.
>
> —Calle, señor —dijo Sancho—; no diga la tal palabra, sino despabile esos ojos y venga a hacer reverencia a la señora de sus pensamientos, que ya llega cerca.

En el *Baldus* existe un episodio similar en conjunto y coincidente también en algunos detalles. Cingar maquina allí para birlarle a Zambello, arquetipo de la estulticia rústica, su magnífica vaca Chiarina, pero sus artimañas fracasan por primera y última vez al adelantársele la picardía, aún más afilada, de unos frailes. Zambello vuelve a su casa con la vaca cuando le ven venir por el camino fra Baldracco y fra Rocco, dos buenas piezas del convento de Mottella, nido de frailes corrompidos cercano a Cipada. Ambos se ponen de acuerdo para jugarle a Zambello la mala partida y fra Rocco se despoja del hábito para quedar en traje de galán ciudadano. Sale al encuentro de Zambello, mientras Baldracco se esconde en el monte, y entabla conversación acerca de la «cabra» que aquél lleva del ronzal:

> ... —Quo vadis —ait— villane cuchine?
> Quo ve illam ducis capram? —Zambellus ad illum:
> —Capram? doh cancar, vacca est non capra, quid inquis?—
> Rocchus ait: —Capra est; nimium, villane, bibisti.—
> Respondet Zambellus: —Habes tu lumina vistae
> sguerza magis, cui capra paret quae vacca Chiarina est.—
> Fra Rocchus bravat: —Veniat tibi cancar in occhis,
> est capra, dico tibi. —Zambellus parlat: —Ochialos
> pone, precor, naso, poteris comprendere follam.
> Non ego cognosco nunc vaccam, non ego capram?
> (VIII, 398-407)

[—¿Dónde vas —le dice—, bribón de villano? ¿Y a dónde llevas esa cabra?— Zambello responde: —¿Cabra? ¡O landre! Es una vaca, no una cabra, ¿qué estás diciendo?—. Rocco le dice: —Es una cabra; bebiste demasiado, villano—. Contesta Zambello: —Tú estás mal de la vista, pues te parece que la vaca Chiarina es una cabra—. Fra Rocco bravea: —Así te salga un cáncer en los ojos, te digo que es una cabra—. Dice Zambello: —Ponte unas gafas sobre las narices y entenderás el embuste. ¿O es que yo no voy a saber distinguir ahora una vaca de una cabra?]

La discusión se prolonga con un airado cruce de observaciones acerca de las particularidades que, según uno, hacen del animal una vaca y, según el otro, una cabra. Finalmente Zambello decide apostar la Chiarina si un juez imparcial decide que es, en efecto, una cabra. Para ello se les hace encontradizo fra Baldracco, que falla, claro está, contra Zambello. La desdichada Chiarina es conducida al monasterio, donde los frailes de «vita congrua porcis» (VIII, 654) se apresuran a devorarla con repugnante gula en un asqueroso festín al que asiste convidado el inevitable Jacopino. La verdadera víctima del fraude es, en realidad, Cingar, que conspiraba para quedarse también con la vaca y que ve su ingenio derrotado por la desvergüenza de los frailes «Mottellicolae».

Tal estafa de la vaca Chiarina responde a un tipo de cuento popular que cabe remontar hasta las colecciones de apólogos hindúes *Pantchatantra* e *Hitopadesa*[41], pero que aparece con frecuencia entre las tradiciones populares de Italia, particularmente en la región toscana, por lo cual no es extraño que los *novellieri* le hayan sacado partido reelaborándola con frecuencia. Su motivo central consiste, como claramente advierte Sancho, en la burla de un «tonto» al que un «listo» hace creer, con la fuerza de un testimonio tan falso como porfiado, alguna cosa absurda o contraria a la misma evidencia. Dicho motivo se presenta bajo multitud de subtipos[42]; uno de ellos, por ejemplo, es el de las vestiduras del rey o «burladores que ficieron el paño», según el famoso cuento de don Juan Manuel o la broma tan reída en *El retablo de las maravillas* por el propio Cervantes. El encanto de Dulcinea representa una variante caracterizada por dos elementos sobresalientes: la porfía dialogada acerca de la rea-

[41] Cotronei, «Il *Contrasto di Tonin e Bighignol*», pág. 305, nota.

[42] Ejemplos de diversas procedencias en el apartado J 2300-49, «Gullible fools», y J 2010-16, «Uncertainty about own identity», en S. Thompson, *Motif-Index of Folk-Literature,* Indiana University Press, IV, Bloomington, 1957. Para el campo italiano, J 2300-49, «Gullible fools», en D. P. Rotunda, *Motif-Index of the Italian Novella,* Indiana University Press, Bloomington, 1942. Sobre el tema o, más bien, casi género de la «burla» en Cervantes y sus conexiones extra-hispánicas, sobre todo italianas, véase P. Hazard, *Don Quichotte de Cervantes,* París, 1949, págs. 180 sigs.

lidad transformada (labradoras-asnos frente a princesas-hacaneas) y el carácter obvio y material de ésta. Ambos conceptos son también fundamentales en el episodio de la vaca Chiarina, con su largo diálogo en controversia de si cabra o vaca y con la sencillez meridiana del artificio. Adviértase que la porfía entre don Quijote y Sancho por el encantamiento de Dulcinea se introduce precisamente en torno a una discrepancia de apreciación zoológica: la de si las mujeres vienen cabalgando *hacaneas* (Sancho) o *borricas* (don Quijote), como consecuencia o apéndice de la cual se plantea después si se trata de campesinas malolientes o princesas cubiertas de pedrería. Cervantes da la impresión de haber sintetizado el esquema del *Baldus*, concentrando en Sancho el doble papel de burlador y de juez de la contienda (fra Rocco y fra Baldracco). También parece haberle dado, en cierto modo, la vuelta, pues mientras Folengo presenta el engaño de un labrador por un caballerete, en el *Quijote* se produce el engaño de un caballero por un rústico, caso mucho más interesante y divertido, que da toda la medida de la despierta inteligencia de Sancho, el rústico discreto y socarrón.

El encantamiento de Dulcinea lleva un claro signo italiano, pero dada la extensión del motivo entre aquella novelística puede hacerse algo escrupuloso decidir netamente a favor del *Baldus*. El episodio de la vaca Chiarina queda en pie, sin embargo, como la formulación técnica más cercana a aquella aventura del *Quijote*.

EL TEMA DE LOS GIGANTES

Baldo es una criatura extraña desde el momento mismo de su nacimiento, al que no sigue el llanto acostumbrado, pues, al contrario, hace esfuerzos por romper a hablar. Su desarrollo físico es también inaudito, de modo que a los seis años aparenta ya doce:

> Sex habet ille annos, bis sex tamen inquit habere
> quisquis fortezzam, quisquis consyderat ossos
> tam bene membrutos, personam tam bene grossam.
>
> (III, 28-30)

[Tiene seis años, pero cualquiera que se parase a considerar su fuerza, sus huesos tan membrudos y su cuerpo tan desarrollado, diría que tiene dos veces esa edad.]

Ya de adulto alcanza una estatura y robustez excepcionales:

> Iamque comenzarat Baldi statura levari
> altius, et coelo magnis consurgere membris,
> iamque misuratur per longum brachia quinque,
> largus in amplificis relevato pectore spallis,
> sed brevis angustos cingit cinctura fiancos.
>
> (IV, 1-5)

[Ya la estatura de Baldo había comenzado a elevarse y a apuntar hacia el cielo con desarrollados miembros, ya llega a medir cinco brazas de alto, es ancho de espaldas, el pecho amplio y abultado, pero sus costados son tan esbeltos que los ciñe un corto cinturón.]

Baldo es, pues, casi un gigante. A lo largo de sus aventuras le veremos siempre infatigable y vencedor de los más diversos enemigos por su descomunal capacidad de esfuerzo físico. Con todo esto, el papel de auténtico gigante corresponde a otro miembro de su extraña pandilla, el tremendo Fracasso:

> Primus erat magnum Fracassus, razza gigantum,
> cuius longa fuit (certe non dico bosiam)
> per bellum punctum brazzos persona quaranta.
> Grossilitate staro maior sibi testa dabatur.

Intrasset boccam totus castronus apertam,
auriculisque suis fecisset octo stivallos,
atque super frontem potuisses ludere dadis.
(IV, 53-59)

[Era el primero Fracasso, de raza de gigantes, cuya altura era (sin decir ninguna mentira) justo de cuarenta brazadas. La cabeza parecía mayor que una fanega. En su boca abierta podría entrar un carnero, con el cuero de sus orejas se hubieran podido hacer ocho pares de botas y sobre su frente sería posible jugar a los dados.]

Fracasso, si bien no muy sobrado de mollera, es capaz de realizar las más inauditas hazañas en materia de pura fuerza bruta, y a su lado el mismo Baldo resulta un ser frágil y de físico relativamente normal. Todo ello ha de ser considerado para hacerse idea del desaforado gigantismo que, como nota básica, afecta al poema de Merlín Cocaio, donde no existe nada (ya sea maldad, heroísmo o porquería) que pueda decirse de tamaño natural.

Los gigantes constituyen un tema literario de magno abolengo. Sus líneas generales fueron legadas por la Antigüedad, sobre todo con el mito de su creación al caer sobre la Tierra la sangre de Urano castrado por Cronos: seres monstruosos y malévolos, que se rebelan contra Zeus y los demás dioses y son aniquilados por éstos en aquella *Gigantomaquia* tan celebrada en la literatura (Hesíodo) como en las artes plásticas. Engendrados antes de aparecer los hombres en el mundo, los anticipan, sin embargo, en cuanto mortales; lo cual no quita para que en estos gigantes clásicos haya, a la vez, algo de divinidad mezclada con una naturaleza semianimal: sentir perfectamente expresado por las representaciones de los escultores helenísticos al rematar sus bellos torsos en gruesas serpientes enroscadas, que hacen las veces de piernas.

El tema de los gigantes irrumpe de nuevo en la literatura medieval con la leyenda de *Tristán e Iseo* (s. XII), supervivencia de arcaicos mitos celtas rejuvenecidos por su identificación con las ideas del amor cortés. Reviviendo el motivo eterno del gigante derribado por el niño, Tristán corona su primera gran aventura con el vencimiento del tremendo irlandés Morolt. Hacia 1140, algún clérigo francés residente en Santiago de Compostela usurpa el nombre de Turpín, obispo de Rheims, para escribir la famosa *Historia Turpini* o *De vita Caroli Magni et Rolandi*, embustero centón de leyendas carolingias cuyos múltiples ecos llegan hasta los poemas de la épica culta italiana. Una de sus más afortunadas fantasías crea la figura de un terrible gigante pagano llamado Ferracutus (el Ferraú «vantator Spagnuol» de Ariosto)[43], que vivía en Nájera y es derrotado y muerto, tras un combate de dos días, por el propio Rolando, al que estúpidamente revela que su cuerpo sólo es vulnerable en el ombligo. Los gigantes proliferan desde entonces en la literatura, siempre como tipos feroces, deformes y maléficos. Las gestas francesas reservan rasgos de gigantismo para sus «malos», frecuentemente paganos o sarracenos[44].

Dante encuentra en el *Inferno* a los gigantes clásicos y correctamente se hace eco de la naturaleza semibestial de éstos: monstruos perversos por unir a sus fuerzas desaforadas el peligro de la capacidad racional *(argomento della mente)*, razón de que el mismo Lucifer aparezca en el eje de

---

[43] El poema suele mencionarle con aditamento de algún improperio; O. Macrí, «L'Ariosto e la letteratura spagnola», *Letterature Moderne*, III, 1952, págs. 515-543. Fanfarrón, embustero y «marrano», Ferraú viene a ser poco más o menos el tipo de español aborrecido en la Italia de aquellos años.

[44] H. Theodor, *Die Komischen Elemente der Alt-französischen Chansons de Geste*, Halle, 1913, págs. 9 sigs.

la Tierra como el mayor de todos ellos [45]. Pero es en los libros de caballerías donde el gigante se define como un mueble indispensable. Representa el poder de la fuerza bruta y se le necesita para dar la medida del valor y superioridad de sus héroes caballerescos. Los gigantes hacen ya de las suyas en los primeros libros del *Amadís de Gaula,* y así don Galaor es raptado siendo muy niño por «un jayán con una muy gran maça en su mano, y era tan grande y dessemejado que no auía hombre que lo viesse que se dél no espantasse» [46], si bien no resulta de los peores, pues «no era tan fazedor de mal como los otros gigantes, antes era de buen talante, fasta que era sañudo, mas después que lo era hazía grandes cruezas» [47]. El gigante aparece en el libro de caballerías como parte del motivo general de la deformidad física (enanos, jorobados, tuertos) tan caro a la literatura medieval y en el que latía un afán de comicidad [48], unido por lo común a implicaciones morales de orden peyorativo conforme al tópico *homo deformis et pravus.* Muchos de estos gigantes mani-

---

45 E. F. Jacob, «The Giants *(Inferno,* XXXI)», *Medieval Miscellany Presented to Eugène Vinaver,* Manchester University Press, Manchester, 1965, págs. 167-185.

46 Edición de E. B. Place, Madrid, 1959, I, pág. 36.

47 *Ibid.,* pág. 37. El *Amadís de Gaula* se sirve de los gigantes para ilustrar su sermón contra los soberbios, dentro de un esquema de pensamiento y ejemplos bastante similar al de la *Divina comedia*: «Dezíme, ¿por qué causa fue derribado del cielo en el fondo abismo aquel malo Lucifer? No por otro sino por su gran soberbia. Y aquel fuerte gigante Membrot que primero todo el humanal linaje señoreó, ¿por qué fue de todos ellos desamparado, y como animalia bruta sin sentido alguno, fueron por los desiertos sus días consumidos? No por ál, saluo porque con su gran soberuia quiso hazer una escalera a manera de camino pensando por ella sobir y mandar los cielos?» (página 110).

48 H. Theodor, *Die Komischen Elemente der Alt-französischen Chansons de Geste,* págs. 10-11. J. O'Connor, *Amadis de Gaule and its Influence on Elizabethan Literature,* Rutgers University Press, New Brunswick, 1970, pág. 198.

fiestan su naturaleza semianimal a través de algún rasgo beluino: colmillos, garras, pilosidad, etc. En combate manejan armas primitivas, sobre todo la maza, y suelen cabalgar unicornios, alfanas, camellos o elefantes, y nada de ello los salva de morir hechos pedazos o literalmente destripados [49]. A medida que el género decae y prolifera en el siglo XVI, los libros de caballerías exageran de modo correlativo el número y tamaño de sus gigantes, a la vez que toda una enfermiza zoología de centauros, cíclopes, cinocéfalos, colmilludos y antropófagos, todos ellos cada vez más desmesurados, más feos y más ridículos [50]. Los gigantes de los libros de caballerías presentan siempre algo de sobrehumano o diabólico, su fealdad es alegoría del pecado, pocos de ellos hacen vida social o se convierten al cristianismo, y sólo son vencidos por especial auxilio divino, invocado por los caballeros antes de trabar la desigual pelea [51].

Esta línea de caracterización general tiene al menos una quiebra conspicua en un curioso personaje de los cantares de gesta franceses del ciclo de Guillermo de Orange o de Tolosa (fines del XII). En el *Aliscans*, pieza fundamental de la serie, los cristianos derrotados han de recurrir al joven gigante Rainouart, hazmerreír hasta entonces de las cocinas del rey Luis, hijo de Carlomagno. Rainouart siente despertársele sus espíritus bélicos (era hijo desconocido de un rey sarraceno) y marcha alegremente a las mil aventuras y tri-

---

49 O'Connor, *Amadis de Gaule*, pág. 40.

50 *Ibid.*, pág. 92. Sobre la caterva de gigantes en los libros de caballerías del XVI, véase el censo de nombres estrafalarios reunido por M. de Riquer, *Aproximación al Quijote*, Barcelona, 1967, páginas 98-99. Alguna otra observación sobre los gigantes en el *Quijote* en el apartado «Las gigantomaquias»; G. Díaz-Plaja, «El Quijote como situación teatral», *Cuestión de límites*, Madrid, 1963, págs. 115-124.

51 Félix G. Olmedo, *El 'Amadís' y el 'Quijote'*, Madrid, 1947, páginas 57-60.

fulcas en que su *tinel* (un árbol pelado) basta para salvar a la cristiandad de la embestida musulmana. Rainouart *au tinel* se bautiza y casa por fin con Aelis, sobrina de Guillermo e hija del propio rey Luis[52]. Rainouart, con la escasa mollera de todos los gigantes y un apetito insaciable, representa la fuerza bruta al servicio del bien, y su entidad literaria logra relieve bastante para crear en torno de sí todo un subciclo de gestas semicómicas. En el ocaso de su vida no se le ocurre mejor cosa que retirarse a ser monje *(Moniale Rainouart)*, sin lograr más que hacer imposible la vida de la abadía, pues, a pesar de su fe religiosa, Rainouart no tolera la disciplina de la comunidad ni mucho menos se conforma con la ordinaria pitanza, y lo mismo despacha al otro mundo a un par de colegas de hábito que lanza, irritado, sobre la cabeza del abad un platazo de «pois au lard». Rainouart muere por fin en olor de santidad, tras haber metido mucho ruido en el mundo, y su monstruoso *tinel* se guardó como reliquia en el monasterio de Brioude, al lado del escudo de Guillermo.

Si bien el tipo cómico de gigante benévolo no parece haber abundado en la literatura medieval, fue, sin embargo, el preferido al surgir en Italia la épica culta renacentista. El paso decisivo lo da el florentino Luigi Pulci en su *Morgante* (1483), con la historia del gigante de este nombre. En com-

52 Sobre Rainouart como personaje de *Aliscans* y de su subciclo particular dentro de las gestas de Guillermo (*Bataille Loquifer, Moniage Rainouart, Gadifer*), véase J. Frappier, *Les chansons de geste du cycle de Guillaume d'Orange*, París, 1955, I, págs. 24 sigs., así como M. de Riquer, *Los cantares de gesta franceses*, Madrid, 1952, páginas 188 sigs. Continúa siendo fundamental el trabajo de J. Runeberg, *Études sur la geste Rainouart*, Helsingfors, 1905, que admite ya la posibilidad de una anterior y hoy perdida *Chanson de Rainouart* y define el tipo del gigante como variación del motivo folklórico del «Ceniciento», que se eleva desde su ínfimo estado de mozo de cocina a héroe providencial y a desposarse con la hija del rey.

pañía de dos hermanos suyos, llamados Passamonte y Alabastro, Morgante profesaba las malas mañas de los de su ralea y, sobre todo, traía aterrados a los inofensivos monjes de cierto monasterio; llegado allí Orlando, fugitivo de la corte carolingia, da muerte a Passamonte y Alabastro y perdona la vida a Morgante, que se deja bautizar y llega a ser desde entonces el más eficaz auxilio del paladín y sus amigos. Morgante realiza las más estupendas hazañas bélicas y cinegéticas, dando múltiples pruebas de su buen humor y también de su desmedida y nada melindrosa voracidad. Para él es cosa de poco más o menos destruir un ejército como si se tratara de pisotear un hormiguero o cazar un elefante para su almuerzo. Morgante se hace muy amigo de Margutte, semigigante bromista cuyo grado de fealdad corre paralelo al de su astucia y falta de escrúpulos. Morgante hallará una muerte prematura, acarreada por la heridilla que le causa un simple cangrejo.

Tenemos aquí, pues, el punto de arranque de ese tratamiento a la vez heroico y burlesco que Folengo da a los extraños personajes de su *Baldus*. Fracasso es un descendiente directo de Morgante:

> Huius progenies Morgante calavit ab illo
> qui bacchioconem campanae ferre solebat.
>
> (IV, 79-80)

[Descendía de la estirpe de aquel Morgante que solía llevar un gran badajo de campana.]

Lo mismo que Cingar, deriva, a su vez, de Margutte:

> Baldus eum socios super omnes semper amavit,
> namque suam duxit Margutti a semine razzam.
>
> (IV, 128-129)

[Baldo lo amó siempre más que a todos sus otros compañeros, pues su casta venía de la simiente de Margutte.]

Pero lo decisivo es que la receta de Merlín Cocaio consiste toda en una aplicación exclusiva y sistemática del tratamiento épico-burlesco ensayado en el estupendo gigante de Pulci, en un *morgantismo*, cabría decir. Folengo marcha muy al hilo de esta nueva literatura, y hasta el mismo banquete monstruo del *Baldus* procede del canto I del *Orlando innamorato* (1487), convite allí mucho más morigerado y que de nuevo amplifica Quevedo en el «estilo brujo» de su paródico e inacabado poema de *Las necedades y locuras de Orlando el enamorado*[53]. El arte de Folengo no se entiende sin sus múltiples empalmes con el mundo literario de la épica culta, notablemente afín en cuanto género y espíritu. El *Baldus* se escribe, a fin de cuentas, para un público muy culto que se supone buen conocedor de estos poemas, especialmente el *Orlando furioso*, y de la *Eneida*.

La acotación y deslinde del tema de los gigantes se vuelve aquí imprescindible debido a los vuelos geniales que pronto adquiere en manos de Rabelais. *Gargantúa*, *Pantagruel* y sus derivados son sinónimos de gigantismo en todas las lenguas cultas, mientras que *rabelesiano* denota un espíritu de irreverente alegría y goce franco, ruidoso, de los placeres elementales del vivir. No será preciso decir que Rabelais tiene en Folengo una de sus fuentes literarias más importantes[54],

---

53 Sobre sus problemas y relación con la épica italiana, véase E. Alarcos, «*El Poema heroico de las necedades y locuras de Orlando el enamorado*», en *Mediterráneo*, Valencia, 1946, págs. 25-63. G. Caravaggi, «Il poema eroico de *Las necedades y locuras de Orlando el enamorado* di Francisco de Quevedo y Villegas», *Letterature Moderne*, XI, 1961, págs. 325-342 y 461-474. Corresponde a María E. Malfatti, en su ya citada edición, haber señalado por primera vez la amplia deuda del *Orlando* de Quevedo con el espíritu y la letra del *Baldus*, sobre todo en lo relativo a la ascendencia macarrónica de la escena del banquete; *Poema heroico de las necedades y locuras de Orlando el enamorado*, págs. 23-25.

54 Los estudios modernos de la relación entre ambos autores pueden considerarse iniciados por los *Studi folenghiani* (1899) de A. Lu-

según pregonaba ya, con algún exagerado simplismo, el título de la traducción francesa de 1606. Rabelais conocía a fondo las *Maccheronee,* cuyo lenguaje mestizo imita con frecuencia y a las que hace alusiones que se reconocen sin dificultad alguna. Nadie ha podido negar la obvia relación de Panurgo con Cingar, cuyo leal apego a Baldo anticipa el del otro hacia Pantagruel, precedente de mucho mayor peso que el confesado por Rabelais al comparar aquella amistad con la de Eneas y Achates [55]. Hay también aventuras, como la burla de los carneros, de obvio parentesco, así como episodios de claro corte macarrónico, verbigracia la disputa con el maestro Janotus de Bragmardo y el ridículo catálogo de la

---

zio, que señaló, sobre todo, las concomitancias de Rabelais con la versión toscolana (págs. 47 y sigs.). Folengo es detenidamente estudiado como fuente literaria de Rabelais, dentro del conjunto de ecos de los poemas italianos, por L. Thuasne, *Études sur Rabelais,* París, 1904, páginas 159-265. Sus conclusiones son aceptadas, con pequeñas reservas, por A. Lefranc, *Les navigations de Pantagruel,* París, 1905, páginas 309-312. La importancia del *Baldus* y de otros poemas italianos vuelve a ser puesta de relieve por J. Plattard, *L'oeuvre de Rabelais,* París, 1910, págs. 13 y sigs. L. Sainéan, celoso de cuanto, a su entender, pueda disminuir la gloria de Rabelais, se opone a Thuasne y restringe hasta el máximo el alcance de su utilización de Folengo, que reduce a la semejanza entre Cingar y Panurgo, aventura de los carneros y algún que otro préstamo dudoso; «Les sources modernes du roman de Rabelais», *Revue des Études Rabelaisiennes,* X, 1912, páginas 375-420. Las conclusiones de Sainéan influyen sobre A. Lefranc en el prólogo a su edición de *Pantagruel* (1922), recogido posteriormente con otros estudios suyos en *Rabelais,* Éditions Albin Michel, París, 1953, págs. 138-141. Un planteamiento algo más amplio de la misma cuestión ofrece G. Lote, *La vie et l'oeuvre de François Rabelais,* París, 1938, pág. 155. Algún nuevo detalle es considerado por C. F. Goffis, «Una collaborazione di Merlin Cocai con M. Alcofribas Nassier», *Rinascimento,* X, 1959, págs. 136-140. Nuevo y valioso enjuiciamiento del problema en M. Tetel, «Rabelais and Folengo», *Comparative Literature,* XV, 1963, págs. 357-364. La relación Folengo-Rabelais es invocada en múltiples ocasiones por Bakhtin, *Rabelais and his World,* cuya edición original rusa es de 1965.

55 Thuasne, *Études sur Rabelais,* pág. 218.

biblioteca abacial de San Víctor. Lo más increíble es la tardanza de la crítica en advertir que la influencia de Folengo se ejerce también en niveles más hondos, y que Rabelais halló un fuerte estímulo para crear la maravilla de su estilo en aquel otro gran torturador de vocablos [56]. Entre Rabelais y lo macarrónico parece darse una especie de continuidad natural, reforzada por la común insistencia temática en la comida y en lo escatológico, es decir, en una comicidad que definen los dos polos del proceso digestivo [57]. Es de notar, por cierto, cómo la misma versión macarrónica del *Quijote* eleva automáticamente su temperatura *rabelesiana:* «Tremenda aventura in qua Sanchus tenuit tantum metum, ut aflojatus secretum muellem sui corporis, llenavit ambientem cujusdam oloris qui non erat ámbar, náribus Domini Quijoti» (c. XX).

El gigante «moderno» de Pulci y de Folengo, tipo forzudo, buena persona, simpático y muy comilón, mantiene en Rabelais sus notas esenciales, intensificando la de su bonachonería y desplazando hacia la bebida el énfasis en el apetito insaciable [58]. Rechaza, en cambio, el francés para sus «prouesses gigantales», el abuso constante de la magia y de los periplos fabulosos, si bien el viaje marítimo de Pantagruel y sus amigos, con que se inicia el *Quart livre,* está claramente sugerido por el *Baldus,* según prueba, además, el idéntico episodio de los carneros (cc. VI-VIII). Sobre todo, Rabelais apila sobre sus jayanes grandes dosis de bondad natural, de

---

56 Idea formulada ya por Luzio respecto al común gusto por la acumulación de sinónimos *(Studi folenghiani,* pág. 23), pero no debidamente puesta de relieve hasta el trabajo citado de Tetel, «Rabelais and Folengo».

57 Bakhtin, *Rabelais and his World,* pág. 299.

58 Plattard, *L'oeuvre de Rabelais,* págs. 16-18. O más bien, según Lote, representando en Gargantúa la comida y en Pantagruel la bebida; *La vie et l'oeuvre de François Rabelais,* pág. 379.

sensatez y de espíritu evangélico. Cuando éstos llegan a ejercer de reyes, se alzan así a encarnar, con más seriedad de lo que a primera vista parece, el ideal (tan caro al humanismo cristiano) del monarca bondadoso y pacífico, aborrecedor de aventuras militares y de argucias escolásticas [59]. Gargantúa y Pantagruel terminan así por resultar primos hermanos del rey Polidoro del *Diálogo de Mercurio y Carón*, de nuestro Alfonso de Valdés.

Conviene en este punto examinar el tema de los gigantes en el *Quijote*. Exigido por el patrón estructural del libro de caballerías, tan sutilmente válido a través de la obra, ofrecía el obstáculo de ir contra la cerrada negativa cervantina a admitir en su libro ninguna forma de lo maravilloso. Los gigantes, igual que los encantamientos, han, pues, de estar presentes, pero en un plano especial y confinados en cuanto tales al dominio de la irrealidad. La mayor ilusión de Alonso Quijano es precisamente vencer a algún gigante Caraculiambro, señor de la ínsula Malindrania, que enviar presentado a su aún innominada señora (1, 1). Cervantes le da gusto, apenas iniciada la segunda salida, en la más famosa de todas sus aventuras, cuando el simple vislumbre de los molinos de viento en el horizonte basta para electrizar su locura caballeresca; don Quijote ha de mostrarse heroicamente a la altura de tan alto desafío, pues «es gran servicio de Dios quitar tan mala simiente de sobre la faz de la tierra» (1, 8), y ya sabemos cuán caro ha de costar a sus costillas el encuentro con las aspas. Pero Cervantes se sirve, sobre todo, de la historia de Dorotea para introducir en la obra un relato conforme a los más puros cánones del jayán usurpador de los derechos de la doncella menesterosa, tan diestramente

[59] Punto fundamental y debidamente aclarado por L. Febvre en el cap. «Le Crédo des Géants», de *Le problème de l'incroyance au XVIe siècle. La religion de Rabelais*, París, 1947, págs. 257 y sigs.

representada ésta por la lista muchacha de Osuna. Los habituales tornasoles cervantinos se encargan después de que el cuento de Pandafilando de la Fosca Vista, tan imaginario como la misma doncellez de Dorotea, se haga demasiado real en la conducta para con ella del poderoso don Fernando, e incluso tenga a don Quijote como *deus ex machina* de su feliz desenlace. En contraste con la de los molinos, don Quijote remata esta otra jayanesca aventura con el escaso peligro de unos tajos en las panzas de unos pellejos de vino tinto. El tema de los gigantes no se eclipsa tampoco en la Segunda Parte, donde comienza por asomar figuradamente como máxima ascética: «Hemos de matar en los gigantes a la soberbia» (2, 8). La burla aparejada por Cervantes con su tema de los jayanes despunta, sobre todo, en las aventuras del Caballero de los Espejos, pues su descontentadiza Casildea de Vandalia le mandó «que fuese a desafiar a aquella famosa giganta de Sevilla llamada la Giralda»[60], cuyo vencimiento no fue muy dificultoso gracias a la constante ayuda del viento Norte (2, 14). Otra oreja gigantea se deja adivinar en la relación de la condesa Trifaldi, cuando narra la fechoría del desaforado Malambruno, primo hermano de la difunta reina Maguncia, «que junto con ser cruel era encantador» y transformó a don Clavijo y a la infanta Antonomasia en sendas estatuas de cocodrilo y jimia (2, 39), símbolos parlantes de hipocresía y lujuria. En Avellaneda, unos caballeros zaragozanos burlan a don Quijote con el ridículo desafío del rey de Chipre Bramidán de Tajayunque, híbrido monstruo de un desenvuelto secretario y uno de los gigantones de la procesión del Corpus (c. XIII).

---

60 Las gigantas, menos abundantes, son, sin embargo, aún más ridículas en la tradición de las gestas medievales francesas; Theodor, *Die Komischen Elemente der Alt-französischen Chansons de Geste*, página 38.

Los gigantes del *Quijote* pertenecen netamente, por tanto, a la vena medieval de las gestas y libros de caballerías, como demuestran incluso los detalles de la Fosca Vista de Pandafilando y el armamento del atrevido Brandabarbarán de Boliche, con su cuero de serpiente y «por escudo una puerta, que, según es fama, es una de las del templo que derribó Sansón, cuando con su muerte se vengó de sus enemigos» (1, 18). Y discurrir de «los dos gigantes [frailes] benitos» (2, 3) supone, pues, una manera no poco cáustica de adjetivar. Significa todo esto que Cervantes se muestra ajeno al nuevo tratamiento del tema de los gigantes, decisión tanto más significativa cuando sabemos que conocía bien el *Baldus*, además de la obra de Pulci, apreciada con toda claridad y donosura en el capítulo inicial del *Quijote:* «Decía mucho bien del gigante Morgante, porque, con ser de aquella generación gigantea, que todos son soberbios y descomedidos, él solo era afable y bien criado» (1, 1)[61]. Es notable que la proverbial corpulencia de Morgante dé pie en los comienzos de la Segunda Parte para una interesante digresión acerca de la existencia real de los gigantes:

> —En esto de gigantes —respondió don Quijote— hay diferentes opiniones, si los ha habido, o no, en el mundo; pero la Santa Escritura, que no puede faltar un átomo en la verdad, nos muestra que los hubo, contándonos la historia de aquel filisteazo de Golías, que tenía siete codos y medio de altura, que es una desmesurada grandeza. También en la isla de Sicilia se han hallado canillas y espaldas tan grandes, que su grandeza manifiesta que fueron gigantes sus dueños, y tan grandes como grandes torres; que la geometría saca esta verdad de duda. Pero, con todo esto, no sabré decir con certidumbre qué tamaño tuviese Morgante, aunque imagino que no debió de ser

---

[61] Sobre bibliografía de traducciones españolas de *Morgante*, véase Gayangos, *Libros de caballerías*, pág. LXV; Malfatti, *Necedades y locuras de Orlando el enamorado*, pág. 10, nota.

> muy alto; y muéveme a ser deste parecer hallar en la historia donde se hace mención particular de sus hazañas que muchas veces dormía debajo de techado; y pues hallaba casa donde cupiese, claro está que no era desmesurada su grandeza (2, 1).

Vivir para ver. Muy de acuerdo con el tono que va a predominar en la Segunda Parte, don Quijote defiende ahora la existencia de una realidad para él entrañable con argumentos que pretenden ser de puro orden racional y le conducen a recortar, desilusionado, la legendaria estatura de Morgante. Cervantes se ríe aquí, con esta revuelta arqueología, de ciertas maneras de escribir historia. Pero hay también algo más serio en este razonamiento vertiginoso, que se despeña desde la Biblia a Morgante. La invocación del testimonio bíblico sobre el «filisteazo» para demostrar la existencia de los jayanes de los libros de caballerías puede interpretarse como se quiera, y los términos dogmáticos con que se formula contrastan un poco volterianamente con el calibre de la trufa gigantea. Es así como el tema de los gigantes cervantinos empieza a tornasolarse y a volverse también sinuoso, pues no es posible olvidar cómo Rabelais traza la frondosa ascendencia de Pantagruel (c. I) incluyendo entre sus cincuenta y nueve antepasados a todos los gigantes bíblicos y repitiendo siempre, además, la fórmula «engendró a», frecuente en el Viejo Testamento y muy propia del capítulo sobre la generación temporal de Cristo con que comienza el Evangelio de San Mateo. La cercanía de ambos brotes de racionalismo juguetón es ciertamente notable y una comparación analítica de Cervantes con Rabelais hallaría en esta burleta de los gigantes bíblicos uno de sus primeros peldaños. Con ella se alza ante los ojos el síntoma de estructuras literarias afines por su arraigo en supuestos intelectuales de signo moderno, y muy especialmente en la amplia, decisiva conexión de Cervantes con el humanismo cristiano.

FOLENGO, RABELAIS Y LOS ACADÉMICOS DE LA ARGAMASILLA

Si bien no cabe abrigar dudas acerca del conocimiento por Cervantes de la épica culta italiana, no sucede lo mismo con Rabelais. ¿Conocería Cervantes a Rabelais? Tal cuestión no parece haber sido nunca planteada [62], y ello ha de tomarse como argumento implícito de su improbabilidad, pero no, en modo alguno, de imposibilidad [63]. Aparte de afinidades conceptuales como la ya vista y de alguna que otra minucia [64],

---

62 Rotundamente negada, como punto de partida, por H. Hatzfeld: «Dependencia material e histórica del autor español respecto del autor francés, anterior éste a aquél, no existe»; «Cervantes y Rabelais», *El Quijote como obra de arte del lenguaje*, 2.ª edición, Madrid, 1966, página 303. Se observa allí, con exactitud respecto a Cervantes y no mucha comprensión del autor francés, que con el *Quijote* se «ha creado la novela moderna en un sentido totalmente distinto de Rabelais, que no hizo más que estilizar, proseguir y llenar de ideas las groseras historias populares» (pág. 304). Insostenible (a nuestro entender) resulta otra de las distinciones de Hatzfeld: «La sátira del uno como la del otro, se nutre en fuentes comunes italianas, Pulci *Morgante Maggiore* y Bojardo *Orlando innamorato*, pero manifestándose en dirección distinta y no coincidente. Cervantes se ha inspirado también en Ariosto y Rabelais en Teófilo Folengo» (pág. 304). Para S. de Madariaga, Cervantes con Rabelais y Montaigne es «uno de los precursores de la era de la razón». Don Quijote muestra, a su vez, «algo de exorbitante en el gesto y en la palabra que lo acerca a Gargantúa y Pantagruel»; «Cervantes y su tiempo», *Cuadernos del Congreso por la libertad de la Cultura*, n. 40 (1960), pág. 47.

63 Es posible que Cervantes viajara por Francia, e incluso pensase en visitar París cuando marchó a Italia en 1568; A. Lubac, «La France et les français dans le *Persiles*», en *Anales Cervantinos*, I, 1951, página 115. Recuérdese también la notable compra de ciertos libros franceses hecha por Cervantes en una subasta sevillana de 1590; L. Astrana Marín, *Vida ejemplar y heroica de Miguel de Cervantes Saavedra*, Madrid, 1952, IV, págs. 461 y sigs.

64 Aparte de la afición cervantina a inventar nombres espléndidamente imaginativos para sus gigantes y personajes burlescos (conde-

sólo existe en el *Quijote* un elemento de orden externo que con alguna verosimilitud haga pensar en una huella de Rabelais. Se trata de la semejanza de la Primera Parte con *Gargantúa* en comenzar y dar fin con poemas burlescos de resonancia enigmática y de espíritu parecido. En Cervantes encontramos los versos preliminares, sobre todo los de Urganda la desconocida, cuyo aire de adivinanza se acentúa con el artificio de los *cabos rotos*, así como los ridículos papeles de los académicos de la Argamasilla, cuyo hallazgo se relata en la última página. En *Gargantúa* tenemos, al principio, la excavación de una gran tumba de bronce situada cerca de Chinon (pueblo natal de Rabelais) por un desconocido Jean Audeau, que encuentra en ella una inscripción en letras etruscas y una fila de botellas, una de las cuales contiene la supuesta genealogía de Gargantúa, escrita sobre cortezas de olmo y que, transcrita «par révérence de l'antiquaille», resulta ser una divertida ristra de disparates titulada *Les franfeluches antidotées,* poema que nadie ha podido descifrar. Más interesante aún es el final de la misma obra, donde se relata cómo al abrir los cimientos de la peregrina abadía de Thélème se encontró una gran lámina de bronce con el texto del *Énigme en prophétie,* estrafalaria composición (comúnmente atribuida hoy a Mellin de Saint-Gelais), donde bajo la alegoría burlesca de un juego de pelota cabe descifrar un mensaje de ideas caras al humanismo cristiano[65]. En Cervantes tenemos al «autor desta historia», que confiesa no ha-

---

sa Trifaldi, etc.), cabría recordar el «unguent resuscitatif» de Panurgo *(Pantagruel,* c. XXX), similar al de Fierabrás en su eficacia y no muy diferente de éste en cuanto a composición. El caballo de Pacolet, exactamente un Clavileño según el *roman* de *Valentin et Orson,* es recordado por Carpalim en *Pantagruel* (c. XXIV).

65 E. V. Telle, «Thélème et le paulinisme matrimonial érasmien; le sens de l'énigme en prophétie *(Gargantua,* chap. LVIII)», en *François Rabelais,* Genève-Lille, 1953, págs. 104-119.

ber podido averiguar nada más acerca de la suerte final de don Quijote:

> Ni de su fin y acabamiento pudo alcanzar cosa alguna, ni la alcanzara ni supiera si la buena suerte no le deparara un antiguo médico que tenía en su poder una caja de plomo, que, según él dijo, se había hallado en los cimientos de una antigua ermita que se renovaba; en la cual caja se habían hallado unos pergaminos escritos con letras góticas, pero en versos castellanos, que contenían muchas de sus hazañas y daban noticia de la hermosura de Dulcinea del Toboso, de la figura de Rocinante, de la fidelidad de Sancho Panza, y de la sepultura del mesmo don Quijote, con diferentes epitafios y elogios de su vida y costumbres (1, 52).

A continuación se copian los versos del Monicongo, del Paniaguado, del Caprichoso, del Burlador, del Cachidiablo y del Tiquitoc a los más destacados personajes del *Quijote.*

Aquello de «la antigua ermita que se renovaba» y el «antiguo médico» (que coincidía con la mayor fama profesional del francés) podría, en un examen superficial, inducir alguna sospecha a favor de Rabelais. Y, sin embargo, podemos estar seguros de que nada existe ni en los preliminares ni en los papeles argamasillescos que sea necesario relacionar con aquél. El hallazgo de los ridículos pergaminos tiene todo el carácter de una alusión de circunstancias al revuelo que en aquellos años venían causando las falsificaciones granadinas, y en particular a la primera de ellas, el pergamino aparecido dentro de una caja de plomo al derribar la torre Turpiana, alminar de la vieja mezquita mayor, para construir un templo católico en 1588 [66]. La burla de las plúmbeas falsifi-

[66] D. Cabanelas Rodríguez, *El morisco granadino Alonso del Castillo,* Granada, 1965, pág. 178. Las palabras cervantinas acerca de los pergaminos góticos merecen especial atención por cuanto parecen bien informadas acerca de los plomos granadinos de 1591. Uno de los libros apócrifos, atribuido al árabe Tesifón Ebnelradí, fiel discípulo

caciones encajaba, por cierto, a maravilla con la conocida afición de los libros de caballerías a invocar fuentes exóticas y de difícil acceso, de acuerdo, sobre todo, con la arquetípica explicadera de Garci Rodríguez de Montalvo en el prólogo del *Amadís* (1508) acerca del texto de *Las sergas de Esplandián*

> ... que hasta aquí no es en memoria de ninguno ser visto, que por gran dicha paresció en una tumba de piedra, que debaxo de la tierra en una hermita, cerca de Constantinopla fue hallada, y traýdo por un úngaro mercadero a estas partes de España, en letra y pargamino tan antiguo que con mucho trabajo se pudo leer por aquellos que la lengua sabían... [67].

Dado el éxito y rápida difusión del *Amadís* en Italia [68], no es imposible que Folengo recordara también este pasaje de Montalvo en unos interesantes preliminares de la edición Toscolana (1521) de sus *Maccheronee*, que, con rara unanimidad [69], se reconocen como fuentes de Rabelais en lo del

---

de Santiago apóstol, se titulaba (n. 5 de Cabanelas) *Libro de los insignes hechos de Nuestro Señor Jesucristo y de María Virgen, su madre* y contenía información sobre la vida de Cristo, sin olvidar «su hermosura física, al igual que la de María, su madre» (pág. 204). Otro libro, supuesto de Cecilio Ebnelradí (hermano de Tesifón), la *Segunda parte de los preclaros hechos del apóstol Santiago* (n. 19), daba una novelesca versión de cómo Santiago ordenó a sus discípulos que le llevasen a morir a España y le enterraran junto a la costa del mar océano (pág. 229).

67 I, pág. 9.

68 Bastante difundido ya antes de su traducción al italiano; Ariosto lo utiliza claramente en la primera versión del *Orlando furioso* (1516), sólo ocho años después de su *princeps* española; O. Macrí, «L'Ariosto e la letteratura spagnola», pág. 518.

69 Luzio, *Studi folenghiani*, pág. 47. Thuasne, *Études sur Rabelais*, página 181. Billanovich, *Tra don Teofilo Folengo e Merlin Cocaio*, página 95. Únicamente Sainéan sugiere que Rabelais pudo conocer más bien «la genealogía de Amadís» (?) y su hallazgo según el *Amadís* de Montalvo, según dice confundiéndose con el supuesto origen del *Es-*

hallazgo de la tumba de bronce y de *Les franfeluches antidotées.* Se encuentra allí un preliminar titulado *Laudes Merlini* en que cierto *magister* Acuario Lodola explica al conde «Pasarinum Scarduarum» la vida y costumbres de Merlín Cocaio «et de inventione huius voluminis». Se relata cómo Acuario y otros doctos colegas (Salvanellus Boccatorta, Dimeldeus Zucconus, Ioannes Baricocola, Buttadeus Gratarogna) llegaron cerca de Armenia en el curso de un periplo científico para herborizar y recoger productos de posible uso medicinal. La nave encalla en una tierra desconocida y Lodola y compañeros boticarios tienen oportunidad de explorar una extraña caverna, en cuyas profundidades encuentran once enormes sepulcros correspondientes a Baldo y a sus compañeros, adornados con sendos epitafios escritos por Merlín Cocaio. Picándoles la curiosidad acerca de éste, desentierran un cajón que contiene el tesoro de sus obras, «in arte macaronica doctissima volumina, libros, librettos, libricolos, librazzos et mille alios scartafacios» [70], según una lista de endemoniados títulos que hoy nos parecen rabelesianos, pero que a los contemporáneos, y sobre todo al mismo Rabelais, deberían de parecer quintaesencia de la travesura folenguiana. Debido al desencadenamiento de un terremoto, *magister* Acuario Lodola no ha tenido tiempo de rescatar más que el *Baldus, Moscheidos* y la *Zanitonella,* es decir, lo recogido en las *Maccheronee.*

Es probable que Cervantes no desconociera la versión Toscolana, por ser la más difundida de las cuatro, sobre todo a partir de 1573 [71]. Situado ante la misma fuente, es in-

---

plandián; «Les sources modernes du roman de Rabelais», pág. 387. Tal idea no parece haber sido secundada por nadie, ni se ha señalado ningún otro indicio del conocimiento del *Amadís* por Rabelais.

70 *Maccheronee,* II, pág. 280.

71 La preferencia era impuesta por el carácter más inocuo de la Toscolana desde el punto de vista religioso; Luzio, *Maccheronee,* II,

teresante verle reaccionar de un modo afín al de Rabelais, sirviéndose del artificio para dar una nota de irónico escepticismo respecto a las beatas patrañas granadinas, pues Alonso del Castillo, el morisco más relacionado con éstas, era ciertamente un «antiguo médico» [72]. Pero además debió derivar también de Folengo un estímulo para jugar con la idea de un hallazgo ridículo que le permitiera ofrecer los epitafios burlescos de sus personajes, recordando los insertos en el preliminar de Acuario Lodola, a la vez que el librito de *Epigrammata (De morte Tonelli, Ad Falchettum, Ad Boccalum, Ad Baldum, De Cingare,* etc.) con que rematan las *Maccheronee.* Que en la desdichada academia de la Argamasilla late un retintín macarrónico lo indica también el pomposo *Hoc scripserunt,* escrito con letras de resalte en el encabezamiento de aquellos poemas, cual preciada escurraja de latinidad con que tal vez empieza y termina todo el saber clásico de los árcades manchegos.

La misma versión Toscolana contiene, delante de la citada carta de Acuario Lodola, cierto *Epistolium colericum* del mismo, dirigido *ad Scardaffum Zaratanum Merlini poëmatis corruptorem,* furiosa diatriba contra un colega médico a quien echa en cara su falta de destreza profesional en la cas-

---

página 370. Es de advertir que la carta de Acuario a Pasarino aparece sólo en las dos primeras versiones (Paganini y Toscolana), mientras que son las dos últimas (Cipadense y Vigaso Cocai) las que burlan del caballo de Gonela. Cervantes debió tener también noticia de la divulgadísima Toscolana, y con seguridad era ésta la que mejor tenía que conocer un círculo de poetas de los primeros años del XVII. La traducción española de 1542, que contenía también el preliminar de Acuario Lodola, toma por base la versión Toscolana.

72 Cabanelas, *El morisco granadino Alonso del Castillo,* pág. 9. «Antiguo» era adjetivo al que Cervantes unía maliciosas insinuaciones relacionadas con moros y judíos. Recuérdese su encuentro con un morisco aljamiado en el Alcaná de Toledo, donde, «aunque le buscara de otra mejor y más antigua lengua, le hallara» (1, 9).

tración de seres humanos y al que acusa de haberle robado, corrompido, falsificado, plagiado e interpolado los libros del excelso vate macarrónico. En relación con esto es preciso advertir cómo el primero de los poemas burlescos que inician el *Quijote* de 1605 es también una especie de *Epistolium colericum*, un dardo literario contra Lope de Vega, transparentemente aludido bajo el tenue velo de aquellos *cabos rotos* tan fáciles de atar. Y de un modo parecido los otros versos, puestos en boca de tantos héroes de fábula, se convertían, además, en otras tantas saetas antilopescas [73], obvia burla de los dilatados y vanidosos preliminares del Monstruo de la Naturaleza y del secreto a voces de los versos laudatorios colgados a nombre de personajes tan ilustres como alejados de las Letras o de bellezas que no sabían leer, de acuerdo con lo advertido en el prólogo cervantino con plenitud de intención:

> También ha de carecer mi libro de sonetos al principio, a lo menos, de sonetos cuyos autores sean duques, marqueses, condes, obispos, damas o poetas celebérrimos; aunque si yo los pidiese a dos o tres oficiales amigos, yo sé que me los darían, y tales que no los igualasen los de aquellos que tienen más nombre en nuestra España.

Las diversas composiciones dedicadas por héroes caballerescos (Amadís, Belianís de Grecia, Oriana, Gandalín, Orlando furioso, el caballero del Febo, Solisdán) a los personajes del *Quijote*, junto con los epitafios de los académicos de la Arga-

---

73 Las alusiones mortificantes de aquellos poemas, y especialmente la recurrencia de las palabras *paje* y *paja* haciendo eco a los amores con Micaela de Luján (que según fama pública traicionaba a Lope con un *paje*), han sido comentadas por J. García Soriano, *Los dos 'Don Quijotes'*, Toledo, 1944, págs. 84 y sigs. El *Epistolium colericum*, por otra parte, es una clara sátira de las rivalidades y celos profesionales, cruelmente reídos por Folengo en la enemistad de Acuario y Scardaffo, medicastros de Cipada según el libro XI, 511.

masilla, representan un pequeño *corpus* burlesco que sirve como de soldadura en el anillo de la Primera Parte. Para estos paréntesis de composiciones burlescas no cabe señalar, hasta ahora, otro precedente que no sean los epitafios y los *Epigrammata* de Folengo a Baldo y sus secuaces. Cervantes los conocía y recordaba bien, como prueba su cita textual de uno de ellos al comparar a Rocinante con el caballo de Gonela. Precisamente aquel epigrama *(Ad Falchettum)* consiste en el ejercicio retórico de pintar una yegua agobiada con todas las tachas y deméritos equinos imaginables, tema que ronda en los preliminares del *Quijote* a lo largo de los versos del poeta Entreverado *A Rocinante,* en el soneto *Diálogo entre Babieca y Rocinante* (lo más logrado) y que reaparece en los poemas argamasillescos en el soneto con estrambote *Del caprichoso, discretísimo académico de la Argamasilla, en loor de Rocinante, caballo de don Quijote de la Mancha,* delatando la común vena inspiradora. Se remata además en este último con un «Excede a Brilladoro y a Bayardo», alusivo al *Orlando innamorato,* que confirma la trastienda italiana de estos poemas, respecto a los que se ha señalado ya la repetida parodia de otro famoso soneto en loor de Dante que se atribuía a Boccaccio *(Dante Alighieri son, Minerva oscura...)* [74]. Estamos ante una de las secciones menos conocidas y gustadas hoy día en todo el *Quijote,* sin duda por ser casi lo único que en él huele algo a viejo, a aquel entretenimiento de las academias cuya gracia poética se ha marchitado casi del todo con el paso de los siglos [75]. Acuario Lodola, Scardaf-

[74] W. T. Avery, «Elementos dantescos del *Quijote*», en *Anales Cervantinos,* IX, 1961-62, pág. 22.

[75] W. F. King, *Prosa novelística y academias literarias en el siglo XVII,* Real Academia Española, Madrid, 1963, pág. 36. Para el sentido burlesco de las academias poéticas, M. S. Carrasco Urgoiti, «Notas sobre el vejamen de academia en la segunda mitad del siglo XVII», *Revista Hispánica Moderna,* XXXI, 1965, págs. 97-111.

fo Zaratano, Pasarino de las Escarduas, Butadeo Gratarogna, Niccoló Costanti el Scorrucciato [76], Merlín Cocaio, forman en los preliminares de las *Maccheronee* una ridícula serie similar a la del Monicongo, el Paniaguado, el Burlador, el Cachidiablo, el Tiquitoc, el Entreverado. Parece como si la propuesta imitación de Folengo (para quien las academias eran terreno conquistado) hubiera presidido un reparto de tareas entre los asiduos de una tertulia de poetas reunida en Valladolid en torno a Cervantes. Que es, por otra parte, lo que con toda probabilidad desea dar a entender el prólogo del *Quijote* (con su elegante gratitud a esos «dos o tres oficiales amigos») para contrastar muy adrede con el proceder de Lope. Y lo que ya ha sospechado, con agudo golpe de vista, M. Bataillon [77].

EL «QUIJOTE» Y LA ÉPICA ITALIANA

La presencia de Folengo en el *Quijote* se define como parte del problema mucho más amplio de sus relaciones con la épica culta italiana. Aquilatar el arte cervantino junto al de Pulci, Boiardo y, sobre todo, Ariosto constituye una cuestión fundamental, tan vieja como distante de hallarse resuelta, cuyo replanteo se vuelve aquí obligado.

Los tres grandes poetas están clara y abundantemente aludidos o citados en el *Quijote,* cuya Primera Parte no en vano se cierra con un verso de Ariosto sobre la belleza y aventuras de Angélica: *Forse altri canterà con miglior plettro* (XXX, 16). El estudio de una posible influencia de Arios-

---

76 Sucesor de Acuario Lodola al desaparecer éste de los preliminares de la versión Cipadense; Billanovich, *Tra don Teofilo Folengo e Merlin Cocaio,* pág. 182.

77 *Pícaros y picaresca,* Madrid, 1969, págs. 87 y sigs.

to sobre Cervantes es una idea tan seductora en principio como desesperante en la práctica. Los críticos italianos no se han quedado cortos en catalogar una serie de coincidencias con el *Orlando furioso* que van desde la confesada relación de las locuras de don Quijote en Sierra Morena hasta el remoto eco de la historia de Angélica que pudiera haberse dado en el caso de la pastora Marcela [78]. Aunque un reciente estudio reduce a muy poco toda esa frágil construcción [79], sí

78 Realiza ya una encuesta detallada M. A. Garrone, «L'*Orlando furioso* considerato come fonte del *Quijote*», en *Rivista d'Italia*, XIV, 1911, I, págs. 95-124. Un planteamiento más moderno se encuentra en O. Macrí, «L'Ariosto e la letteratura spagnola», *Letterature Moderne*, III, 1952, págs. 515-543. El recuento más minucioso es el de B. Sanvisenti, «Ariosto, Cervantes, Manzoni», *Convivium*, t. IV, año 1932, páginas 641-674. Fuera de algunas alusiones y detalles de escaso relieve, la única fuente importante señalada con unanimidad es la de *El curioso impertinente* en los episodios del «Nappo incantato» y del doctor Anselmo (XLII y XLIII), según relación estudiada en particular por E. M. La Barbera, *Las influencias italianas en la novela de «El curioso impertinente» de Cervantes*, Roma, 1963 En relación con dicha probabilidad, reviste especial interés el eco que Ariosto parece haber recogido en el «Nappo incantato» del *Elogio de la locura* (XXIX) acerca del saber importuno como máxima estulticia, de no existir mayor imprudencia que una prudencia destructiva, y lo aconsejable para el hombre prudente de no aspirar a un saber superior al de su condición; F. Pool, *Interpretazione dell'Orlando furioso*, Firenze, 1968, página 235. La relación de la querella cervantina contra las armas de fuego (discurso de las Armas y las Letras) y un breve pasaje del *Furioso* (IX, 28-29) carece, en cambio, de todo valor como fuente, tanto por su desvaída semejanza como por la frecuencia de dicho tema pacifista en el propio Erasmo y en otros autores bien conocidos de Cervantes. Américo Castro ha sugerido la raigambre ariostesca de cierta extraña situación de *El celoso extremeño;* «Cervantes se nos desliza en *El celoso extremeño*», en *Papeles de Son Armadans*, febrero, 1968, páginas 205-222.

79 Tras un concienzudo estudio de todos los recuerdos y posibles inspiraciones de Ariosto que se han señalado en la obra de Cervantes, M. Chevalier sólo concede firme validez al caso de *El curioso impertinente* y a la locura de Cardenio. Por este camino del aprovechamiento de materiales la influencia ariostesca, añade el mismo crítico,

es cierto que en el ámbito de la épica culta italiana parece darse al menos el conato de algunos elementos esenciales para el posterior desarrollo de la novelística cervantina: el tema de la locura, la burla paródica de la caballería y, muy en primer término, la omnipresencia de un espíritu escéptico y juguetón que a nada ni a nadie respeta. Gran tentación, pues, de comparatista la de suponer una línea continua entre el genio irónico que abrió la época del poema culto renacentista y el que la condujo a un gallardo pero desilusionado final [80]. Nos hallamos así ante la difícil cuestión de un presunto nexo entre Cervantes y la muy decantada y controvertida *ironía ariostesca,* concepto éste quebradizo hasta el punto de haber sido negado, en un juicio histórico, por el poeta Carducci [81] y que, como observa un crítico cisalpino, «es una desesperación tener que explicárselo a quien no lo advierte por sí» [82].

La ironía de Ariosto aflora, sin embargo, de una manera bastante clara en múltiples ocasiones clave: la idea misma de la bella, perseguida de paladines como de una jauría de canes en celo, o de San Juan Evangelista, hablando y actuando con el tacto mundano de un viejo diplomático; Angélica, que encarece su virginidad ante uno de sus codiciosos enamorados, y Ariosto, que apostilla:

> Forse era ver, ma non però credibile
> a chi del senso suo fosse signore.
>
> (I, 56)

---

se define como restringida y superficial; *L'Arioste en Espagne (1530-1650),* Burdeos, 1966, págs. 460-461.

80 W. J. Entwistle, *Cervantes,* Oxford, 1940, pág. 114.

81 G. A. Cesareo, «Il sorriso dell'Ariosto», *Nuova Antologia,* vol. 368, 1933, pág. 30.

82 F. d'Ovidio, «Il *Furioso* e il *Don Chisciotte*», en *Varietà critiche,* Caserta, 1929, pág. 117.

Venía a ser en cierto modo inevitable que manoseadas vejeces como la caballería y los convencionalismos del amor cortés fueran víctimas frecuentes de esa ironía ariostesca. Pero es preciso insistir en que no se trata sino de un efecto errático y pulsante, que no obsta para que el poeta trate después los mismos temas con el más respetuoso conservadurismo e irrumpa, por ejemplo, en una diatriba de cruzado contra el olvido en que los príncipes de su tiempo han dejado caer la empresa de recuperar el Santo Sepulcro (c. XVII). O para que devuelva a Carlomagno mucha de la dignidad y buena figura ajadas entre las páginas de sus antecesores Pulci y Boiardo. Nobles y muy serios son los celos de Bradamante, la lealtad de Medoro, la plena seriedad épica de los últimos cantos [83]. Y tampoco escasean los episodios caballerescos rebosantes de la más suave e idealizada ternura. ¿Qué ironía ni qué otra reserva empaña la triste, crepuscular belleza del morir desangrado de Dardinel, el paladín casi niño?:

> Come purpureo fior languendo muore,
> che'l vomere al passar tagliato lassa;
> o come carco di superchio umore
> il papaver ne l'orto il capo abassa:
> così, giù de la faccia ogni colore
> cadendo, Dardinel di vita passa;
> passa di vita, e fa passar con lui
> l'ardire e la virtù de tutti i sui.
>
> (XVIII, 153)

Ariosto no crea en vena antiheroica, ni desea tampoco parodiar la tradición épica medieval, ni, como ya observó De Sanctis [84], se anticipa a Cervantes con intención alguna de

---

[83] R. Bacchelli, «Orlando fatato e l'elmo di Mambrino», *La Rassegna d'Italia*, I (gennaio, 1946), pág. 37.

[84] *Storia della letteratura italiana*, II, pág. 529.

«mettere in gioco» la caballería. Su propia obra se halla demasiado alejada estéticamente de la literatura del medievo para que las tradiciones de ésta le sugieran, en ningún sentido, una directriz eficaz. Concibiéndolo como absoluto poético, sin necesidad ni pretensión de ninguna trascendencia ulterior, Ariosto no hace sino erigir el más puro y centelleante mundo caballeresco [85]. La crítica constata, casi unánime [86], la seriedad mortal de la locura de Orlando, sellada con un aire de grandeza trágica y antigua, a tono con la cual arrancar árboles, enturbiar fuentes y esparcir a su alrededor la muerte y la devastación parecen los únicos actos naturales e inevitables para expresar las dimensiones sobrehumanas de tamaño infortunio.

La ironía (nunca irrisión) de lo caballeresco se encuentra en el *Orlando furioso* porque éste es todo un universo poético en el que hay sitio, en un plano desrealizado, para lo pagano y para lo cristiano, para el pasado y para el presente, cual libro en el que caben la tierra y (de añadidura) la luna. Todo ello amable y con las aristas limadas por una gran tradición de cultura, que le permite subsistir de su propio aliento, sin tener nada que ver con la realidad ni el latido bronco e inarmónico de la vida. Ariosto no es más ni menos que un poeta integral, un incansable tejedor de ensueños para la tela de su *obra:* su trabajo de orífice perfecto. La ironía es, desde luego, uno de sus mejores adornos, pero una ironía que no ridiculiza ni muerde carne alguna, por la simple razón de que ello le ataría a compromisos con la perspectiva literaria de la vida real, que le está totalmente vedada. Si la ironía fuera espinazo de su poema, tendría que informarlo

---

[85] Garrone, «L'*Orlando furioso* considerato come fonte del *Quijote*», pág. 105.

[86] Garrone, *ibid.*, pág. 99. R. Spongano, «L'ironia nell'*Orlando furioso*», en *La prosa di Galileo e altri scritti*, Messina, 1949, pág. 55.

de arriba a abajo [87], pero en Ariosto no hay, si se va a ver, ningún elemento externo que desempeñe esa misión estructurante. Y esto hasta el punto de que cabría hablar de un tratamiento no, ciertamente, caprichoso, pero sí *atonal* de sus intenciones y motivos temáticos, que por no hallarse jerarquizados vienen a ser, a la vez, fundamentales y accesorios. Todo lo cual equivale a decir que estamos manipulando lo que hoy llamaríamos una *poesía pura* y que, de un modo inexorable, empezamos a enredarnos en las mallas de su eterna contradicción.

Relacionar la locura de Orlando con la locura de don Quijote es otra gran tentación para la crítica, desde el De Sanctis [88] acá, pero todos los que pasan de una afirmación en término general a un somero análisis se hallan con una dilatada lista de importantes divergencias [89]. Después de todo,

---

87 Cesareo, «Il sorriso dell'Ariosto», pág. 34. B. Croce pone de relieve la paradoja de la ironía de Ariosto al apuntar su omnipresencia a la vez que lo indiferenciado de su carácter; *Ariosto, Shakespeare e Corneille*, Bari, 1920, pág. 49.

88 Véase su idea de que «Orlando diviene don Chisciotte e, quando don Chisciotte entra in scena, tutto un mondo se ne va in frantumi», favorablemente comentada por Macrí, «L'Ariosto e la letteratura spagnola», pág. 537. Para Entwistle, el *Quijote* era un *Orlando furioso* e *Innamorato*, sólo que «en prosa»; *Cervantes*, pág. 113. En contraste, R. Menéndez Pidal estudia la cuestión con manifiesta cautela y pone de relieve la escasa utilidad que para Cervantes podían tener los poemas italianos, dado que su propósito de escribir una novela en prosa no podía hallarse más alejado y «le lleva a otro mundo artístico muy diverso del de los italianos. Por tanto, Cervantes no buscó la fuente primera de su inspiración en las obras de éstos, encumbrados en artificios y primores de esfuerzo monumental...»; «Un aspecto en la elaboración del *Quijote*», en *De Cervantes y Lope de Vega*, 6.ª edición, Austral, Madrid, 1964, pág. 18.

89 Garrone parte de la conocida idea del De Sanctis, pero pasa después a restringirla notablemente: Orlando enloquece de amor, y don Quijote de leer caballerías; la locura del paladín no es humorística, como la del hidalgo; frente a la demencia furiosa de Orlando, la de don Quijote es lúcida y hace de él un sabio (como observó Wordsworth), y por eso el héroe de Ariosto desaparece, estéril, mien-

el mismo Cervantes se complace en evocar la locura de Orlando entre las aventuras de Sierra Morena, pero es precisamente para que don Quijote la rechace y prefiera la imitación de Amadís de Gaula (1, XXV y XXVI): las lágrimas contemplativas de un héroe arquetípico, pero dentro de un módulo humano, frente al torbellino de acción y desaforado gigantismo del modelo italiano. Cervantes sabía bien lo que hacía y un sentido similar reviste la crítica de don Quijote a la propia figura de Angélica, según Ariosto:

> —Esa Angélica —respondió don Quijote—, señor Cura, fue una doncella destraída, andariega y algo antojadiza, y tan lleno dejó el mundo de sus impertinencias como de la fama de su hermosura: despreció mil señores, mil valientes y mil discretos, y contentóse con un pajecillo barbilucio, sin otra hacienda ni nombre que el que le pudo dar de agradecido la amistad que guardó a su amigo. El gran cantor de su belleza, el famoso Ariosto, por no atreverse o por no querer cantar lo que a esta señora le sucedió después de su ruin entrego, que no debieron ser cosas demasiadamente honestas, la dejó donde dijo:
>
> Y como del Catay recibió el cetro,
> Quizá otro cantará con mejor plectro (2, 1).

---

tras que el caballero de la Mancha lega un tesoro de sabiduría; «L'*Orlando furioso* considerato come fonte del *Quijote*», págs. 97 y siguientes. A. Vilanova estima que la locura de don Quijote tiene un precedente explícito en la de Orlando, pero observa después que éste es «verdadero héroe de epopeya» y don Quijote un hidalgo de pueblo perturbado por sus lecturas, es decir, entidades literarias de naturaleza por entero diversa; la locura de Orlando es pasajera y violenta, mientras que la de don Quijote es prolongada, intermitente y (cabría añadir) bondadosa; como Orlando es un héroe, aun en su locura vence y se impone a la realidad, mientras que don Quijote, cuyo heroísmo es sólo imaginario, resulta apaleado una y otra vez por la misma casta de rústicos y villanos que fueron, en cambio, víctimas favoritas del *Furioso; Erasmo y Cervantes*, págs. 36 y sigs. Estas ideas de Garrone y Vilanova son enjuiciadas, a su vez, por Chevalier, *L'Arioste en Espagne*, págs. 455-456. Algunos comentarios adicionales en M. Durán, *La ambigüedad en el «Quijote»*, Universidad Veracruzana, México, 1960, páginas 45-52.

Para don Quijote, la verdadera historia de Angélica hubiera debido comenzar justo donde Ariosto la abandona, es decir, al alborear su vida de mujer plenamente realizada, y sin duda que Cervantes hubiera podido hacer de ello un libro a la vez profundo y delicioso. No interesa, de nuevo, el personaje agigantado por la lente de aumento de la idealización ariostesca, y se echa, en cambio, de menos a la aventurera de carne y hueso, cuya vida apasionada puede dar pábulo a una docena de novelas. No menos interés ofrece, en relación con lo mismo, la forma como Sancho satisface al preguntón Carrasco acerca del robo de su rucio:

> ... mi señor y yo nos metimos entre una espesura, adonde mi señor arrimado a su lanza, y yo sobre mi rucio, molidos y cansados de las pasadas refriegas, nos pusimos a dormir como si fuera sobre cuatro colchones de pluma; especialmente yo dormí con tan pesado sueño, que quienquiera que fue tuvo lugar de llegar y suspenderme sobre cuatro estacas que puso a los cuatro lados de la albarda, de manera, que me dejó a caballo sobre ella, y me sacó debajo de mí al rucio, sin que yo lo sintiese.
>
> —Eso es cosa fácil, y no acontecimiento nuevo; que lo mesmo le sucedió a Sacripante cuando, estando en el cerco de Albraca, con esa misma invención le sacó el caballo de entre las piernas aquel famoso ladrón llamado Brunelo (2, 4).

Por la manera de señalar, se ve que Cervantes quiere dejar en claro que semejante receta para robar caballerías es sanchopancesca en el sentido peyorativo del término: una chuscada insulsa y pueril, que ni siquiera caracteriza a Brunello como astuto ni como ladrón (XXVII, 72) y sólo testimonia de un menoscabo poético, una crítica en el sentido de subrayar cuánto (desde cierto punto de vista) hay de vacuo y gratuito en aquel poema extraordinario, pero desinteresado en realidades humanas [90]. En el oficio de las letras, parece

---

90 Cesareo, «Il sorriso dell'Ariosto», pág. 43. La idea de un Ariosto

decirnos Cervantes, hay atajos demasiado fáciles para el escritor que sabe ganarse su pan, y esa es también su lógica reacción ante aquello de la sabia Felicia y el agua encantada, episodios de la más pura cepa ariostesca, que son, a su parecer, lo único que sobra en *La Diana* de Jorge de Montemayor (1, 6).

Nada tiene que ver todo esto con el hecho de que Cervantes tributara al poeta de los Este su más alta admiración, pues, lo mismo que don Quijote, debía enorgullecerse de poder cantar algunas estancias del Ariosto (2, 62), a quien egregiamente elogia con la apostilla de no ser (en cuanto poeta *puro*, que diríamos hoy) entretenimiento para barberos (1, 6). Recuérdese con cuánto matiz se enjuicia la deleznable materia seudocarolingia de los poemas italianos, cuando es preciso decidir la suerte que ha de correr un libro como el *Espejo de caballerías:*

> —Ya conozco a su merced —dijo el Cura—. Ahí anda el señor Reinaldos de Montalbán con sus amigos y compañeros, más ladrones que Caco, y los doce Pares, con el verdadero historiador Turpín; y en verdad que estoy por condenarlos no más que a destierro perpetuo, siquiera porque tienen parte de la invención del famoso Mateo Boyardo, de donde también tejió su tela el cristiano poeta Ludovico Ariosto; al cual, si aquí le hallo, y que habla en otra lengua que la suya, no le guardaré respeto alguno; pero si habla en su idioma, le pondré sobre mi cabeza (1, 6).

Y un poco más abajo:

> Digo, en efeto, que este libro, y todos los que se hallaren que tratan destas cosas de Francia, se echen y depositen en un pozo seco, hasta que con más acuerdo se vea lo que se ha de

---

indiferente, relativista y desentendido de cuanto no sea el puro juego de su arte, es también base inconmovible de la brillante interpretación del De Sanctis.

> hacer dellos, ecetuando a un *Bernardo del Carpio* que anda por ahí, y a otro llamado *Roncesvalles;* que éstos, en llegando a mis manos, han de estar en las del Ama, y dellas en las del fuego, sin remisión alguna.

La burla cervantina apunta a denunciar un tejido de incongruencias estéticas (los paladines ladrones, sujetos a un tratamiento *serio)* superpuesto al de las pueriles falsedades históricas de la crónica de Turpín. Pero el juicio es claramente bifronte: si la vecindad con Boiardo y Ariosto intercede para salvar de las merecidas llamas a todas estas «cosas de Francia» (por contraste con la suerte reservada a ciertas mitologías patrioteras), también es preciso deducir, del otro lado, que aquellos excelsos poetas no se mostraron muy linces al apropiárselas. La ambigua calificación dada a «el cristiano poeta Ludovico Ariosto» y que ha sido objeto de encontradas exégesis[91], se orienta, al menos, en acertada solfa, hacia ese fondo, tan suyo, de confusiones e indiferencias ideológicas.

La cuestión de la ironía ariostesca frente al arte del *Quijote* fue bravamente estudiada por Luigi Pirandello en un estudio de 1909 (fundamental, además, para comprender su teatro)[92], que parece haber pasado del todo desapercibido para los cervantistas. Según Pirandello, la ironía existe en el *Furioso* de una manera mucho más abierta y sutil que en Pulci y Boiardo, en quienes se bastardea con superficiales efectos de comicidad. El supuesto básico de la irrealidad de su mundo poético, el recurso, por ejemplo, a lo maravilloso fundado en la magia (en que, por supuesto, no cree), reque-

91 Bien en el sentido de un serio elogio, considerándolo como el más excelso poeta desde la Antigüedad (Cejador), o en el de un modo sarcástico de llamar la atención hacia su indiferencia religiosa (Castro). Véase la discusión de Chevalier, acompañada también del intento de hallar una tercera solución; *L'Arioste en Espagne*, págs. 447-448.

92 «L'ironia comica nella poesia cavalleresca», *Nuova Antologia*, vol. 138, 1908, págs. 421-437.

re la presencia de una sutil ironía difusa que le confiere la licitud estética de la única sinceridad que el autor puede ofrecer. La ironía rompe así bajo los gastados temas de abolengo medieval al serles instiladas lo que el gran dramaturgo llama «le ragioni del presente», esto es, el sentido racionalista de los nuevos tiempos y la consideración de la vida dentro de sus meras posibilidades naturales, límites siempre rehuidos por la leyenda y por la obra de los cantores épicos populares. Dicho contraste de viejo y nuevo no es, sin embargo, puesto de relieve ni llevado a sus últimas consecuencias porque se desea que funcione en un plano *irónico*, es decir, «senza dramma», no en un plano *humorístico*, que es cosa diversa y sumamente seria. Esa voluntad de ironía no persigue sino elegantes efectos de levedad, de refinada insinuación, y se cierra, en cambio, a toda técnica que pretenda fundir lo trágico y lo cómico, paso trascendental que ha de ir respaldado por una búsqueda de valores literarios de orden muy distinto. Trágico y cómico

> se fundirán en una obra en la cual el poeta se halla muy lejos de mostrarse consciente de la irrealidad de aquel mundo fantástico; muy lejos de mostrar de tantas maneras la conciencia de aquella irrealidad y de armonizarla con ese mundo por vía que sólo puede ser irónica; muy lejos de trasladar a aquel mundo fantástico las razones del presente para acoplarlas con los elementos capaces de acogerlas; por el contrario, dará a ese mundo fantástico del pasado consistencia de persona viva, cuerpo, y lo llamará don Quijote, y le meterá en la cabeza y dará por alma todas aquellas patrañas y lo pondrá en conflicto, en choque continuo y doloroso con el presente. Doloroso porque el poeta sentirá viva y verdadera, dentro de sí, a esta criatura suya y sufrirá con ella sus luchas y sus golpes [93].

---

93 *Ibid.*, pág. 432 (traducción del autor).

Quienes busquen contactos y semejanzas entre Ariosto y Cervantes deberían pararse a considerar las actitudes básicas de cada uno. Don Quijote no *finge* creer, como Ariosto y sus personajes, en el mundo encantado de las leyendas caballerescas. Don Quijote cree *en serio,* lo lleva dentro de sí y deriva de él la razón de su existencia. Ariosto se pierde adrede en la leyenda, pero don Quijote, que la tiene en el centro de su alma, se pierde, en cambio, en un mundo real. Ariosto busca la realidad en la leyenda, mientras que Cervantes busca la leyenda en la realidad. Y aunque en él la realidad se deje transformar momentáneamente por la fantasía alucinada de un loco, no por ello deja de estar siempre ahí para reclamar sus derechos. Los paladines de Ariosto acometen palacios encantados que en el momento supremo se desvanecen en humo, pero don Quijote se rompe la crisma al embestir contra la pétrea realidad de los molinos de viento. Ariosto y Cervantes van buscando la risa, pero en un caso se trata de la risa de la ironía cómica y en otro de la risa del humorismo. Cuando Orlando choca violentamente con la realidad y enloquece, emerge sólo la tragedia y en modo alguno podemos ni aun pensar en reírnos de sus furores [94]. Orlando se desnuda en el momento de su locura, que es el del más puro orden libresco, mientras que don Quijote se reviste de sus pobres armas mohosas, significativas de una comunión vital con la leyenda que, del modo más irremediable, le impulsará hacia el sublime ridículo de sus tragicómicas aventuras.

Pirandello pone, pues, el dedo en la llaga del problema crítico: Ariosto y Cervantes son poetas sumamente dispares,

---

94 Cesareo, «Il sorriso dell'Ariosto», pág. 41. A. Momigliano emplea expresiones como «melancolía tétrica», «historia angustiosa», «sinfonía trágica», para expresar el cariz del momento en que, con la locura de Orlando, el poema se transforma en algo enteramente distinto; *Saggio su l'Orlando furioso,* quinta edizione, Bari, 1959, págs. 93-94.

con trasfondos, herencias y nortes de estética literaria tan diversos que la comparación entre ambos sólo es ilustradora por el lado de sus divergencias y, sobre todo, como punto de partida para entender qué es y qué no es esa radical modernidad que llamamos «humorismo». Ya es bastante, pero se precisa anotar, a mayor abundamiento, el peso del trabajo de ambos en las más alejadas fórmulas técnicas: Ariosto tratando de superar, coronándola, toda la tradición épica medieval, y Cervantes echando los cimientos de la novela, es decir, el poema en prosa característico de la modernidad literaria, desconocido de la Antigüedad y de la Edad Media. Proyectado éste hacia el futuro y puesto el otro a legarnos no una obra vuelta hacia el ayer, pero sí la más arquetípica del *hoy* de su siglo y de su lengua [95]. Hablar de una «influencia» de Ariosto sobre Cervantes apenas si tiene, pues, ningún sentido profundo, sobre todo en relación con alguna comunidad de fórmulas técnicas, que es lo que en este momento nos interesa más y cuya investigación no se ha mostrado tampoco alentadora [96]. Adviértase cuán difícilmente podría

[95] Momigliano, *ibid.*, pág. 292.

[96] Un notable esfuerzo en este sentido realiza M. Chevalier *(L'Arioste en Espagne,* págs. 461-491), tras haber comprobado el escaso aprovechamiento por Cervantes del material temático ariostesco. Cervantes aprendería así en el *Orlando furioso* su forma de anudar, suspender y entrecruzar la línea narrativa; allí mismo se anota, sin embargo, cómo técnicas similares se hallan también en el *Amadís,* Ercilla y el romancero; sobre todo, el estudio, en gran parte paralelo, de R. S. Willis *(The Phantom Chapters of the Quijote,* New York, 1953) no tenido en cuenta por Chevalier, resulta irrebatible en cuanto a mostrar lo innovador en este punto de la técnica cervantina, enraizada, en todo caso, en precedentes ofrecidos por los libros de caballerías y para cuya aclaración rara vez se hace necesario recurrir para nada a Ariosto. Chevalier reconstruye con acierto la sostenida burla cervantina hacia las pretensiones de rigurosa historicidad preceptuadas por la crítica oficial de su tiempo, pero exagera cuando deduce de algunas apostillas irónicas del poeta italiano, nada menos que «Cervantès s'est encore inspiré de l'exemple ariostéen quand il a ima-

ser de otra manera, dado lo poco que las estructuras del poema culto tenían que ofrecer para el desarrollo de la forma *novela.* No tenemos sino que pararnos a considerar la manifiesta simpleza de los poemas italianos en cuanto a medios de narración, subordinados, por lo pronto, a la ley de la octava rima: compromiso de construir un momento poético delimitado por ocho facetas exactas y tajantes como las de una piedra preciosa, y a la vez sistema de relaciones condenado por lógica geométrica a no poder integrar sino una serie como de estampas dispuestas en serie lineal, que en vano se pretende aligerar con saltos y empalmes bruscos del relato. Acumulación de estrofas donde cada una de ellas equivale a un recuadro, muy a la manera de nuestras actuales historietas gráficas o *tebeos*. El poema épico culto es, si se va a ver, eso mismo, una especie de *tebeo* poético incluso cuando, como en el caso del *Furioso,* se trate de un *tebeo* para poetas. Para la inmensa minoría de los poetas *puros* [97].

---

giné le personnage de Cide Hamete Benengeli» (pág. 463). Los toques de calculado prosaísmo quedarían relacionados, asimismo, con ciertas ironías de Ariosto (Astolfo viaja de día en el raudo hipogrifo encantado y se detiene a pernoctar en cómodas hosterías), pero es preciso insistir aquí en el carácter *humorístico* y no *irónico* de la mayoría de dichos toques cervantinos, logrados con frecuencia por manejo de lenguaje calculadamente prosaico o rafez, procedimiento totalmente desconocido para Ariosto y que tiene, como sabemos, claros precursores españoles. Exagerada nos parece también la idea de presentar a Cervantes y Ariosto hermanados en el injusto olvido de los narradores barrocos, después que «Cervantès avait montré comment le *Roland furieux,* à une époque où sa matière viellissait, pouvait offrir un modèle de récit et marquer de son empreinte la forme du roman» (pág. 491).

97 No ocurría lo mismo con los de gustos no tan depurados. Recuérdese la brutal interrogación de su señor (y no mecenas), el cardenal Ippolito d'Este: «O messer Ludovico, e dove le avete trovate tante coglionerie?»; Bacchelli, «Orlando fatato e l'elmo di Mambrino», página 41.

Por ese lado Cervantes necesariamente había de apuntar más alto y más lejos. Todo induce a pensar que debió de leer aquellos poemas con un módulo de gustos ya modernos (los mismos que, en gran parte, le seguimos adeudando) y tuvo así que percatarse de sus relativas insuficiencias. Quién sabe si llegaría a pensar, como tantos lectores de hoy, que Pulci, Boiardo e incluso, en cierto modo, Ariosto son poetas superiores a sus obras.

CERVANTES, FOLENGO Y LA TRADICIÓN CABALLERESCA

La posibilidad de una relación de conjunto entre Folengo y Cervantes, nunca estudiada ni siquiera tenida en cuenta por los cervantistas españoles [98], no ha pasado desapercibida para los críticos italianos. Si se parte de la idea de que en el *Baldus* se realiza una decidida parodia cómica del tema caballeresco según su más tardía formulación medieval, se comprende bien el apresuramiento de algunos estudiosos en reclamar para la literatura italiana una primacía básica en la génesis del *Quijote*. La obra de Cervantes quedaría entonces tanto mejor adscrita al espíritu del Renacimiento en la península hermana, por coronar gloriosamente un ciclo literario iniciado en la Florencia medícea con Pulci y en la Universidad de Padua con los poetas macarrónicos.

La primera llamada de atención a tan prometedora encuesta corrió a cargo de B. Zumbini, en un breve estudio de

[98] Sólo sabemos de un juicio negativo, emitido en término general por M. de Riquer: «En cambio las similitudes que más de una vez se han señalado entre el *Quijote* y el *Orlando furioso* de Ariosto y el *Baldo* de Merlín Cocayo no entran en la línea literaria de la novela de Cervantes de suerte que se les pueda otorgar la categoría de precedentes»; *Aproximación al Quijote*, pág. 184.

1894 titulado *Il Folengo precursore del Cervantes*[99]. Se resalta allí la medida en que el *Baldus* pueda ser «alegre parodia» y cómo, al igual que el *Quijote,* tiene por protagonista un demente, puesto que Baldo «verdaderamente es también un loco». Más aún, tanto uno como otro, deben su locura al delirio producido por la lectura de demasiadas historias caballerescas, de las que tanto Cervantes con su ingenioso hidalgo como Folengo con su desaforado Baldo hacen declarada sátira. Argumento fundamental, y casi único, de Zumbini es el texto en que se relata la honda impresión causada en el niño Baldo por frecuentar tantos poemas y leyendas caballerescas:

> Orlandi tantum gradant, et gesta Rinaldi,
> namque animum guerris faciebat talibus altum.
> Legerat Ancroiam, Tribisondam, facta Danesi,
> Antonnaeque Bovum, Antiforra, Realia Franzae,

---

99 En *Studi di letteratura italiana;* hemos manejado la segunda edición (Firenze, 1906). Se adelantó a Zumbini, aunque sólo en lo prometedor del título, G. Tancredi con su confuso libro *La materia e le fonti del poema maccheronico di Teofilo Folengo corredate di riscontri con le produzioni straniere di F. Rabelais e M. Cervantes,* Nápoli, 1891. Sigue, de hecho, a Zumbini, Garrone en «L'*Orlando furioso* come fonte del *Quijote*». Se refiere vagamente a la presencia de préstamos de Folengo en Cervantes, L. Thuasne, *Études sur Rabelais,* página 169. Para G. Liparini, en su edición de Merlin Cocai *(Macaronicae,* Modena, 1925) tanto Cervantes como Rabelais han imitado claramente a Folengo y, en cuanto sátiras de la caballería, Baldo y don Quijote son «hermanos o, por lo menos, primos» (pág. XIII). El conocimiento de las «obras satíricas» de Folengo por Rabelais y Cervantes queda afirmado en el artículo sobre el vate macarrónico en el *Dictionary of the Renaissance,* edited by Frederick M. Schweitzer and Harry E. Wedeck, Philosophical Library, New York, 1967. No menciona, en cambio, a Folengo, A. Popescu-Telega, *Cervantes şi Italia. Studiu de literaturi comparate,* Craiova, 1931. Agradecemos a G. Billanovich y al Prof. Francisco Rico la noticia de la inminente publicación póstuma del libro de L. Messedaglia, *Vita e costume della Rinascenza in Merlin Cocai* (Antenore, Padova), que incluye un estudio acerca de Folengo en España y especialmente en Cervantes.

innamoramentum Carlonis, et Asperamontem,
Spagnam, Altobellum, Morgantis bella gigantis,
Meschinique provas, et qui Cavalerius Orsae
dicitur, et nulla cecinit qui laude Leandram.
Vidit ut Angelicam sapiens Orlandus amavit,
utque caminavit nudo cum corpore mattus,
utque retro mortam tirabat ubique cavallam,
utque asinum legnis caricatum calce ferivit,
illeque per coelum veluti cornacchia volavit.
Baldus in his factis nimium stigatur ad arma,
sed tantum quod sit picolettus corpore tristat.
Attamen armiculam portat gallone tacatam,
qua facit ad signum molesinos stare bravazzos.
Terribilis nunquam quid sit scoriada provabat,
spezzabatque libris tavolas, testasque pedantis.
(III, 102-120)

[Le encantan las aventuras de Orlando y de Rinaldo, y exaltaba su ánimo con aquellas batallas. Había leído *Ancroia*, *Tribisonda*, la *Gesta del Danés*, *Bovón de Antona*, *Antiforra*, los *Reali di Francia*, el *Enamoramiento de Carlos* y el *Aspramonte*, *España*, el *Altobello*, las guerras del gigante Morgante, los trabajos de *Guerrín Meschino* y el que llaman *El caballero de la Osa*, y el que sin lisonja cantó a Leandra [100]. Vio cómo el sabio Orlando amó a Angélica hasta enloquecer y caminar con el cuerpo desnudo e ir por todas partes arrastrando una yegua muerta y dar un puntapié a un asno cargado de leña, que lo echó a volar por el cielo como si fuera una corneja. Baldo se siente fuertemente inclinado a las armas por estas hazañas, pero se entristece de ser todavía tan pequeñín de cuerpo. Y sin embargo se ciñe al costado un puñal, con el que le basta hacer un gesto para que se le amedrenten los bravucones. Y por ello nunca supo qué cosa fuera el terrible zurriago, y destrozaba a librazos lo mismo las bancas que las cabezas de los maestros [101].]

[100] Se está refiriendo a *Leandra innamorata*, Venecia, 1508, del rimador Durante da Gualdo.

[101] El fragmento citado por Zumbini, procedente de una versión que no es la Vigaso Cocaio, difiere algo del que aquí citamos. Usamos esta libertad debido a que el texto de la Vigaso Cocaio es hoy el úni-

La crítica de Zumbini parte, pues, de postular que el *Baldus* sea primordialmente una parodia de la tardía épica medieval y el *Quijote* una sátira de las prolijas ficciones caballerescas, es decir, dos abstracciones difíciles de mantener hoy en día. Zumbini hace todo su hincapié en la causa idéntica de ambas locuras por sugestión malsana de las leyendas caballerescas, viendo reforzado el paralelo por la mención de Morgante y Reinaldos de Montalbán entre los héroes favoritos de don Quijote (1, 1 y 6). Pero es preciso decir que se trata de una interpretación superficial y por varios caminos inexacta. En primer lugar, porque Baldo no está loco ni actúa nunca como tal. Según ha sido ya observado [102], Baldo no sólo no es ningún orate, sino que su principal defecto como entidad literaria consiste en proceder con demasiada cordura en su fría y abstracta lucha contra las fuerzas del Mal, bien arropado, cabría añadir, por la eficaz y siempre vigilante protección del buen mago Serapho. La figura de Baldo no es el retrato de un héroe desequilibrado, sino el aborto de un personaje absurdo, triste y vacío, salido así de la mano inexperta de un autor que pinta con brocha gorda por no vislumbrar todavía el arte moderno de la caracterización sicológica.

Lo decisivo, sin embargo, es que las lecturas caballerescas no tienen tampoco el alcance y valor que se les supone en la susodicha teoría. Baldo no queda afectado por las hazañas que lee en su niñez más que en el sentido de que éstas facilitan el aflorar de los instintos caballerescos heredados de sus nobles progenitores, los mismos que desde el primer día le hacen diferenciarse de los chicos de campesinos entre los que se cría y a quienes somete a fuerza de

co fácilmente asequible (edición Luzio) y también por resultar, con su claridad y detalle, aún más favorable a la tesis de Zumbini.

102 F. Salsano, *La poesia di Teofilo Folengo*, pág. 122.

puños y pedradas. Baldo, no lo olvidemos, es el tipo de héroe predestinado característico de la más pura literatura caballeresca [103], y por eso quiere romper a hablar en el momento mismo de nacer, no llora cuando se hace algún chichón y aprende por instinto a jugar la espada y gobernar el caballo. Sus experiencias de lector sólo completan, con alguna exageración cómica, el esquema convencional del heroísmo infantil del paladín predestinado, según el mismo ejemplo conspicuo de nuestro *Amadís de Gaula* [104]. Folengo, por lo demás, no tiene palabra menos que respetuosa para la literatura caballeresca: su Rinaldo sigue encaramado en su nicho de héroe máximo, pero Cervantes no ve en él más que un capitán de bandoleros «más ladrones que Caco» (1, 6). Para

---

[103] El caso de un niño de noble estirpe criado, por diversos azares, en un medio no caballeresco (campesino o burgués), pero que permanece fiel a las inclinaciones guerreras de su sangre, es una de las situaciones más típicas de las gestas francesas del tipo *Enfances* o *Mocedades;* L. Gautier, *Chivalry,* Barnes and Noble, Nueva York, 1966, pág. 93. El caso de Baldo, que manifiesta su temple heroico desde el instante mismo de su nacimiento, no responde a ninguna exageración paródica ni festiva, pues resulta enteramente paralelo al caso del propio Roland en sus *Enfances; ibid.,* pág. 92. La afinidad de estos tipos seudoinfantiles con el *topos* del *puer senex,* estudiado por Curtius, ha sido señalada por Frappier, *Les chansons de geste du cycle de Guillaume d'Orange,* I, pág. 176. El niño Amadís muestra también su ánimo esforzado al enfrentarse gallardamente con un doncel más crecido, en defensa de su supuesto hermano Gandalín *(Amadís de Gaula,* I, c. II). La predestinación heroica se manifiesta otras veces *(Renier)* mediante artificios tan mecánicos como la marca de una cruz bermeja en el hombro; Runeberg, *Études sur la geste Rainouart,* página 64.

[104] El hermano de Amadís, don Galaor, raptado por el gigante Gandalás, es dado a criar a un buen ermitaño que no descuida el fomento de sus inclinaciones de casta con abundantes lecturas caballerescas: «Y siempre leýa en unos libros que el buen hombre le daua de los fechos antiguos que los caualleros en armas passaron; de manera que quasi con aquello como con lo natural con que nasciera fue mouido a gran deseo de ser cauallero» (I, c. V, pág. 54).

el monje italiano (como para Pulci y Boiardo) la realidad de los nobles salteadores de caminos constituye un dato sociológico plenamente aceptado en cuanto tal; para Cervantes se trata de una magna incongruencia literaria. Al catalogar toda la épica italiana para resaltar la juvenil inclinación de Baldo, no se afirma que tales poemazos le resultaran perjudiciales en modo alguno, sino todo lo contrario, de acuerdo con la vieja pedagogía que veía en las gestas un instrumento valioso para la mejor formación del caballero [105]. La lenta combustión del cerebro de Alonso Quijano bajo la continua lectura de Amadises, Palmerines y Morgantes es cosa totalmente diversa y que nada tiene que ver con Folengo.

No cabe eludir por más tiempo la necesidad de una reflexión serena sobre el problema de la parodia caballeresca, tanto en el *Baldus* como en el caso de sus cercanos parientes, los poemas de la épica culta italiana. *Parodia* es, en primer término, un concepto literario complejo e implicador de una deliberada rebeldía contra los convencionalismos de un género [106] y no se da sin distanciamiento tácito de la axiología

---

105 Baste recordar el testimonio de las *Partidas:* «Cómo ante los caballeros deben leer las hestorias de los grandes fechos de armas cuando comieren» (Partida II, Título XXI, Ley XX). El desarrollo doctrinal es bien explícito: «E allí do no habíen tales escripturas facíenselo retraer a los caballeros buenos et ancianos que se en ello acertaron: et sin todo esto aun facíen más que los juglares non dixiesen antellos otros cantares sinon de gesta, o que fablasen de fecho darmas. Et eso mesmo facíen que quando no podiesen dormir, cada uno en su posada se facíe leer et retraer estas cosas sobredichas: et esto era porque oyéndolas les crescían los corazones, et esforzábanse faciendo bien queriendo llegar a lo que los otros fecieran o pasara por ellos».

106 U. Weisstein, «Parody, Travesty, and Burlesque: Imitation with a Vengeance», *Actes du IVe Congrès de l'Association Internationale de Littérature Comparée,* The Hague-Paris, 1966, II, págs. 802-811. T. Shlonski, «Literary Parody. Remarks on its Method and Function», *ibid.,* II, págs. 797-801.

peculiar de éste. En el campo que nos ocupa, muchos críticos han procedido con ligereza al hablar de *parodia* tan pronto como han visto aparecer elementos cómicos en el *Baldus* o en el poema épico. Se olvida así que hasta las gestas medievales más puras contenían, cierto es que con parquedad, algún que otro elemento cómico [107], por lo común basado en risibles infracciones del código caballeresco en materia de indumentaria, armamento, modales y, sobre todo, asomos de cobardía [108] como los de los infantes de Carrión

[107] J. Bédier, *Les fabliaux*, quatrième édition, París, 1925, pág. 372. Para el elemento cómico de la épica, dentro de las ideas medievales sobre la risa en la literatura, véase Curtius, *European Literature and the Latin Middle Ages*, págs. 429 y sigs.

[108] La comicidad de las gestas se basa en la transgresión de las costumbres establecidas en materia de buena crianza (comida, bebida, etc.). Con frecuencia se presenta como risible el uso de armas toscas o inadecuadas, el pelear con cuanto no sean lanza y espada, o a puñetazos. El héroe de *Aiol* suscita la hilaridad de cuantos lo ven cubierto con una armadura mohosa y cabalgando un mal jaco; N. Susskind, «Guerri's Leg of Venison: Tragic and Comic in the *Chansons de geste*», en *Romances Notes*, n. 1, I, 1959, págs. 65-68. Se trata, pues, de una comicidad típicamente correctiva y puesta al servicio de los valores fundamentales de la jerarquizada sociedad feudal, y de ahí su culminación en el ridículo de la cobardía y de los débiles; R. N. Walpole, «Humor and People in Twelfth Century France», *Romance Philology*, XI, 1958, págs. 210-225. Excelente visión de la comicidad de las gestas, sobre todo en su antipatía hacia los estamentos y estilos de vida no nobiliarios (labradores, burgueses, clérigos), en el capítulo «Comedy» *(Gaydon)* de W. Calin, *The Epic Quest. Studies in Four Old French Chansons de Geste*, Johns Hopkins Press, Baltimore, 1966, páginas 118 y sigs. Adviértase cómo nos encontramos ante uno de los niveles de comicidad más visibles en el *Quijote:* el hidalgo pueblerino cargado de años, con armas y cabalgadura patéticamente inadecuadas, víctima de infinitos villanos estacazos, revolcado por toros, cerdos, etcétera. Como intensificaciones temáticas de la comicidad de las armas cabría mencionar el propósito de don Quijote de usar una maza desgajada de un árbol (resuelto después en el uso de un lanzón o lanza corta) tras la aventura de los molinos de viento (1, 8), así como los apuros del hidalgo por procurarse una celada de encaje, empresa simbólica de la progresiva carestía del armamento que se ha formu-

en nuestro austero *Cantar de mio Çid*. El mismo siglo XII conoce ya las gestas de acento cómico (la escatológica *Audigier* y el ciclo de Rainouart, sin ir más lejos). El heroísmo burlesco del gigantazo alternaba sin dificultad con el de los paladines carolingios, pues, como observa Frappier [109], la estética medieval estaba precisamente hecha a medida para la mezcla de tonos y la superación de contrastes. Hasta un tipo caballeresco tan alto como Guillermo, «au court nez», se humaniza con su jocundidad, su valentía despreocupada y su nariz porruda [110]. El proceso de decadencia de la épica medieval (crecimiento vicioso de elementos secundarios a costa de los esenciales) empuja el elemento cómico en la dirección del *fabliau*, lo mismo que el amoroso se desliza hacia el *roman courtois*. La amplia captación de la gran literatura por formas de comicidad relegadas anteriormente a manifestaciones genéricas de segunda fila es una de las características más visibles del ocaso medieval [111], y con dicho proceso empalman a su modo los poemas italianos y, conspicuamente, el *Baldus*. Sin tradición épica propia, hijuela de tardíos y ya decadentes ciclos franceses, era natural que la literatura italiana acusara mucho la impronta de dicho proceso [112]. Es, más o menos, lo dicho por Pirandello con otras agudas palabras: si en Francia la caballería termina por no

---

lado como clave de la ruina del estado de caballeros; S. Painter, *French Chivalry*, fifth printing, Cornell University Press, Ithaca, 1964, páginas 22-23. La comicidad de los atentados al decoro establecido se halla también muy presente, pero por lo común invertida por exceso: don Quijote trata a las mozas del partido como si fueran nobles damas, a los cabreros como un senado de filósofos, etc., y no al contrario.

109 *Les chansons de geste du cycle de Guillaume d'Orange*, pág. 220.

110 Frappier, *ibid.*, pág. 94.

111 Bakhtin, *Rabelais and his World*, pág. 97.

112 De Sanctis, *Storia della letteratura italiana*, II, pág. 513. F. Fòffano, *Il poema cavalleresco*, Milano, 1904, pág 206.

inspirar demasiado respeto, mucho más había de resultar risible en Italia [113].

Vista desde esta perspectiva, la veta de comicidad que pueda existir en Pulci, Boiardo, Ariosto e incluso Folengo, pierde su novedad y no puede interpretarse como rasgo *per se* moderno ni revolucionario. En cuanto a la presencia de auténtica intención *paródica* en estos poetas, se trata de una tesis que en modo alguno puede ser sostenida a la ligera: bástenos recordar la babilónica confusión y discrepancias de los críticos italianos acerca de este punto. Ahora bien, si alguno de aquellos autores puede dar pie para que se le suponga una intención paródica de la literatura caballeresca, ese sería en todo caso Folengo, con mucha ventaja sobre los demás.

Afirmaciones en tal sentido abundan, desde luego, en la bibliografía de Folengo desde el De Sanctis para acá, al lado de otras negativas, dudosas o cautamente matizadas [114]. Inves-

113 «L'ironia comica nella poesia cavalleresca», pág. 421.

114 De Sanctis precede en señalar la parodia de la caballería (una parodia, sin embargo, «alegre») como dimensión esencial de la obra de Folengo; *Storia della letteratura italiana,* II, págs. 544-545. Partidario decidido de la misma idea es F. Fòffano, que la extiende a casi toda la épica italiana del XVI; sus razones son bastante dogmáticas en el caso del *Baldus,* donde, además de la parodia caballeresca, se hace sátira de la vida burguesa (Cipada-Mantua) y, en los libros finales, una parodia particular de Dante; *Il poema cavalleresco,* c. IV, págs. 206 y sigs. Para V. Cian el *Baldus* constituye el «primer ejemplo» de un poema satírico bajo la apariencia de una «gran parodia» de la epopeya caballeresca; *La sàtira,* seconda edizione, Milano, s. f., II, pág. 64. Corresponde a C. Cordié el más cuidado intento de presentar toda la estructura del *Baldus* como subordinada a la idea paródica; dicha parodia no se limita, sin embargo, a los relatos y libros caballerescos, pues se extiende también a todas las creencias y aspiraciones de la sociedad y cultura de su época; todo ello alterna también con pasajes totalmente nobles, como la muerte del casto caballero Leonardo; sobre las ruinas de lo caballeresco se alza así «un poema del mundo moderno» llamado a alcanzar con *Pantagruel,* y más aún con el *Quijote,* un nivel de obras maestras; «Sulle compagine del *Baldus*», págs. 509-

tigada de cerca, la idea de la parodia caballeresca sólo pone de manifiesto su escaso fundamento. La mención de los libros leídos por Baldo carece, según hemos visto, de todo alcance en cuanto signo de ningún propósito paródico ni satírico. Se reconoce, sí, en el *Baldus* mucha destilación de literatura; pero no sólo la materia caballeresca medieval, sino también la *Eneida,* Dante y la novísima épica culta, asimilado todo ello no a la manera abierta del poeta, sino a base de la más rígida disciplina escolar.

548. Según E. Bonora, Folengo se orienta hacia la caricatura del poema heroico y de las aventuras de paladines, separándose en forma y espíritu de la poesía caballeresca del Renacimiento; la historia de Baldo, héroe triste y desdichado, no es, con todo, una irrisión del mundo caballeresco; *Le Maccheronee di Teofilo Folengo,* págs. 27, 155, 158. Cabe anotar también una serie paralela de juicios críticos en sentido adverso, y así F. Biondolillo insiste en la intrascendencia de la comicidad del *Baldus,* que ni es ni deja de ser una parodia del mundo caballeresco y de los poemas clásicos; *La Macaronea di Merlin Cocai,* Palermo, 1911, pág. 217. T. Parodi observa que los personajes del *Baldus* no satirizan la caballería, sino la supuesta degeneración de ésta en la realidad semiburguesa de su tiempo; «Teófilo Folengo», página 69. En un breve pero sustancioso estudio, B. Croce confiesa su escepticismo acerca de la imagen de Folengo como un espíritu profundo, enemigo de la anacrónica idea caballeresca e interesado por contraste en la vida rústica (de la cual, como sabemos, hace todo lo contrario de una apología); «Le *Macaronee* del Folengo e la critica moderna», pág. 162. La intención paródica del *Baldus* es objeto de un sobrio análisis por parte de F. Salsano; aunque la ocurrencia de enfrentar al hijo del paladín con la realidad burguesa de su tiempo es original y brillante, persigue la burla del pueblo de la manera más negativa y despiadada; cuanto en él pueda haber de parodia, es sólo un arrastre superficial de la conocida degeneración de toda la materia épica italiana, sin que sea posible aceptar en esto las ideas de Fòffano y de Zumbini; la lejanía respecto a Cervantes es «kilométrica» y no cabe establecer la menor afinidad significativa entre ambos autores; *La poesia di Teofilo Folengo,* págs. 48, 87, 115-134. R. Ramat advierte cómo la adhesión de Folengo al más inflexible y tradicional individualismo caballeresco llega a revestir rasgos de caricatura en la tiesa ejemplaridad del Baldo de los últimos libros; «Il *Baldus,* poema dell'anarchia», pág. 10.

Héroes burlescos como Rainouart no tenían nada de paródicos, y eran seriamente enaltecidos en cuanto venían a confirmar por su puerta falsa la más pura axiología feudal. Como vimos a través de su concepto del héroe predestinado, los paradigmas de la literatura caballeresca son fundamentales, claramente reconocibles en Folengo, y hasta una situación que a primera vista se antoja estrafalaria, como el amparo del labrador Berto a la princesa Baldovina y a Baldo, reproduce exactamente la inicial de la gesta *Macaire* (s. XIII). Dichos paradigmas pueden servirle como vehículos de burlas, pero nunca representan el objetivo o blanco a que éstas apuntan. Folengo respeta la caballería con los escrúpulos del gran conservador que es allá en el fondo de su alma [115]. Al morir el venerable anciano Guido, se desencade-

[115] Desde el principio (De Sanctis) ha existido la tendencia a considerar a Folengo como un espíritu cáustico y rebelde, contaminado de ideas erasmistas y filoluteranas, según se manifiestan sobre todo en la versión Cipadense del *Baldus*. Dicha idea recibió un duro golpe en 1948 con el valioso estudio de Billanovich *Tra don Teolifo Folengo e Merlin Cocaio*, en el cual se llama la atención hacia una serie de hechos biográficos significativos: los seis hermanos de Teófilo fueron frailes o religiosas, lo cual atestigua el ambiente piadoso de su medio familiar; la nueva documentación acredita de patrañas deliberadamente fomentadas por Folengo las noticias acerca de haber llevado una vida disipada antes de entrar en el claustro a los dieciséis años; hacia 1525 abandona el convento de Santa Eufemia de Brescia en compañía de un hermano suyo, por incompatibilidad con el abad Squarcialupi, cuya facción los acusa de malversación de fondos, no de herejía. En 1530 ambos hermanos solicitan ser readmitidos en la orden, gracia que se les concede bajo penitencia de hacer tres años de vida eremítica; hasta su muerte en 1544, Teófilo Folengo llevó una vida monástica ejemplar, en monasterios reformados y severos que no parecen el medio idóneo para un heterodoxo; más aún, la personalidad de Folengo es la del fraile rígido y puritano en que se anticipan ya las cerrazones de la Contrarreforma. Rechazan también las inclinaciones heréticas de Folengo, Croce («Le *Macaronee* del Folengo e la critica moderna», pág. 162) y Salsano, que considera materia mostrenca los elogios y algún que otro eco de Erasmo (*La poesia di Teofilo Folengo*, págs. 188-189). Partidario decidido de la heterodoxia

na un terremoto y Baldo penetra en una estancia donde halla a todos los héroes del pasado, desde Héctor hasta Fernando Gonzaga (sin olvidar a Lanzarote y a Tristán), dando guardia de honor a la recién llegada sombra de su padre; se trata de una escena cuya fuerte sugerencia de literatura bretona se refuerza al aparecer el sabio Serapho, que hace sentarse a Baldo entre Guido y el admirable Sordello (l. XVIII).

Antes de relatar la definitiva pelea de Baldo y Cingar con la canalla mantuana, efectúa Folengo un relevo de sus fieles musas macarrónicas para que le ayuden a celebrar con fresca inspiración las hazañas de un héroe comparable a Héctor, a Orlando y a Sansón:

> unde valenthomi celebranda est forza baronis,
> quo non Hectorior, quo non Orlandior et quo
> non tulit in spalla portas Sansonior alter.
>
> (XI, 19-21)

---

de Folengo es C. S. Goffis en «Teofilo Folengo», *Studi di storia e di poesia*, Torino, 1934; *La poesia del Baldus*, Génova, 1950, y, sobre todo, en su respuesta a Billanovich, *L'eterodossia dei fratelli Folengo*, Génova, s. f., cuyos argumentos proceden en su mayoría del examen de las obras de uno de los hermanos de Teófilo. Mayor interés revisten los nuevos datos que le muestran en inmediata cercanía al reformador valdesiano don Benedetto de Mantua e identifican en la obra de Folengo algunos reflejos de su doctrina del «beneficio de Cristo»; E. Menegazzo, «Contributo alla biografia di Teofilo Folengo», *Italia Medioevale e Umanistica*, II, 1959, págs. 367-408. Los partidarios de la heterodoxia de Folengo, acertados en el examen de los textos, equivocan su interpretación dentro del ambiente espiritual de la Italia pretridentina, cuando reinaba marcada confusión acerca de puntos doctrinales aún indecisos y cardenales y otros miembros del alto clero seguían de la mejor fe las doctrinas valdesianas. Llegó, desde luego, un momento en que la obra de Folengo fue objeto de sospechas, y así fue incluida entre los libros prohibidos de segunda clase, «donec expurgatio prodeat», en el índice romano de 1620, a pesar de los esfuerzos en contrario de los embajadores de Mantua junto al Pontífice; A. Luzio, «Guerre di frati. (Episodi folenghiani)», *Raccolta di studi critici dedicata ad Alessandro d'Ancona*, Firenze, 1901, pág. 441.

[Celebremos la fuerza de un valiente caballero, pues no lo hubo más Héctor, más Orlando ni más Sansón, el que acarreó puertas sobre sus espaldas.]

Esta exageración del *Hectorior*, el *Orlandior* y el *Sansonior* haría reír al humanista sazonado, pero no refleja sombra ni descrédito alguno sobre la figura y heroísmos de Baldo. A lo largo del poema la caballería sólo sufre, y aun así en grado mínimo, del general e inevitable baño de prosaísmo implícito en el juego culto del tratamiento macarrónico [116]. El lector moderno se desconcierta por completo cuando, tras la lectura de los tres o cuatro primeros libros, advierte hallarse ante la paradoja de un poema que, aunque empedrado de carcajadas, trata a sus héroes con la mayor admiración, es decir, una experiencia similar a la de Cervantes con los paladines incongruos del *Espejo de caballerías.* Folengo continúa al servicio del más arcaico ideal de caballería cristiana según su encarnación por el mismo Baldo, caballero sin miedo y sin tacha que camina en línea recta hacia la santidad, lo mismo que algunos de sus tatarabuelos literarios [117]. Lo cual tampoco obsta para que nuestro autor, en una de sus magnas incongruencias, se harte de él por las buenas y lo abandone en un infierno contradictorio, puramente libresco, que no es de vivos ni de muertos, ni pagano ni cristiano.

Ciertamente existe en el *Baldus* una clara intención paródica con todas las de la ley, pero no se dirige hacia la caballería ni su literatura, sino hacia el saber humanístico por

116 Salsano, *La poesia di Teofilo Folengo,* pág. 126. Incluso la religión queda afectada en el mismo sentido; T. Parodi, «Teofilo Folengo», página 31.

117 Dante encuentra en el Paraíso a Guillermo y a «Rinoardo» (c. XVIII). Guillermo fue venerado como santo. Sobre la santificación de los héroes de las gestas en la iconografía medieval y su sentido, véase E. Mâle, *L'art religieux du XIIe siècle en France,* París, 1928, páginas 262 y sigs. y 307 y sigs.

Considerado desde la perspectiva del *Quijote*, el *Baldus* no hace sino poner de manifiesto las más hondas divergencias entre un mundo literario donde todo es vida y otro donde todo es cartón. Los resultados son los mismos cuando se desciende a analizar episodios paralelos, según tuvimos ocasión de ver al comparar el acento humano, la alegría y aseo de las bodas de Camacho con el gigantismo, la pringue y gula asquerosa del banquete carolingio en la epopeya macarrónica. Por todos lados que se miren, Folengo y Cervantes difieren entre sí como lo cóncavo y lo convexo. Es curioso cómo ambos coincidieron en verse relegados a actividades impropias, que los obligaron a vivir en roce diario con las artimañas y picardías de la gente campesina: Folengo, de *cellerario* o despensero de su convento de Brescia, y Cervantes, en el no menos prosaico oficio de comisario fiscal. Pero uno sólo saca de la experiencia odio y desprecio al labrador, mientras que el otro (superando, además, la tradición literaria del rústico prelopista) aprende a amarlo y a divertirse con sus debilidades. Folengo termina así con Zambello y Cervantes con Sancho Panza.

Con todo, la deuda material de Cervantes para con Folengo es, probablemente, mayor de lo que hacen suponer los paralelismos aislados que ya se anotaron. El *Baldus* es también una obra maestra que causaba honda impresión en los ingenios más despiertos y conocedores, como basta a probar su reconocida huella en la obra de Rabelais. Un notable parecido de Rabelais con Cervantes sería precisamente la importancia paralela que en el primero adquiere Panurgo y en el segundo Sancho Panza. Estamos en ambos casos ante una especie de rebelión del personaje secundario, que se alza ahora al primer plano y se planta poco a poco en el centro de la obra, dejando en penumbra al protagonista oficial. Pero no se olvide que esto ocurre de un modo paralelo con Cingar, que a partir del libro V [121] es tan importante o más que el propio Baldo, y resulta sin duda el personaje más logrado de todo el poema, el que permaneció más fijo en la memoria de todos. De nuevo se reconoce aquí la eficacia de una fuente común: la relación de Panurgo con Cingar es, como dijimos, innegable, y aunque Sancho se halle remoto de ambos (conserva, con todo, las notas de socarrón y mañoso), desempeña en el *Quijote* una función similar, que Cervantes debió de advertir también en el *Baldus* y que da paso en él a la gran innovación técnica del personaje dual.

La *chanson de geste* francesa crea en el siglo XII el tipo cómico de gigantón rústico, ignorante y prosaico que es eventualmente atraído a la profesión de las armas, en la que a fuerza de valor y tremendos cachiporrazos llega a eclipsar la fama y hazañas de los paladines «ortodoxos». En premio a su valor, este *vilain* acaba por ser aceptado en la clase feudal mediante armazón de caballería o mediante matrimonio, lo cual no es sino reconocimiento de su virtud y espíritu caballeresco, intensamente puro e interiorizado a pesar de las apariencias que lo ofuscan [122]. La revalorización de este viejo tipo de *vilain* a lo Rainouart constituye, como veíamos, el gran acierto de Pulci que sirve, a su vez, de base a la fórmula *Cingar-Baldo,* decisivamente refinada por Folengo.

---

121 Salsano, *La poesia di Teofilo Folengo,* pág. 57.

122 La figura o tipo del *vilain* fue estudiada ya por A. Hünerhoff, *Über die Komischen 'vilain'-figuren der Alt-französischen Chansons de Geste,* Marburgo, 1894. También H. Theodor, *Die Komischen Elemente der Alt-französischen Chansons de Geste,* págs. 20-38. Un análisis del 'vilain' en términos más modernos en W. Calin, *The Epic Quest,* páginas 121 y sigs.; Calin señala la presencia de dicho tipo en las gestas *Aliscans, Rainouard, Garin le Lorrain, Huon de Bordeaux, Gaydon, Macaire, Doon de Mayence, Gaufrey, Garin de Monglane, Beuve de Hamptone, Elie de Saint-Gille.* Sobre el *vilain* en el *roman courtois,* Ph. Ménard, *Le rire et le sourire dans le roman courtois en France au Moyen Âge,* Genève, 1969, págs. 168 sigs.

Morgante, Cingar, Frère Jean des Entommeures, Panurgo y hasta Sancho Panza se hallan, por lo que hacen a su función literaria, en la última avanzada de dicha línea. Tenemos aquí la clave que explica el celebrado proceso de «la quijotización de Sancho» [123], así como la completa solución del problema supuesto por el Ribaldo en *El cavallero Zifar*. El Ribaldo, prosaico y eficaz auxiliar del héroe, ingenioso y buena persona, que termina por ser armado bajo el nombre de Caballero Amigo y casar noblemente, no es (contra lo que habíamos supuesto) sino resonancia de un tipo épico francés. Cervantes, sin embargo, no necesitó conocerlo a través de aquel raro libro medieval, pues para eso lo hallaba (igual que Rabelais) perfectamente definido en la nueva épica italiana y, sobre todo, en el *Baldus*.

La medida en que el *Baldus* haya sido utilizado por Cervantes como cantera temática sólo podemos apreciarla de un modo aproximado, a través de unos cuantos casos de razonable probabilidad. Pero incluso el pasaje de las lecturas caballerescas de Baldo (carente, según vimos, del alcance que ha querido dársele) pudo haber sido recordado en la revista de los paladines y libros favoritos de Alonso Quijano (1, 1). Incluso las dos partes del *Quijote* tienen cierto parecido de conjunto con las dos mitades del *Baldo*, con una primera sección en que se juega el tema del conflicto material entre caballería y sociedad, y una segunda en que el héroe parece como perdido en un mundo misterioso y abundante en sorpresas, donde halla caballeros andantes y palacios encantados «reales».

Muy en primer término, hay en Folengo un amplio tema de base que continúa siendo también crucial en el *Quijote*. Se trata de la pugna de Baldo con la plebe campesina o bur-

123 S. de Madariaga, *Guía del lector del Quijote*, Madrid, 1926, páginas 151 sigs.

guesa de Cipada y Mantua que narran los once primeros libros del poema. Baldo y sus amigotes mantienen un forcejeo enconado con la vileza y estupidez de los destripaterrones, simbolizada, sobre todo, en Zambello, y la tiranía odiosa de los esbirros y magistrados que encarna el *praetor* Gaioffo. Estamos ante una guerra sin grandeza ni cuartel, en la que Baldo y su cuadrilla se muestran tan depravados y antipáticos como sus enemigos, culminada en una sangrienta batalla y en el asesinato de Gaioffo, que pretende ser ejemplar y queda sólo en repugnante. Se airea en aquellos once libros, con hondo sentido histórico-social, el desprecio del humanista a la masa iletrada, a la vez que el más retrógrado concepto feudal que niega a labradores y burgueses el derecho a levantar voz ni mano contra la violencia y humillaciones que a los *baroni* se les antoje infligirles [124]. Estamos, pues, ante un tema fundamental, que también parece haber captado Rabelais cuando relata, claro está que con alcance ideológico de otro orden, el antagonismo de Gargantúa [125] con los mezquinos burgueses de París y los sabios oficiales de la Sorbona. En el *Quijote* se trata del conflicto, matizado a maravilla, entre el temple heroico del ingenioso hidalgo y la estrechez humana de curas, barberos, bachilleres, amas y sobrinas de su aldea manchega. Es decir, el desgarro que tan bien conocemos gracias a la *Vida de don Quijote y Sancho*, genial intuición unamuniana que plenamente respalda la tradición literaria que estudiamos.

124 Véase el capítulo «Peasants and Burghers», en A. Luchaire, *Social France at the Time of Philip Augustus*, Harper and Row, New York, 1967, págs. 380-428. Las letras medievales presentan, en consecuencia, el debate entre *urbanitas* y *rusticitas*, siempre resuelto en perjuicio de los rústicos, según la fórmula del conocido poema *De natura rusticorum:* «Si quis scire vult naturam / maledictam et obscuram / rusticorum genituram...»; V. Cian, *La sàtira*, I, pág. 54.

125 J. Plattard, *L'oeuvre de Rabelais*, pág. 20.

Baldo, Cingar y demás compañeros maleantes exasperan con sus irresponsables fechorías a los patanes de Cipada y a los burgueses y senado de Mantua. El conflicto así planteado, en el que unos y otros recurren a toda suerte de violencias y de innobles arterías, es sin duda uno de los espejos en que se miran el conservadurismo y el genio misántropo de Folengo, cuyos héroes actúan como una simple banda de forajidos. La victoria pírrica sobre los mantuanos sólo sirve para dramatizar la noción de que Baldo y los suyos carecen de toda posibilidad de vivir en el seno de la sociedad contemporánea, y por eso han de abandonar la tierra de los hombres, embarcar para un calenturiento viaje por el mundo subterráneo, poblado también de brujas, demonios y monstruos. El paladín carolingio y su tropa no pueden subsistir como tales en una comunidad humana dominada por el igualitarismo estatal, con sus leyes, sus jueces y sus gendarmes. Son en medio de ella un elemento antisocial, anárquico, un cuerpo extraño que es preciso eliminar, y los *baroni* aprenden muy a su costa la lección de que el garrotazo de un ganapán lisia lo mismo que el mandoble de un paladín. Folengo tiene que llevárselos a un mundo imaginario, hecho a medida, pero que se define también como un absurdo todavía más negativo y estéril, sin final ni escapatoria posible.

El monje benedictino ilustra así de un modo patético el anacronismo irremediable de la caballería en cuanto signo del naufragio de la sociedad medieval, normación divina y no simple etapa de un proceso histórico según la teoría de los tres estados [126]. No queda, pues, esperanza ni alternativa, y obseso, lanzado a un mal humor cósmico, Folengo diagnostica, con su frialdad de hombre de estudio, el caos moral disolvente de toda humanidad, según entra su poema a de-

126 L. de Stefano, *La sociedad estamental de la Baja Edad Media Española a la luz de la literatura de la época*, Caracas, 1966.

mostrarlo [127]. La destilación literaria de dicho estado de ánimo, muy propio de un sector radical del humanismo cristiano, sólo podía ser un producto cerebralmente misántropo y avinagrado, algo similar en principio a nuestra picaresca, desprendida también de un trasfondo de supuestos ideológicos de parecido signo [128].

La nítida formulación de esta idea del anacronismo de la caballería aclara bien cómo y por qué debió de ser Folengo uno de los autores que más interesaran a Cervantes. El gran libro macarrónico se nos acredita como fuente conceptual y temática de importancia superior a cuanto quepa ver en Ariosto, cuyo supuesto influjo se ha tendido a considerar, bastante a la ligera, como clave de las relaciones de Cervantes con la literatura del Renacimiento italiano. El caso de Folengo resulta así fundamental para plantear dicha cuestión sobre terreno más firme, pues da fe de cómo Cervantes se muestra, de hecho, tanto más indiferente a Ariosto cuanto, en otro sentido, mejor le comprende y admira. Hace ya muchos años que, al estudiar la influencia sobre Cervantes de Ariosto y de la novísima épica, intuía un crítico italiano [129] que de todo aquel brote literario era precisamente el *Baldus* lo que más debería haberle impresionado. Porque era ciertamente en Folengo donde la épica renacentista venía a ser como una asíntota del puro relato y donde la comicidad burlesca, confesada sin tapujo, lograba darse todo un lenguaje

---

127 R. Ramat señala cómo el desorden y mescolanza del *Baldus* responde a una visión del mundo como caos y tumulto; «Il *Baldus*, poema dell'anarchia», pág. 8. Cuando Folengo rumia su biografía espiritual, le da el significativo título de *Caos del Triperuno* (Triperuno = 3 × 1).

128 Francisco Márquez Villanueva, «La actitud espiritual del *Lazarillo de Tormes*», en *Espiritualidad y literatura en el siglo XVI*, Alfaguara, Madrid, 1968, págs. 69-137.

129 M. A. Garrone, «L'*Orlando furioso* considerato come fonte del *Quijote*», pág. 106.

propio, cortado a su medida. Como hemos visto en el caso de la caballería y su anacronismo, Folengo construye sobre armazones conceptuales sólidos, muy típicos de dómine estudioso, que contrastan con la frivolidad de Ariosto y el infantilismo de Pulci y Boiardo. Aunque los logros macarrónicos de Folengo no coincidan del todo con las aspiraciones literarias de Cervantes, ello no obsta para que los haya entendido a fondo, impresionado, al menos, por su carácter de trabajo poético honesta y admirablemente hecho.

Profundizar, aun en grado mínimo, en el *Baldus* equivale, por otra parte, a comprender cuán difícilmente podía éste constituir un factor clave para la génesis de cuanto hoy consideramos más cervantino. El conflicto entre el paladín y Cipada nos deja fríos e indiferentes a sus posibilidades, porque se proyecta a través de unos personajes sin la menor humanidad ni vida [130]. Su sentido de la comicidad, que era

---

130 Lo mismo cabe decir de alguna otra prometedora innovación, como el episodio del libro XXII en que Merlín da cuenta de sí mismo, confiesa a sus personajes y comparte con ellos una frugal cena. Según dicho relato, los vecinos de Cipada, envidiosos del pueblo cercano donde naciera Virgilio, despacharon un embajador a Apolo para suplicarle la gracia de un vate de no menor altura. Pero el dios confesó con tristeza que el caudal de la poesía legítima se hallaba agotado y aconsejó al cipadense que se dirigiera al país de Cucaña, donde moraba Tifi Odasi, el cual, en efecto, promete el don de un poeta de nuevo cuño en la persona del pequeño Folengo, alimentado desde entonces a costa del erario público y enviado más tarde a estudiar en Bolonia con Pomponazzi, dato éste tomado en serio por la crítica y terminantemente rechazado por Billanovich. El mismo erudito señala, en su estudio tantas veces citado, los múltiples artificios de Folengo para forjarse una biografía ridícula, mezclando bromas con veras. El motivo de tal actitud no es otro que el de disminuir su responsabilidad en una obra de apariencia tan impropia para un severo monje benedictino. Por ello presenta su libro como fruto de aficiones nacidas con anterioridad a su entrada en la orden y toma precauciones para que la versión Cipadense parezca imprimirse sin su conocimiento y haber sido preparada antes de su reingreso en el claustro, debido todo ello a que sus superiores le impusieron entonces el escribir

el más elemental y el de siempre (con su tema *digestivo)*, no ofrece ni el menor atisbo de una sensibilidad que pueda conducir al nuevo, moderno plano del humorismo; su técnica de caracterización sicológica es más primitiva que la de ninguna gesta medieval, y su visión de lo humano, odiosa e inmisericorde hasta el hastío. Cierto que tenemos allí el germen de alguno de los grandes temas del *Quijote*, pero formulado en términos de la mayor sequedad abstracta, que sólo contribuyen a acentuar su desvitalización y su tristeza. También don Quijote se enfrenta, no sólo con los curas y bachilleres de su lugarejo, sino con los comisarios y cuadrilleros de la aldea grande; pero el recuerdo de Cipada no tiene siquiera la validez de una inversión fotográfica, sino el de un esquema incoloro que milagrosamente se transforma en carne, risa y lágrimas. Puesto en apuro similar al de Baldo, don Quijote huye también del ciego poder del Estado en compañía de Sancho Panza (su Cingar), mas no a ningún inframundo poblado de monstruos, sino a una cercana Sierra Morena habitada por tiernos amantes y bondadosos cabreros. A Cervantes, por último, no le interesó mucho, frente a Rabelais y a Folengo, la manipulación cómica de

---

obras sacras en romance como enmienda por el desenfado de su obra macarrónica. Por lo mismo, la versión Toscolana crea deliberada vaguedad en torno a la corrupción del texto por el malvado Scardaffo y presenta como responsable inmediato del libro a Acuario Lodola y no a Merlín Cocai: «Totum in pristinam formam per me Magistrum Acquarium Lodolam optime redactum». Desde el punto de vista técnico, tales artificios son menos complejos que la presencia del *Autor* entre los personajes de *La lozana andaluza*, y resultan de escaso valor en cuanto anticipos del juego cervantino con la multiplicidad de autores y el papel de Cide Hamete. También en *Pantagruel* (capítulo XXXII), Alcofribas (Rabelais) pasa medio año explorando la boca y tragadero del gigante, con el que mantiene después una alegre conversación.

los «vocabulazzos» [131] como un fin en sí mismo, es decir, el juego en frío y archiculto con el material expresivo.

Toda matización del problema de la épica culta italiana en Cervantes conduce, pues, a un terreno de restricciones y relatividades, mientras que la disminución en esto del papel de Ariosto basta para convertirnos en aguafiestas de muchas bellas generalizaciones. Formúlanse éstas, a menudo, de espaldas a realidades olvidadas de puro obvias y, en nuestro caso, conviene no perder de vista que el último sentido de la obra cervantina es el descubrimiento de un reino literario de lo infinitamente complejo, superador por síntesis de la teoría y de la práctica de su tiempo. Contrasta dicha empresa con el temple conservador de Italia, donde la herencia medieval colaboraba con el humanismo para que no se diera el paso hacia formas literarias más libres. Las resonancias favorables del término *Renacimiento* nos ciegan para apreciar la verdadera situación de una literatura atosigada de teoría y precozmente reducida al callejón sin futuro del academicismo (de alto bordo en el XVI y provinciano en el XVII). Cuando la literatura ha experimentado en su base sociológica una revolución que la entrega en manos de la masa lectora, los poetas de Italia siguen escribiendo para cenáculos de humanistas y de catedráticos. Autores como Ariosto, Tasso y Guarini eran ya manzanas de discordia para aquellos doctos cicateros, manieristas literarios obsesos por la sola idea de licitud poética. Tanto ruido y tanta polémica sirvieron, sobre todo, para acobardar a los poetas, crucificándolos a tareas imposibles o estériles. La prédica de tanto dómine aristotélico lograba que el poeta italiano creara a menudo

---

131 No, ciertamente, por incapacidad en dicho terreno, como pone de relieve H. Hatzfeld en «Cervantes y Rabelais», págs. 303-320. (La cita no se hace, empero, sin reservas acerca de algunos argumentos y conclusiones.)

con una mala conciencia suscitada por sus Humanidades demasiado bien aprendidas. Y hasta el mismo Folengo se muestra inquieto por aquella ortodoxia cuando, en penitencia por su fantasía y por no haber sido tal vez bastante moralizador, se condena a una eternidad en manos de los diablos sacamuelas.

Para el autor del *Quijote* existían, por consiguiente, imposibilidades de orden casi físico. Cerrada sobre sí misma, la épica culta carecía de posibilidad para incorporarse por algún atajo a la modernidad literaria. Y era así mucho más que un obstáculo de géneros distanciados lo que apartó a Cervantes del camino de los italianos. Retenida por la densidad de su admirable tradición clásica, Italia siente durante siglos una característica pereza para aceptar las formas de la modernidad literaria (teatro, ensayo, novela). Y el dato decisivo en toda esta cuestión no es, en modo alguno, la levedad del eco ariostesco en Cervantes, sino la secular frialdad italiana [132] hacia el *Quijote* y su autor.

[132] E. Mele, «Más sobre la fortuna de Cervantes en Italia en el siglo XVII», *Revista de Filología Española*, VI, 1919, págs. 364-374. P. Hazard, *Don Quichotte de Cervantes*, págs. 322-323. J. G. Fucilla, *Relaciones hispanoitalianas*, Madrid, 1953, pág. 38. F. Meregalli, «Las relaciones literarias entre España e Italia en el Renacimiento», *Actas del primer congreso internacional de hispanistas*, Oxford, 1964, página 131.

ÍNDICE ONOMÁSTICO

ÍNDICE GENERAL

Págs.